REGARDE-MOI

REGARDE-MOI

NATASHA BEAULIEU

Illustration de couverture : BERNARD DUCHESNE
Photographie : JÉRÔME ABRAMOVITCH

Distributeurs exclusifs :

Canada et États-Unis :
Messageries ADP
2315, rue de la Province
Longueuil (Québec) Canada
J4G 1G4
Téléphone : 450-640-1237
Télécopieur : 450-674-6237

France et autres pays :
Interforum editis
Immeuble Paryseine
3, Allée de la Seine, 94854 Ivry Cedex
Tél. : 33 (0) 4 49 59 11 56/91
Télécopieur : 33 (0) 1 49 59 11 33
Service commande France Métropolitaine
Tél. : 33 (0) 2 38 32 71 00
Télécopieur : 33 (0) 2 38 32 71 28
Service commandes Export-DOM-TOM
Télécopieur : 33 (0) 2 38 32 78 86
Internet : www.interforum.fr
Courriel : cdes-export@interforum.fr

Suisse :
Interforum editis Suisse
Case postale 69 – CH 1701 Fribourg – Suisse
Téléphone : 41 (0) 26 460 80 60
Télécopieur : 41 (0) 26 460 80 68
Internet : www.interforumsuisse.ch
Courriel : office@interforumsuisse.ch
Distributeur : OLS S.A.
ZI. 3, Corminboeuf
Case postale 1061 – CH 1701 Fribourg – Suisse
Commandes :
Tél. : 41 (0) 26 467 53 33
Télécopieur : 41 (0) 26 467 55 66
Internet : www.olf.ch
Courriel : information@olf.ch

Belgique et Luxembourg :
Interforum Benelux S.A.
Fond Jean-Pâques, 6, B-1348 Louvain-La-Neuve
Tél. : 00 32 10 42 03 20
Télécopieur : 00 32 10 41 20 24
Internet : www.interforum.be
Courriel : info@interforum.be

Pour toute information supplémentaire
LES ÉDITIONS ALIRE INC.
C. P. 67, Succ. B, Québec (Qc) Canada G1K 7A1
Tél. : 418-835-4441   Fax : 418-838-4443
Courriel : info@alire.com
Internet : www.alire.com

Les Éditions Alire inc. bénéficient des programmes d'aide à l'édition de la Société de développement des entreprises culturelles du Québec (SODEC), du Conseil des Arts du Canada (CAC) et reconnaissent l'aide financière du gouvernement du Canada par l'entremise du Fonds du Livre du Canada (FLC) pour leurs activités d'édition. Nous remercions également le gouvernement du Canada de son soutien financier pour nos activités de traduction dans le cadre du Programme national de traduction pour l'édition du livre.

Gouvernement du Québec – Programme de crédit d'impôt pour l'édition de livres – Gestion Sodec.

Dépôt légal : 4e trimestre 2012
Bibliothèque nationale du Québec
Bibliothèque nationale du Canada

À Dominic Vincent,
au regard perçant.

TABLE DES MATIÈRES

« De toutes les formes de prudence,
la prudence en amour est peut-être celle
qui est la plus fatale au vrai bonheur. »

Bertrand Russell

PROLOGUE

HÉLÉNA

1980

— Une bière, la Musicienne ? Héléna, étonnée, prit néanmoins la Black Label que lui tendait son père en souriant. La bouteille était froide et moite. Elle en avala une gorgée. Amer mais pas mauvais, jugea-t-elle. Elle avait seize ans et c'était sa première bière. La chaleur était suffocante, à Montréal, en ce samedi soir de juillet. Frank, l'ami de son père, habitait l'appartement au-dessus du magasin de disques où il travaillait sur le boulevard Saint-Laurent. Le salon, dans lequel un simple ventilateur de bureau ne faisait que déplacer l'air chaud et humide, était un four. Mais c'était là que se trouvaient les vinyles et la chaîne stéréo, près de laquelle s'affairaient les amis tandis qu'Héléna regardait les photos de jeunes punks aux cheveux et maquillages extravagants affichées sur les murs. Elle reconnut Sid Vicious et

Johnny Rotten, membres des Sex Pistols. Elle connaissait par cœur toutes les chansons de leur album *Never Mind the Bullocks*.

Le divan était plein de piles de 33 tours et de vêtements. Héléna s'assit donc par terre, les fesses sur un coussin élimé et le dos contre le mur vert lime. Elle vit son père se frotter les mains avec anticipation pendant que Frank déposait un 45 tours sur le tourne-disque. Quelques secondes plus tard, les premiers sons s'évadaient des haut-parleurs. Héléna haussa les sourcils. Elle entendait des bruits qui ressemblaient à ceux des appareils d'un dentiste, à une machine à laver qui fonctionne mal, aux sons insolites de la maison hantée du parc Belmont, à du popcorn dont on cherche à étouffer l'éclatement...

Les mêmes sons se répétèrent quatre fois puis, à la cinquième, une voix masculine s'ajouta:

Won let de ret

Debout, son père et Frank tenaient leur bouteille de porter en bougeant la tête et leurs pieds au même rythme saccadé que la chanson.

Wouom lètederète

Héléna faisait un effort pour comprendre les mots anglais prononcés, aurait-on dit, par un robot qui parlait plutôt que par un humain qui chantait.

Worm letter ette

Elle prit plusieurs gorgées de Black. Elle se sentit un peu étourdie, mais la sensation était agréable.

Wouarm leterette

Le vinyle joua en boucle tellement de fois qu'Héléna cessa de compter. Elle recevait dans son corps les vibrations des sons minimalistes, si différents de ceux produits par une guitare, une basse et une batterie acoustiques. La chanson électronique s'insérait en elle profondément, de manière plus intime, suggérant...

C'est la nuit. Dans un stationnement désert, un homme la plaque contre la portière de métal froide de sa voiture. Il lui donne son premier baiser. La suite se déroule à l'intérieur de la voiture, sur la banquette arrière, en vinyle. C'est intense et sans émotion. Une initiation à la réalité de l'acte sexuel qui n'a rien à voir avec l'amour.

La chanson prit fin, cette fois pour de bon. Héléna déposa sa bière vide sur le plancher. Elle pensa aux lèvres humides de l'homme de son fantasme ainsi qu'à la banquette, aussi moite que son sexe l'était en ce moment. Ne sachant quoi faire de ses mains, elle les glissa sous ses cuisses.

— C'était quoi, la chanson? demanda-t-elle.

— *Warm Leatherette*, de The Normal, répondit Frank en se penchant pour lui montrer la pochette, noire et blanche.

La photo de la couverture représentait deux individus assis dans une structure métallique qui pouvait être la partie avant d'une voiture. L'un des hommes avait le visage recouvert d'un masque et les bras tendus vers l'avant, comme pour se protéger d'un coup à venir. Au verso, *Warm Leatherette*, la chanson principale, était illustrée par le dessin d'un homme chic aidant une jeune femme à descendre d'une voiture, probablement la sienne.

— Une autre bière, la Musicienne? lui demanda son père.

— Oui.

Héléna voulut se lever pour aller aux toilettes, mais la tête lui tournait trop. Elle resta donc assise et ferma les yeux. Pendant un moment, elle se revit, à quatre ans, assise au piano pour la première fois. De ses mains déjà plus longues et fines que celles des enfants de son âge, elle s'était mise à frapper sur les touches du clavier de manière aléatoire mais avec détermination. Depuis, son père l'appelait affectueusement la Musicienne.

— Et que la soirée continue! dit joyeusement son père qui revenait déjà au salon avec une Black et deux porters.

Et la soirée se poursuivit, ce qui donna l'opportunité à Héléna de découvrir d'autres groupes de musique électronique qui allaient influencer le cours de sa vie.

JOHN

1997

— Un billet pour la salle 6, dit John à la guiche-
tière.

— Le film est commencé depuis longtemps.

— Un billet pour la salle 6, répéta-t-il en déposant
deux dollars cinquante sur le comptoir.

La femme prit l'argent et lui donna le bout de
papier.

John s'éloigna à pas feutrés.

Inutile de tâtonner dans la pénombre. Fidèle à son
habitude, il s'assit dans la dernière rangée, qui lui
permettait de recenser le nombre de spectateurs.
Vingt-trois. Vingt-quatre avec lui. C'était bien. Il
aimait les nombres pairs. Il les avait toujours préférés
aux nombres impairs.

John n'avait prêté aucune attention au titre du
film. Il ne connaissait aucun des acteurs qui s'agi-
taient sur l'écran. Il regarda l'un d'eux poser un

acte invraisemblable. Jamais il ne serait venu à l'esprit de John de pénétrer la cicatrice béante d'une femme plutôt que son sexe. De toute façon, le Code quatre proscrivait le sexe avec partenaire. En aucun cas le pénis ne devait s'insérer dans une cavité, quelle que fût son apparence ou sa profondeur. L'organe viril devait rester en dehors de. En dehors de tout ça. Avant la création du Code quatre, John était entré deux fois à l'intérieur de deux partenaires différentes. Lors des deux expériences, il avait eu l'impression de ne pas éjaculer seulement son sperme mais tous les fluides de son corps. Il s'était senti comme un organisme soudain tari. Il avait donc renoncé à cette pratique inutile et déplaisante qui l'asséchait. La masturbation, à laquelle il s'adonnait plusieurs fois par jour, lui procurait la satisfaction du devoir accompli. Le pénis devait être entretenu et en bonne santé, tout comme les autres parties du corps.

À l'écran, c'était maintenant la nuit. Deux femmes allongées sur la banquette arrière d'une voiture accidentée se caressaient et s'embrassaient. John n'était pas intéressé. Il préféra se regarder en train de se masturber, ce qu'il faisait depuis quelques minutes. Il prévoyait éjaculer dans les prochaines secondes afin de pouvoir quitter la salle de cinéma avant la fin du film.

Une seule fois, il s'était laissé masturber par une femme. Ça lui avait plu, mais il ne l'avait pas revue à cause du Code deux qui interdisait de créer des liens émotifs avec qui que ce soit.

Lorsque son sperme se répandit enfin sur le dossier du fauteuil devant lui, John, soulagé, s'essuya avec deux papiers-mouchoirs qu'il laissa tomber par terre.

Il trouvait bien de laisser sa trace un peu partout. À chacun sa manière de s'inscrire dans l'histoire. Il sortit du cinéma et glissa les mains dans les poches de son manteau noir. La température devait approcher les moins dix Celsius en cette soirée de janvier, mais John ne portait ni chapeau ni foulard. Il appréciait le froid. Surtout sur sa nuque. Puisqu'il avait faim, il marcha jusque chez Ben's, au coin du boulevard de Maisonneuve Ouest et de la rue Metcalfe. C'était un restaurant dont le décor était le même depuis les années cinquante. Les murs en formica jaunâtre étaient tapissés de photographies de vedettes venues y savourer un sandwich à la viande fumée. Achalandé à toutes les heures du jour et de la nuit, le *delicatessen* était toujours fort bruyant. C'est ce qui plaisait le plus à John, qui détestait le silence. Il avait besoin du bruit. N'importe quel bruit. Mais pas de musique.

Fidèle à son habitude, il attendit qu'une place se libère au comptoir puis il commanda un sandwich à la viande fumée et deux Coke. Si ce plat avait été servi en un seul morceau, John se serait vu dans l'obligation d'en commander deux, mais puisqu'on le coupait, il n'y avait pas de problème puisqu'il mangeait deux morceaux de sandwich.

On déposa rapidement sa commande devant lui. Il prit son temps pour manger, appréciant la cacophonie des clients qui parlaient et riaient, des serveurs qui s'interpellaient, du bruit des assiettes et des verres qu'on déposait sur les tables, des salières, sucrières et bouteilles de vinaigre qui s'entrechoquaient, des chaises qu'on tirait, tout cela en un agencement parfait pour meubler le silence.

Au moment de payer, il fouilla dans son porte-feuille. Le billet du film qu'il venait de voir tomba sur le comptoir. *Crash*, lut-il, sans ressentir ni plaisir ni dégoût, seulement une indifférence qui lui était normale.

Il froissa le billet dans le creux de sa main et, une fois dehors, il le jeta dans la deuxième poubelle qu'il croisa sur son chemin.

RACHEL

1999

Pas facile de circuler en voiture dans la rue Sherbrooke le 31 décembre, mais Rachel ne s'en plaignait pas. Elle venait de déposer trois amies dans un bar du centre-ville de Montréal où elles allaient passer la nuit à célébrer l'arrivée du nouveau millénaire. Elles avaient essayé une dernière fois de la convaincre de les accompagner, mais Rachel leur avait répété qu'elle préférait fêter en famille. C'était un mensonge, mais elle n'avait pas eu le goût d'expliquer – car, c'est sûr, elles auraient voulu avoir une explication – pourquoi elle préférait passer le Nouvel An à se balader toute seule en voiture plutôt que de boire du champagne dans un bar bondé de monde.

C'était toujours elle qui tenait le volant. Normal, c'était sa voiture. Logique, elle aimait conduire beaucoup plus que tous les gens qu'elle transportait. Dans sa longue liste de connaissances, et de quelques amis, Rachel savait qu'on la fréquentait surtout pour avoir un *lift*.

Plusieurs membres de sa famille, des voisins et voisines, des amis d'amis faisaient appel à ses services pour se déplacer, préférant l'agréable compagnie d'une jeune femme au début de la vingtaine à celle des chauffeurs de taxi parfois bêtes ou grincheux. Rachel ne demandait rien pour conduire les gens où ils le voulaient, mais ses passagers lui offraient toujours quelques dollars qu'elle mettait de côté – investis à la banque –, en attendant de pouvoir un jour s'offrir son rêve.

Lorsqu'elle n'était pas dans sa voiture ou en train de dormir chez ses parents, Rachel travaillait dans un lave-auto manuel à temps partiel, ce qui lui permettait de payer les dépenses de la Honda Accord que sa mère lui avait donnée quand cette dernière avait changé de voiture. Rachel aurait préféré un autre modèle, mais *à cheval donné, on ne regarde pas la bride*.

Elle attendit de rouler sur l'autoroute 20 avant d'appuyer sur le bouton du lecteur de CD pour écouter sa chanson fétiche : *Riding Alone in My Automobile*, de Chuck Berry.

Tout le monde comprenait sa passion de conduire et de faire de la route, mais personne ne savait à quel point Rachel était imprégnée de la culture des voitures américaines. La culture des chars. Enfant, Rachel avait pris beaucoup plus de plaisir que son frère à jouer avec ses *hot wheels*. N'ayant aucun intérêt pour les poupées, elle avait donc eu plus souvent pour amis des garçons que des filles. C'était elle qui insistait auprès de ses parents pour faire un tour en voiture pour tout et rien. Mais elle n'était jamais aussi heureuse que lorsqu'ils allaient rendre visite à l'oncle Marcel, qui s'amusait dès leur arrivée à balader Rachel dans sa luxueuse Lincoln Continental 1987 avec des sièges en cuir beige sur lesquels, l'été, la peau brûlait avant de suer à grosses gouttes. Et c'était cette Lincoln qui avait été la première automobile qu'elle avait conduite, encore gamine, assise sur son oncle Marcel qui tenait et dirigeait le volant par-dessus ses mains à elle.

À l'adolescence, Rachel, une enfant qui passait jusqu'alors plutôt inaperçue, s'était transformée en une jeune fille fort attrayante et aux courbes prononcées auxquelles les garçons ne restaient pas indifférents. Elle avait accueilli ces changements physiques avec joie.

Pour ses seize ans, Marcel l'avait de nouveau laissée conduire la Lincoln, mais sans son aide, cette fois. Rachel considérait encore cette expérience comme un des souvenirs les plus intenses de sa vie. Contrôler et diriger cette grosse machine l'avait d'abord rendue extatique puis, après coup, extra lucide quant au pouvoir qu'elle tenait entre ses mains, simplement en tenant le volant. Quelques mois plus tard, Rachel avait obtenu son permis d'apprenti conducteur avec facilité. Et elle avait alors vite compris que ce n'était pas la vitesse et la performance qui l'intéressaient mais, au contraire, de conduire prudemment et de manière responsable. À ces conditions, elle allait pouvoir un jour allier passion et travail.

Rachel avait aussi vite compris qu'elle préférait pratiquer des activités sexuelles sur la banquette chaude et collante de sa voiture, ou dans des endroits publics anonymes et impersonnels, que dans des lits aux draps repassés. Et elle avait découvert qu'elle n'était pas la seule à aimer cette manière de vivre sa sexualité. Comme elle n'avait aucun désir de s'engager dans une relation conventionnelle ayant pour but de fonder une famille, Rachel ne manquait pas de partenaires. Ce qui lui permettait de rester libre, ce qu'elle aimait par-dessus tout. Car, pour elle, la liberté était dans sa voiture, non dans une vie de couple.

ADAM

2007

Vêtu d'un simple boxer noir moulant, Adam dansait dans le salon de sa blonde. *Rage*, de Atari Teenage Riot, jouait à tue-tête. Lui qui dansait toujours par plaisir, le faisait présentement pour se défouler. Bandé et exaspéré, ses mouvements sauvages et violents exprimaient la frustration qui l'habitait depuis des mois.

Utilisant un nouveau subterfuge pour donner le goût à Stéphanie de faire l'amour, Adam avait cru qu'elle craquerait de le voir danser pour elle en petite tenue. À la place, avachie dans le lit en train de lire, elle lui avait crié par la tête de baisser sa musique débile et agressive avant d'ajouter qu'il devrait aller s'engager comme *gogo boy*. Insulté et humilié, Adam était retourné au salon. L'idée lui avait traversé l'esprit d'ouvrir la porte du balcon qui donnait sur la rue et de s'offrir en spectacle en espérant attirer des regards admiratifs et brillants de désir, mais le courage lui avait manqué. Et Stéphanie se serait encore foutue de sa gueule ou, pire, elle aurait fait une crise.

Tous les jours Adam se demandait s'il était normal d'avoir le goût de baiser si souvent. À dix-neuf ans, ça devait l'être, non ? Comment alors expliquer que le même désir n'était pas aussi présent chez les filles de son âge ? En fait, il ne le savait pas. Il sortait avec Stéphanie depuis deux ans et n'avait jamais eu de rapport sexuel avec une autre fille. Ce n'était pourtant pas les occasions qui manquaient, car Adam savait qu'il plaisait aux filles – et aux femmes plus âgées aussi, parce qu'elles ne se gênaient pas pour lui faire des avances de toutes sortes qu'il avait, jusqu'à maintenant, toujours refusées. Mais ça le titillait, surtout depuis quelques semaines, d'aller voir ailleurs, comme on disait. Il avait besoin de vérifier si toutes les femmes étaient aussi peu portées sur le sexe que Stéphanie.

La chanson terminée, Adam enfila son jean, son t-shirt et ses Converse. Il passa une main dans sa courte chevelure blonde ébouriffée et décida qu'il en avait assez de se sentir coupable d'être souvent bandé et de devoir se masturber plutôt que de faire l'amour avec sa blonde.

Il prit le couloir qui menait à la chambre en sachant qu'il allait trouver Stéphanie exactement au même endroit et dans la même position. Elle était toujours si prévisible, même les rares fois où ils avaient une relation sexuelle. Elle s'allongeait sur le dos et le laissait agir. Jamais elle ne prenait une initiative et si Adam suggérait quelque chose de nouveau elle refusait, trouvant un prétexte qui était rarement logique.

Adam s'appuya contre le cadre de porte pour observer cette belle fille pulpeuse : comment peut-elle préférer lire un roman plutôt que faire l'amour avec moi ?

— Est-ce que t'as bientôt fini de lire ?

Stéphanie baissa son livre, vexée d'être dérangée dans sa lecture.

— Quoi encore ? Tu veux du sexe ? Ça devient achalant.

Le blâme mit Adam hors de lui. Non, il ne voulait pas « du sexe », il voulait faire l'amour avec la fille qu'il aimait ! Il entra dans la chambre en trombe, bien décidé à avoir une conversation sur le sujet de leurs besoins sexuels respectifs. Il arracha le roman des mains de Stéphanie – il remarqua sans s'en apercevoir le titre de l'œuvre, écrit en très gros sur la couverture – et, avant même qu'elle ait pu protester, il le lança derrière lui.

— T'es malade ! hurla Stéphanie, le regard fou de rage en se précipitant vers la fenêtre grande ouverte à côté du lit.

Il fallut quelques secondes à Adam pour comprendre ce qui venait d'arriver : le livre était passé par la fenêtre. Il l'entendit s'écraser trois étages plus bas, sur le trottoir, et le bruit lui rappela le titre : *Crash*.

Il éclata de rire. Sa blonde se tourna vers lui, le visage enlaidi par la colère.

— Tu trouves ça drôle ?

Il fit les deux pas qui les séparaient avec l'intention de la prendre dans ses bras, mais il n'eut pas le temps de terminer son geste. Stéphanie le gifla.

Adam resta un moment sous le choc, la joue gauche en feu. Puis, constatant que cette fille qu'il croyait aimer ne s'excusait pas de l'avoir frappé, il lui tourna le dos et sortit de la chambre.

— Adam !

Trop tard.

Il passa au salon, ramassa son sac sur le divan et quitta ce logement dans lequel il n'allait plus jamais revenir.

16 MAI 2008

ILS VIVENT UNE DATE IMPORTANTE

RACHEL

— Le moteur est encore vraiment très bien, dit la femme aux longs cheveux noirs au léger accent latino. On n'a pas souvent roulé avec cette voiture-là. Rachel continua d'inspecter la voiture d'un air dubitatif. Elle sentait la tension de la femme, dont le regard offensé pouvait se traduire par « c'est pas parce que mon homme n'est pas là que je vais baisser le prix ». Rachel se gardait de démontrer un trop grand enthousiasme pour la Lincoln Continental 1987 dont les propriétaires cherchaient à se débarrasser pour un prix dérisoire. Elle aurait été prête à leur donner trois fois le montant demandé. Elle négocia, pour faire effet. Sur un ton déterminé, la Latino lui dit que le prix était définitif. Rachel répliqua qu'elle payerait comptant. Le visage de la propriétaire de la voiture changea alors d'expression. Elle demanda à l'intéressée de bien vouloir patienter, le temps qu'elle passe un coup de fil. Elle s'éloigna sur le terrain et, de dos, engagea une conversation sur son cellulaire. Rachel en profita pour lorgner son corps, dont la robe défraîchie mettait tout de même en valeur les courbes attrayantes.

La Latino revint poursuivre la négociation, sourire aux lèvres. Rachel la trouva bien plus jolie qu'avec son air rébarbatif.

— Cent dollars de moins si tu payes comptant.

— Vendu.

— Tu ne veux pas l'essayer avant?

— Non.

Elle allait payer la remorqueuse s'il le fallait.

Il y eut transfert d'argent, de clés et signature de papiers.

Rachel, prête à partir, s'assit sur le siège du conducteur. Elle mit la clé dans le démarreur et la tourna. Entendre vrombir le moteur se révéla encore plus excitant que dans son souvenir. Elle baissa la vitre et agrippa le volant.

Juste avant de reculer, elle fit signe à la Latino d'approcher.

— Pour ton sourire, dit-elle en lui glissant cent dollars dans la main, accompagnés d'un clin d'œil.

Avant que la femme ait eu le temps de rougir ou de remercier, la Lincoln était déjà engagée sur la route de campagne d'un coin perdu de Thunder Bay. Une vingtaine de minutes plus tard, la voiture roulait sur l'autoroute ontarienne 11, vers l'est.

L'année précédente, à trente ans, Rachel s'était enfin sentie prête à réaliser son rêve: trouver « sa » Lincoln. Elle avait amassé assez d'argent pour en acheter une, même en piètre état, et la faire remettre à neuf. Pendant les seize derniers mois, elle avait consacré beaucoup d'énergie à trouver la perle rare.

Mais malgré les kilomètres parcourus, au Canada et aux États-Unis, pour voir des Lincoln en vente sur Internet, le coup de foudre ne s'était jamais produit. Et comme sa voiture allait occuper une place majeure dans sa vie, Rachel ne pouvait se permettre de choisir à la légère.

Idéalement, elle aurait voulu la Lincoln de son oncle Marcel, mais cette dernière avait connu, quelques années plus tôt, une fin inusitée. Stationnée dans une halte routière, tandis que Marcel utilisait les toilettes publiques, un camion dix-huit roues – dont le chauffeur avait fait un arrêt cardiaque au volant – avait embouti la Lincoln, qui s'était ensuite écrasée contre un mur. Son oncle ne s'était jamais remis de la perte prématurée de sa voiture. Rachel soupçonnait qu'il était d'ailleurs mort de tristesse – du moins en partie – deux mois plus tard. Elle aurait aimé que Marcel la voie, aujourd'hui, au volant de *sa* Lincoln Continental 1987. Elle aurait aimé l'amener en excursion pour le remercier de lui avoir transmis sa passion de conduire et parce qu'elle s'était toujours sentie plus proche de lui que de sa famille immédiate.

Dès son retour à Montréal, si son véhicule réussissait à parcourir les mille six cents kilomètres sans problème, elle irait chez un garagiste spécialisé en voitures de collection pour demander une évaluation de la remise à neuf de la Lincoln. Tout ce qui devait être refait devait l'être dans le respect du modèle original. Heureusement, les derniers propriétaires n'avaient apporté aucune modification extérieure visible. Il fallait néanmoins vérifier les pièces du moteur qui avaient pu, au fil des ans, être remplacées par des pièces inadéquates. Certaines parties du tableau de bord n'étaient plus fonctionnelles, de même que des accessoires. Le cuir beige était égratigné partout et déchiré à plusieurs endroits sur la banquette arrière. Il faudrait tout recouvrir de cuir neuf.

C'était dans une limousine huit places que Rachel avait vécu sa première vraie relation sexuelle avec un collègue de travail du lave-auto. Un homme marié de quarante-huit ans. Elle en avait dix-huit. Ça leur arrivait fréquemment de s'amuser ensemble, surtout lorsqu'ils se retrouvaient seuls au garage. Ce soir-là, ils nettoyaient l'intérieur de la limousine. Agenouillée sur une banquette, Rachel était excitée par l'odeur du cuir qu'elle frottait et la main de son collègue qui frottait ses fesses par-dessus son jean. Lorsqu'il était devenu plus audacieux, en prenant l'initiative de baisser son pantalon et son boxer, elle l'avait laissé faire. Il s'était ensuite assis sur la moquette, avait glissé sa tête entre les jambes de Rachel et il avait goûté son sexe avec insistance. Une quinzaine de minutes plus tard, elle avait pris plaisir à lui rendre la pareille et, lorsque leurs vêtements s'étaient retrouvés éparpillés dans la voiture, un condom avait été enfilé sur le sexe érigé et ce qui devait suivre avait suivi. Rachel se souvenait encore très bien de ses fesses mouillées qui glissaient sur le cuir tandis que son collègue la pénétrait avec vigueur. Elle avait tout de suite aimé l'acte sexuel autant qu'elle aimait les voitures. Elle s'était sentie en harmonie avec le sexe et les moteurs, avec l'odeur du cuir et de l'essence, et elle n'avait jamais cherché à nier cette vérité qui la caractérisait.

C'était depuis cette expérience que Rachel avait su que sa priorité serait toujours la liberté. Elle la ressentait dans tous les pores de sa peau lorsqu'elle conduisait ou qu'elle vivait une expérience sexuelle avec un parfait inconnu. Le reste du temps, Rachel n'avait pas besoin de faire quelque chose de concret pour se sentir libre. Elle *était* libre. Intègre avec elle-même et ses besoins profonds.

HÉLÉNA

La Musicienne n'avait rien à dire. Du moins, rien de plus intelligent que le silence. Personne d'autre d'ailleurs ne prononça quoi que ce soit à la mémoire du défunt.

La vingtaine d'individus présents à la cérémonie d'enterrement se tenait en demi-cercle près de la fosse creusée devant la stèle funéraire. Le représentant de la maison funéraire qui tenait l'urne donnait à chacun le choix de la toucher ou de la tenir avant sa mise en terre. Son tour venu, Héléna prit l'urne entre ses mains et, bien que la pesanteur la surprît, elle la garda une dizaine de secondes avant de la redonner à l'homme. Ce dernier, aidé de son confrère, inséra ensuite l'urne dans une pochette en suédine bleue qu'il déposa dans le trou. Trois personnes firent les quelques pas qui les séparaient de la fosse pour y laisser tomber une rose. Héléna fit de même, mais avec une écharpe beige qu'elle portait autour du cou. Dès l'instant où l'employé du cimetière Notre-Dame-des-Neiges prit sa pelle, elle s'éloigna. Il lui faudrait beaucoup plus que quelques minutes de cérémonie pour enterrer ces cendres et tous les souvenirs qui les accompagnaient. Héléna arpenta les allées du cimetière, heureuse que personne n'ait décidé de l'accompagner jusqu'à la sortie. La température douce et les arbres en fleurs l'irritaient. Ce lieu paisible et lumineux était en contradiction avec ses émotions.

À l'Usine C où elle se rendit quelques heures plus tard, elle fut accueillie avec respect et discrétion par les membres du personnel du Festival Kinetik 2008. Elle les salua d'un bref geste de la main, sans s'arrêter pour jaser, puis elle se hâta vers la salle de spectacle pour se fondre dans la foule avant d'être reconnue par ses fans.

Là, dans la semi-noirceur et l'anonymat, le corps traversé par la rude musique industrielle et les voix synthétisées projetées par les immenses haut-parleurs, elle se sentit à sa place. Sous ses pieds, les basses fréquences faisaient vibrer le plancher de ciment, lui insufflant une vie éphémère.

Sur scène, Héléna reconnut les deux membres montréalais de Memmaker derrière leurs claviers M-audio et leur MacBook connectés par des câbles USB. Habituée à ce genre d'équipement, elle se vit, une fraction de seconde, elle-même sur scène en train de jouer, mais elle chassa cette image car elle avait besoin de laisser son ouïe prendre le contrôle.

Elle ferma les yeux et s'ouvrit à la nouvelle pièce qui débutait. Une de celles dans laquelle le duo créait une pulsion de base qu'ils alimentaient d'une tension agissant comme une montée sexuelle. D'ailleurs, se prit-elle à penser, presque toute la musique issue du courant électronique des années soixante-dix et quatre-vingt était lourde de charge érotique. Certes, on pouvait parler de stimulation sexuelle pour plusieurs types de musique, mais celle de la musique industrielle et de ses nombreux dérivés jurait avec les autres. La charge érotique n'était pas sensuelle. Elle n'était pas romantique. Elle était agressive. Violente. Dure. Froide. Elle exaltait un état de passion brute et intense qui n'avait rien à voir avec les concepts sirupeux et édulcorés de l'amour généralement véhiculés au cinéma ou à la télévision. Héléna n'avait jamais ressenti le moindre intérêt pour l'amour gentil et charmant. L'amour devait être profondeur et vérité. Sinon, il n'était qu'une mièvrerie. Un long mensonge dont le but caché était de recréer l'amour parental perdu.

Elle ouvrit les yeux, mais ce n'était pas pour voir. La prestation de Memmaker était terminée et il allait s'écouler quelques minutes avant le prochain spectacle. Elle se dépêcha de quitter la grande salle pour aller s'isoler quelque part. Plusieurs admirateurs tentèrent de lui parler, mais elle les ignora. À ce moment-là, Héléna était incapable de communiquer avec qui que ce soit.

Une fois dehors, elle marcha vers le sud jusqu'à l'avenue Lartigue, toujours un peu difficile à repérer et qui, avec sa poignée de maisonnettes, donnait l'impression d'une anomalie urbaine qu'Héléna trouvait fascinante. Elle s'assit sur un des bancs du petit parc.

Elle avait beau ne plus être dans un contexte musical, Héléna entendait et décortiquait la dernière pièce de Memmaker dans son esprit qu'elle cherchait à tenir occupé par autre chose que des images. Son cerveau était capable d'isoler chacune des trames distinctes d'une pièce musicale. Il était construit comme la partition d'une œuvre. Elle devait cette aptitude à ses nombreuses années de cours de piano. Elle s'était un peu ennuyée avec Bach, Haydn et Mozart, mais elle avait pratiqué des heures et des heures sans se décourager. Les romantiques Beethoven, Chopin et Schumann ne lui avaient pas beaucoup plu, mais elle avait pris plaisir à maîtriser l'interprétation de leurs œuvres. Elle s'était à peine laissé émouvoir par les impressionnistes Debussy et Ravel, ou les modernes Satie et Gershwin. Elle avait pourtant poursuivi sa formation de musicienne classique pendant plus de dix ans, stimulée par ses parents et, surtout, par défi personnel.

Ses véritables intérêts musicaux avaient bien peu à voir avec le piano ou les goûts normaux d'une jeune fille. Un de ses 33 tours préféré était *Le Voyage*, de Pierre Henry. Elle se rappelait la pochette argentée et métallique qui l'intriguait tant. Couchée par terre dans sa chambre, à la noirceur, elle passait des heures à réécouter ce vinyle qui était constitué de sons aigus, graves, irritants, fascinants et mystérieux, évoquant pour elle des mondes lointains inexplorés et des créatures étranges.

À l'adolescence était venu l'intérêt pour quelque chose de violent et de provocant, ce que le rock normal n'atteignait pas, selon elle. Le mouvement punk avait suscité son intérêt, mais il y manquait aussi quelque chose. C'était lorsqu'elle avait entendu *Warm Leatherette*, qui fusionnait son amour pour les sons électroniques, les répétitions inlassables (legs de Philip Glass) et l'aspect froid et métallique qui évoquait son univers érotique personnel, qu'elle avait décidé du genre de musique qu'elle voulait jouer.

Après avoir repassé en souvenir l'origine de ce qu'elle était, Héléna se sentit soudain enveloppée d'un vif sentiment de malaise, collant et tiède. Elle fut ensuite frappée d'une vulnérabilité dévastatrice dont elle avait pourtant réussi à se protéger les derniers jours. La cérémonie funéraire faisait effet à retardement.

ADAM

Debout sur scène, les pouces glissés dans les passants de son jean bleu foncé, Adam attendait, un peu nerveux mais pas intimidé. Il était à l'aise avec son corps, qu'il soit habillé ou nu. Il se savait capable de bouger de manière sensuelle, voire provocante, mais il ne l'avait jamais fait sur une scène, encore moins devant un public. Certes, le public du Hard & On se composait pour l'instant d'une poignée de personnes qui semblaient être, à en juger par leur familiarité avec Anthony, le patron du bar de danseurs, des amis ou des habitués de la place, peut-être un peu des deux. Ces hommes et femmes étaient assis aux tables avec des consommations et des paniers de popcorn.

— Es-tu prêt, Adam ? demanda Anthony.

— Oui, répondit-il avec assurance en repoussant la longue mèche blonde qui lui balayait le côté droit du visage. Est-ce que je peux donner ma chanson au DJ ?

— Bien sûr.

Adam sortit une clé USB d'une poche de son jean et descendit les trois marches pour la donner au jeune DJ qui s'était approché de la scène. Il lui indiqua le titre de la chanson sur laquelle il voulait passer son audition.

Lorsqu'il avait décidé de tenter sa chance comme *gogo boy*, Adam avait passé une soirée dans chacun des bars de danseurs du quartier gai de Montréal. Dans certains il était resté à peine deux minutes, jugeant que ce n'était pas le genre d'endroit où il aimerait travailler. Il avait par contre passé une soirée complète dans trois de ces bars, analysant la musique, le genre de clientèle, l'attitude des danseurs, et il en était venu à la conclusion que sa place était au Hard & On. C'était le plus petit et le plus récent des bars de danseurs à avoir ouvert ses portes – depuis à peine deux mois. L'ambiance y était sympathique, la clientèle mixte début vingtaine et le prix des consommations un peu moins élevé qu'ailleurs. On distribuait un panier de popcorn gratuit aux tables où l'on buvait de l'alcool. Adam avait cependant constaté un problème majeur dans ce bar à vocation sensuelle : l'absence d'érotisme. Les danseurs avaient beau avoir une belle gueule et un corps d'Adonis, ils étaient d'un ennui mortel. Ils manquaient de charisme, d'entrain, d'enthousiasme et, pire, les chansons sur lesquelles ils dansaient (*I'm Too Sexy*, *Do You Think I'm Sexy*, *Sex Machine*, *Sex Bomb*, etc.) les rendaient ridicules. Aucun ne savait bouger de manière personnelle et originale. Ils ne faisaient que se forcer à avoir l'air séduisant, s'inspirant de clichés. Ils n'aimaient pas leur travail et l'avaient probablement choisi juste par appât du gain. Dans l'esprit d'Adam, il était clair que ces danseurs devaient repartir chez eux frustrés, car les clients leur prêtaient une attention irrégulière, sans réel intérêt et ne les faisaient presque pas danser à leurs tables. Bref, on venait au Hard & On par curiosité, parce que c'était un nouveau bar et, si on y revenait, c'était pour les bons prix et pour jaser entre amis, non pour les danseurs. Ils auraient pu ne pas être là, ça n'aurait rien changé.

Adam remonta sur scène quand Katy Perry entonna les premières paroles de *I Kissed A Girl*. Il afficha son sourire le plus charmant et se mit à danser en imaginant la petite salle pleine à craquer de monde venu spécifiquement pour le voir, lui. Ça le stimulait. Il adorait exprimer sa sexualité et se sentir désiré. Lorsque Katy chantait *I Kissed A Girl*, les lèvres d'Adam mimaient *I Kissed A Boy*. Il n'en avait jamais embrassé un, mais l'idée ne lui déplaisait pas. Il aimait les femmes, mais il lui arrivait d'être attiré par des garçons. L'opportunité d'avoir une relation sexuelle avec quelqu'un du même sexe s'était

souvent présentée, mais aucun gars ne lui avait plu.
Ils étaient trop saouls ou gelés et ça n'attirait pas
Adam. Sa drogue à lui, c'était le sexe. Mais depuis
sa rupture avec Stéphanie, l'année d'avant, il n'avait
eu aucune relation sexuelle. Malgré ses aspirations
à mener une vie remplie de sexe exploratoire, il
avait plutôt vécu une période pénible où, déprimé,
il passait ses journées, quand il ne travaillait pas au
club vidéo, à ne rien faire d'autre que regarder des
films ou des séries télé, écrasé dans son divan. Des
mois s'étaient passés ainsi jusqu'à ce qu'il se ré-
veille enfin et décide de vivre selon sa vraie nature.
Comme son ex le lui avait si bien suggéré, il allait
s'engager comme *gogo boy*.

L'audition se termina en même temps que la
chanson, trois minutes plus tard. Adam resta sur
scène, à l'aise et souriant, tandis qu'il se rhabillait.
Il repoussa sa mèche et attendit le verdict des juges
qui, espérait-il, n'étaient pas les mêmes qui avaient
sélectionné les autres danseurs.

À son étonnement et à sa satisfaction, ils se mirent
à applaudir. Anthony encore plus fort que les autres.

— D'où tu sors? demanda le propriétaire.

Anthony n'avait posé aucune question à Adam
lorsque celui-ci était venu pour s'engager. Il lui avait
juste demandé de se pointer à une date et une heure
précises, et d'être prêt à démontrer son talent de
danseur.

— Je travaille dans un club vidéo.

Les juges échangèrent des regards surpris et
amusés.

— Tu pourras leur donner ta démission, reprit
Anthony, un grand sourire illuminant son visage.

Tu commences au Hard & On demain soir. Je t'attends à sept heures.

— Parfait! lança Adam joyeusement.

Il sauta en bas de la scène, pigea une poignée de popcorn dans le panier de la table la plus près, et il sortit du bar d'un pas léger et dansant. Adam avait bien cru que ce serait facile, mais pas autant. De bonne humeur, il décida d'aller danser au Unity par pur plaisir. Il avait fait la tournée des bars de danseurs gais, pas celle des bars normaux gais. Et pour célébrer le début de sa nouvelle vie, il espérait renouer avec une vie sexuelle active. Beaucoup plus active qu'avant. Peu lui importait que ce soit avec une fille ou un garçon, il n'avait qu'un désir: danser et passer le reste de la nuit à baiser. Faire l'amour avait quitté son vocabulaire depuis sa rupture et il n'était pas prêt à y revenir de sitôt.

JOHN

Ce n'était pas encore l'été et la nuit fraîche avait incité John à errer pendant des heures dans les rues de Montréal. Il avait passé la soirée au cinéma après avoir choisi un film au hasard. La salle était achalandée mais, heureusement, les deux dernières rangées étaient vides. Les quatre-vingt-huit spectateurs, yeux rivés sur un Batman sinistre en noir de la tête aux pieds, créaient une ambiance harmonieuse. John n'avait même pas eu besoin de s'inclure dans le nombre pour équilibrer le tout. Il avait laissé sa trace sur l'arrière du fauteuil devant lui avant la fin de la projection.

Il n'agissait pas de cette manière seulement dans les salles de cinéma, mais c'était un endroit qu'il privilégiait au même titre que d'autres endroits publics. Il aimait laisser sa trace là où le risque de se faire prendre existait.

À l'intersection des boulevards Saint-Laurent et Saint-Joseph, dans un de ses rares moments de distraction, John traversa en ignorant le feu rouge. Il entendit un klaxon, tourna la tête à droite et fut ébloui une fraction de seconde au moment même où il sentait l'impact d'une voiture frappant son corps et le projetant sur l'asphalte.

Lorsqu'il ouvrit les yeux, un visage féminin flou était penché sur lui. La bouche s'ouvrait et se fermait. Elle devait produire des sons, des mots, mais pour John c'était une bouche muette.

Il bougea une main. La fit glisser doucement de gauche à droite. Elle caressa l'asphalte. Pourquoi était-il couché sur le dos dans la rue ? Il voulut se lever, mais une main, qui semblait appartenir à la femme toujours penchée sur lui, appuya sur son sternum, le forçant à rester allongé. Une poussée d'adrénaline lui traversa alors le corps, comme si on venait de lui en injecter une forte dose. Il repoussa la main avec vigueur. Mû par une pulsion de survie implacable, il se souleva et, insensible à la douleur, il réussit à se mettre sur ses pieds. Il regarda la femme debout près de lui. Elle n'était plus floue, mais elle parlait toujours sans qu'il puisse l'entendre. Il vit la voiture qui l'avait frappé.

— C'est votre voiture ? demanda-t-il à la femme sans être certain qu'elle puisse l'entendre, car il avait l'impression de s'entendre seulement à l'intérieur de sa tête.

Mais elle avait entendu, puisqu'il put lire sur ses lèvres le « oui » qu'elle articula.

— On doit s'en aller tout de suite, dit-il.

La femme se mit à parler et à gesticuler, mais il n'entendait toujours rien et il l'ignora. John avança, ouvrit la portière arrière et s'assit sur la banquette, comme il l'aurait fait à un autre moment de sa vie, en montant simplement dans un taxi. Il devait partir de là avant qu'il ne soit trop tard. Cette femme, ou quelqu'un d'autre, avait sûrement composé le 911 sur son cellulaire.

La femme prit place derrière le volant, ferma la portière et appuya sur l'accélérateur. La voiture bougea et John eut l'impression de bouger avec elle. Non pas en étant dans la voiture, mais en faisant un avec elle. C'était une sensation étrange qu'il n'avait jamais éprouvée dans un véhicule.

Assis bien droit sur la banquette, il regarda les rues défiler, étonné de les reconnaître. Graduellement, il recommença à entendre les sons. Ce fut d'abord le ronronnement étouffé du moteur. Puis la femme qui marmonnait.

Quelques minutes plus tard, la voiture approchait de l'hôpital Notre-Dame. À un feu rouge, la conductrice se tourna vers lui :

— Est-ce que vous entendez ce que je dis ?

— Oui.

— Je vous amène à l'urgence.

— Non.

Le visage de la femme resta calme.

— Pourquoi vous ne voulez pas y aller ?

— Je n'en ai pas besoin.

— Comment vous savez ça ?

Elle reporta son attention vers l'avant, car le feu de circulation avait viré au vert. Elle passa devant l'hôpital sans tourner dans la rue secondaire qui menait à l'urgence, et poursuivit sa route dans la rue Sherbrooke vers l'est.

— Si vous avez des séquelles, je vais avoir des problèmes, dit-elle.

— Vous n'entendrez plus jamais parler de moi une fois que vous m'aurez amené là où je veux aller.

— Et je devrais vous faire confiance ?

— Oui.

Ils roulèrent en silence pendant quelques minutes, puis la femme lui demanda où il voulait aller. John le lui expliqua.

— C'est à au moins une heure de route. Je viens de rouler pendant vingt-quatre heures en survivant juste avec du Red Bull.

— Combien de canettes avez-vous bues ?

— Quoi ?

— Combien de canettes avez-vous bues ?

— Hé ! J'ai failli vous tuer parce que je suis à moitié morte de fatigue et que vous avez traversé sur un feu rouge. Je vous dis que je suis incapable de conduire une heure de plus et tout ce que vous trouvez à me demander, c'est le nombre de canettes que j'ai bues ?

— Ça m'intéresse de le savoir.

John croisa le regard de la femme dans le rétro-viseur.

— J'en ai bu quatre.

C'était une femme bien. Près des nombres pairs.

— Il n'y a pas une adresse plus près où je peux vous conduire ?

— Non.

Elle émit un soupir de mécontentement. Sauf pour le ronronnement du moteur et le sifflement de l'air frais qui entrait par la fenêtre entrouverte côté conducteur, il n'y avait aucun autre son dans la voiture. John s'y sentait pourtant bien. Profondément bien. Il regarda la paume de ses mains à peine égratignées, examina ses vêtements un peu sales mais intacts, et constata avec agacement que ses souliers étaient dans un état lamentable, peut-être même irrécupérable.

La conductrice s'arrêta à une station d'essence pour faire le plein. Elle alla payer à l'intérieur du dépanneur et revint dans la voiture avec un sac en plastique.

— Qu'est-ce que vous avez acheté ?

— Deux canettes de Red Bull, une bouteille d'eau et un sandwich. Vous voulez quelque chose ?

— Non.

Elle avait mis quatre éléments dans son sac. C'était vraiment une femme bien.

16 JANVIER 2009

ILS SUIVENT LEUR DESTIN

HÉLÉNA

Assise sur le rebord d'une des grandes fenêtres de son loft du boulevard Saint-Laurent, une tasse de café en équilibre sur ses cuisses, Héléna regardait l'aube teinter le ciel à travers un rond qu'elle avait dégelé avec son souffle sur la vitre.

Il y avait huit mois, jour pour jour, que les cendres du seul homme qu'elle eut aimé avaient été enterrées au cimetière Notre-Dame-des-Neiges. L'été qui avait suivi n'avait pu réchauffer le corps et l'âme d'Héléna; elle n'avait pas trouvé le courage de mettre fin à sa souffrance.

Isolée dans son loft, dans son univers de claviers et de machines qu'elle n'avait pas touchés depuis la mort de son partenaire de vie et de musique, Héléna passait ses journées à ne rien faire, sinon à ressasser le passé. Celui de sa vie avant Wouter, celui de sa vie après Wouter. Avant, elle avait été la Musicienne, non seulement pour son père mais pour tous les gens qu'elle côtoyait. Tous ces gens s'étaient intéressés à son talent, rarement à sa personne. De nature discrète et renfermée, la Musicienne ne s'en était jamais plainte. Mais elle avait rencontré Wouter, un musicien néerlandais qui l'avait aimée, elle, comme femme, et avec son vrai prénom. Il avait en quelque sorte mis au monde Héléna.

Ensemble, ils avaient formé le band industriel Crushing Steel qui, classé *dark erotic ambiant*, avait joué dans une multitude de villes européennes, de festivals spécialisés et d'événements où la musique underground était à l'honneur. Plus que de simples prestations musicales, leurs spectacles avaient aussi été des performances mettant en scène des scénarios étranges, interprétés par des artistes locaux, où se mêlaient art et fétichisme, sensualité trouble et érotisme exacerbé.

Wouter était mort. Crushing Steel était mort. L'amour et la passion étaient morts.

Héléna voulut boire sa dernière gorgée de café, mais le liquide tiède n'était plus buvable. Elle déposa la tasse sur le plancher de bois puis, sur une impulsion, elle se leva et avança jusqu'au coffre en métal brun foncé appuyé contre le mur de briques. Elle se pencha, l'ouvrit et prit la boîte rectangulaire jaune Kodak qui se trouvait sur le dessus. Elle s'assit par terre devant le coffre et souleva le couvercle de la boîte. Cette dernière était remplie de clichés photographiques qui s'échelonnaient des années soixante au début du nouveau siècle, qui avait laissé place à la photographie numérique. Elle en regarda plusieurs, même ceux où Wouter souriait. Ceux où Wouter et elle riaient en se tenant par la main. Wouter qui sortait de la douche, buvait un verre de vin, dormait sur une banquette d'aéroport… Elle s'étonna de pouvoir les contempler avec un certain détachement. Mais ce n'était pas pour cette raison qu'elle avait ouvert la boîte. Elle voulait se voir, elle. Pour vérifier si elle avait vraiment cet air rigide et désagréable que lui renvoyait le miroir, chaque matin. Au fur et à mesure que la pile de photos descendait, Héléna se vit à trente ans, vingt ans, puis adolescente et enfant. Elle n'avait jamais eu une personnalité souriante. C'était vrai qu'elle avait un air sévère, mais peut-être serait-il plus juste de dire sérieux. La période Wouter avait été humide et rafraîchissante. Depuis des mois, la vie n'était plus que glaciale.

Héléna remit les photos dans la boîte et elle rangea cette dernière à sa place. Elle se rendit à la cuisinette et fit filtrer du café frais. Elle aurait sans doute dû aller se coucher, mais elle n'avait pas sommeil. Les jours et les nuits se confondaient en une longue suite triste, sans début ni fin.

Certes, Héléna savait qu'il allait falloir, avant longtemps, qu'elle reprenne le contrôle de sa vie, ne serait-ce que pour l'aspect financier. Contrairement à ce que leurs fans auraient pu croire en raison de leur succès, Wouter et elle n'avaient jamais vécu dans l'abondance. Ils ne s'en étaient jamais souciés. Ils dépensaient l'argent gagné au fur et à mesure, en le réinvestissant dans leurs spectacles, en achetant des instruments de musique et en passant plus de temps, à leurs frais, dans les villes où Crushing Steel se produisait. Héléna devait trouver une source de revenu si elle voulait rester dans l'immense loft où elle vivait depuis la mort de son amoureux. Il lui avait été intolérable de continuer à habiter l'appartement qu'ils avaient occupé pendant des années.

Le café était prêt. Elle s'en versa une tasse et retourna s'asseoir sur le rebord de la fenêtre. L'aube avait cédé la place à l'aurore.

Trouver une source de revenu, dans son cas, voulait évidemment dire se remettre à jouer de la musique et, surtout, à donner des spectacles. Il était cependant hors de question qu'elle performe sous le nom de Crushing Steel. Elle aurait eu l'impression de manquer de respect à Wouter. Elle devrait donc trouver un autre nom ou, pourquoi pas, jouer simplement sous son propre nom. Héléna ignorait ce qui allait sortir d'elle-même lorsqu'elle se remettrait à ses instruments. Il était peu probable que ça ressemble à du Crushing Steel. En fait, elle était persuadée que ce serait très différent.

Café en main, Héléna regarda longtemps les caisses et les valises empilées devant le mur blanc près de la cuisinette. Elles contenaient tout son matériel musical.

Elle se sentait enfin prête à les ouvrir.

Adam

Adam entra au Hard & On en courant non parce qu'il était en retard, mais parce qu'il avait couru depuis chez lui pour se tenir au chaud en ce vendredi soir d'hiver glacial. Il salua ses collègues de travail, se dirigea rapidement vers le vestiaire où il se déshabilla et se glissa sous la douche la plus chaude que sa peau pouvait tolérer. Huit mois déjà qu'il travaillait pour Anthony. Adam sourit en pensant à quel point il en avait fait du chemin depuis qu'il avait été embauché au Hard & On. Non pas en kilomètres, car il habitait à quelques rues du bar, mais bien en explorations sexuelles. Adam avait essayé au moins une fois tout ce qui s'était offert à lui spontanément et qu'il désirait expérimenter : une multitude de femmes de seize à cinquante ans, des garçons dans la vingtaine (les plus âgés ne l'attiraient pas), des travestis, un transsexuel, des couples hétéros, lesbiens, gais, une orgie... Tout ça lui avait permis de constater qu'il était bel et bien hétérosexuel et qu'il avait une préférence pour le sexe avec une seule femme à la fois, sans toutefois que les autres possibilités ne le répugnent. Il lui arrivait donc encore d'explorer les opportunités lorsqu'elles se présentaient, soit presque tous les soirs où il dansait. Adam était libre de choisir avec qui il partait puisqu'il le faisait par recherche de plaisir et non pour l'argent. Il en gagnait amplement avec son travail. Et afin de ne créer aucun lien affectif, il lui arrivait rarement d'avoir une relation sexuelle plus que deux ou trois fois avec la même personne.

Adam sortit de la douche, s'essuya en même temps qu'il gagnait son casier, dans lequel se trouvaient des vêtements propres. Il enfila un boxer noir, un jean moulant à taille basse, un t-shirt juste un peu trop court et sa paire de *Chuck Taylor All-Stars*, ses éternelles Converse, désormais célèbres.

Il n'avait jamais eu de relation intime avec les autres danseurs. La plupart étaient hétérosexuels et les deux gais de la boîte le laissaient indifférent. De toute façon, coucher avec ses collègues pouvait dégénérer en conflit et jalousie. Le genre de situation qu'il évitait dans la mesure du possible. Quelques mois plus tôt, il s'était retrouvé dans le lit de Diva Saphira, une star de la *nightlife* montréalaise, lorsqu'un homme baraqué avait soudain fait irruption dans la chambre. Adam s'en était tiré avec un œil au beurre noir. Depuis, il avait préféré inviter ses partenaires sexuels, hommes ou femmes, chez lui. Le DJ annonça que Converse Boy serait le prochain danseur. Adam alla s'installer derrière le rideau opaque donnant accès aux coulisses. Il avait toujours hâte de danser. C'était sa vie, sa passion. Et de le faire sur une scène, sous les regards admiratifs, était encore plus gratifiant. Certes, il aurait pu suivre des cours pour apprendre la danse d'une manière professionnelle, mais il remettait toujours à plus tard cette démarche. Par manque de motivation réelle, à cause d'un brin de paresse et, peut-être aussi, par peur de devoir apprendre et exécuter des mouvements imposés. Ce qu'il aimait dans la danse, c'était la spontanéité. La liberté du corps qui s'exprimait selon sa personnalité.

La chanson – à laquelle Adam n'avait prêté aucune attention car il était perdu dans ses pensées – prit fin sous les applaudissements de la salle tandis que, sur scène, le danseur ramassait ses vêtements.

L'éclairage se fit plus tamisé tandis qu'Adam, alias Converse Boy, prenait à son tour possession de la scène sous les sifflements enthousiastes de la salle.

Il laissa patienter ses fans pendant les premières mesures de *Circus*, le visage à moitié caché sous sa mèche blonde. Il attendit que Britney Spears commence à chanter pour mouvoir lentement les hanches, puis les bras, les jambes, et, graduellement, tout son corps se mit à bouger de manière sensuelle et invitante jusqu'à ce qu'il enlève soudain son t-shirt avec une agilité et une fougue telle qu'une fille hurla de plaisir, ce qui provoqua un effet d'entraînement sur les autres spectateurs, qui se mirent à crier à leur tour. Adam poursuivait son spectacle, entendant à peine la musique tellement la salle était en délire. Un jeune homme pigea une poignée de popcorn dans un panier et la lança en l'air, déclenchant instantanément une réaction en chaîne. Tous les paniers se vidèrent en quelques secondes, leur contenu retombant dans le bar telle une pluie de petites boulettes de papiers jaunes.

Une première au Hard & On.

Au bar, Anthony et les serveuses riaient de bon cœur. Sur scène, Adam ne se gênait pas pour sourire.

Qu'il soit le danseur le plus apprécié, et ce, sans jamais enlever son boxer, avait aussi été une première au Hard & On. Ce n'était pas par pudeur qu'Adam ne se dévêtait pas au complet, plutôt par stratégie, car il savait très bien qu'il était nettement plus excitant de suggérer plutôt que de montrer. Et puisque ça fonctionnait auprès des clients, son patron le laissait faire comme bon lui semblait.

Ainsi, lorsque Adam ne fut plus qu'en boxer moulant, il ne se gêna pas pour tendre avec ses mains le tissu sur son érection, au grand plaisir des spectateurs qui savaient qu'ils n'auraient droit à rien de plus... à moins d'avoir la chance de partir avec Converse Boy à la fin de la soirée.

John

Assis sur le divan du salon, les paumes appuyées sur ses cuisses, John n'avait pas bougé depuis deux heures. Il s'adaptait de mieux en mieux à son nouvel environnement.

Il avait choisi son appartement avec précision ; sur le boulevard Saint-Joseph, où le trafic constant lui assurait la présence d'un bruit de fond, et près du boulevard Saint-Laurent, là où il avait été renversé par une voiture le 16 mai 2008.

Quelques mois après l'accident, John avait annoncé à Andy qu'il allait déménager à Montréal. Son frère ne l'avait d'abord pas cru, mais lorsque John lui avait demandé de le conduire à une adresse où il avait rendez-vous pour visiter un appartement – qui était maintenant le sien –, Andy n'avait pas protesté.

— Tu peux revenir quand tu veux, avait-il précisé juste avant que John signe le bail.

Mais John n'allait pas revenir. Il n'avait pas besoin de retourner là-bas. Il avait vécu tout son passé avec Andy. Il avait besoin de vivre son futur avec lui-même. Et c'est exactement ce qu'il faisait depuis deux semaines. Et tout se passait bien. Très bien. Il n'avait pas fini de déballer ses caisses. Il ne se sentait pas pressé. Entre ses séances masturbatoires, ses périodes d'inertie et ses courses dans le quartier pour acheter de la nourriture et tout ce qui lui manquait, il vidait, chaque jour, un nombre pair de caisses. Parce que les nombres pairs étaient importants dans sa vie. Ils étaient le symbole de l'équilibre et de la tranquillité d'esprit, tandis que les nombres impairs, imparfaits, créaient en lui une irritation obsessionnelle. Les Codes eux-mêmes ne devaient pas être impairs. Il y avait donc quatre codes : le deux, le quatre, le six et le huit. Il ne pouvait y en avoir plus, car à partir du dix, ça devenait compliqué. Dix avait beau être un nombre pair, c'était tout de même un un et un zéro, et le un l'emportait sur le zéro.

John regarda l'horloge murale en face de lui : 22 h 44. Il se leva, l'esprit en paix, et décida d'ouvrir deux caisses. La première contenait des livres. Il en fit quatre piles sur la table du salon, puis s'assit de nouveau pour les feuilleter. Il commença par le plus important de tous. Il avait quinze ans lorsqu'il avait, en 1973, lu en cachette *How to Kill – Vol. 1*, de John Minnery – un homme dont on savait peu de chose sinon qu'il possédait et partageait des connaissances dangereuses et troublantes. John avait lu et relu le livre de son grand frère Andy tant de fois qu'il le connaissait par cœur. Il avait fait de même avec *How to Kill – Vol. 2*, publié en 1977. Mais, cette fois, il n'avait pas eu besoin de le faire en secret. Andy, qui avait compris l'intérêt de son frère pour le sujet, lui avait prêté sa copie. Et en 1992, quand avait paru *Kill Without Joy! The Complete How to Kill Book* – la compilation des six volumes déjà publiés –, Andy lui avait donné ses six volumes. John se rappelait ce cadeau comme un des moments importants de sa vie.

Faisaient aussi partie de ses livres préférés des essais sur les guerres, des ouvrages techniques sur les armes, des biographies de tueurs en série et de tireurs d'élite…

Comme son frère, John avait voulu entrer dans l'armée, mais l'armée n'avait pas voulu de lui. Ça l'avait toujours contrarié, parce qu'il savait qu'il aurait été un excellent soldat. La vie lui avait donné une bonne base, car la phrase préférée de sa mère était : « Je vais te tuer. » Lorsqu'elle ne lui disait pas : « J'aurais dû te tuer avant que tu naisses. » Jusqu'au jour où elle lui avait dit : « Je vais te tuer », en le menaçant d'un couteau.

C'était Andy qui l'avait maîtrisée. La première fois. Et toutes les autres fois. Sauf la dernière, où il avait dû calmer John et lui ôter le couteau de la main avant qu'il ne poignarde leur mère.

L'armée n'avait pas voulu de lui car, avait-on expliqué à Andy, on n'y acceptait pas les autistes. John savait qu'il ne l'était pas. Il avait simplement appris, pour se protéger de la folie et de la haine de sa mère, à se replier sur lui-même en développant des comportements étranges qui pouvaient s'apparenter à l'autisme. Quant à leur père, il était absent la plupart du temps, incapable de tolérer sa femme et de régler ses problèmes familiaux. Heureusement, Andy était là.

Il était d'ailleurs toujours là. Seulement un peu plus loin qu'avant.

Soudain agacé de revivre des périodes de son passé alors qu'il désirait plus que tout se projeter dans le futur, John se dépêcha de ranger les livres dans la bibliothèque sur le mur à droite du divan.

Avant d'ouvrir la seconde caisse, il prit une douche froide pour chasser les mauvais souvenirs. Pour s'aider, il se remémora l'accident. John considérait cet événement, qu'il revoyait souvent dans sa tête, comme le plus positif de sa vie. Ce soir-là, quelque chose de plus qu'un choc physique s'était produit. Il avait découvert qu'il pouvait ressentir des émotions. Mais il ne savait toujours pas comment les gérer et encore moins les exprimer.

RACHEL

— C'est un maudit beau *char*!

L'homme du lave-auto, un Italo-Québécois aux cheveux grisonnants, tournait autour de la Lincoln Continental 1987 de Rachel, habituée aux réactions d'admiration que suscitait sa voiture.

— Pis y a l'air en bon état, en plus.

— En parfait état, répondit-elle fièrement.

Dans son esprit, elle pensait « en état plus-que-parfait » car, pour elle, *sa* Lincoln était encore plus belle que la version originale.

Faire rénover la voiture de ses rêves lui avait coûté les trois quarts de ses économies, mais Rachel était pleinement satisfaite de son investissement, car c'était bien d'un investissement qu'il s'agissait. Même si elle louait un appartement minuscule dans lequel elle entreposait ses quelques biens, où elle allait se laver, se changer, dormir dans un lit quand elle en ressentait le besoin, le reste du temps, non seulement elle travaillait dans sa voiture, mais elle y vivait. Les sièges avant s'inclinaient presque jusqu'à l'horizontale et elle avait appris à y installer son mètre cinquante-deux confortablement. Le coffre arrière avait été refait en deux sections distinctes : une pour contenir une trousse d'urgence de voiture et une trousse de premiers soins, l'autre plus grande pouvant accueillir couvertures, oreiller, quelques vêtements, accessoires de toilette et autres éléments utiles pour quiconque vivait en nomade.

— Va t'asseoir en dedans, ma belle, je vais prendre bien soin de ton char.

Rachel sourit et entra dans le local réservé aux clients qui patientaient pendant qu'on nettoyait leur voiture. Pas question de faire passer la Continental dans un lave-auto automatique. Le lave-auto manuel où allait Rachel – le même où elle avait travaillé dans sa jeunesse – avait récemment fermé boutique. Elle essayait donc celui-ci pour la première fois.

Seule avec Mick Jagger qui chantait *Midnight Rambler* sur les ondes de CHOM FM, Rachel resta debout et promena son regard sur le décor fantastiquement désuet qui semblait avoir été conçu dans les années cinquante, amélioré dans les années soixante, oublié dans les années soixante-dix et revisité dans les années quatre-vingt où on y avait ajouté une machine à café, des chaises de bureau disparates et une affiche laminée de Monet qui continuait de pâlir sous les effets du soleil depuis les années quatre-vingt-dix. Le vieux cendrier en chrome sur pied n'avait probablement pas servi depuis dix ans. Seule la flamboyante machine rouge distributrice de coca-cola semblait avoir été livrée la semaine précédente.

Le lave-auto où Rachel avait vécu sa première relation sexuelle avait été beaucoup plus moderne, mais elle appréciait cet endroit hétéroclite et franchement laid où, était-elle persuadée, on allait faire attention à sa Lincoln.

Elle déposa une pièce de deux dollars dans la machine et appuya sur un bouton qui fit débouler une canette dans la trappe de réception ; un tapage d'enfer. Rachel ramassa la canette et la monnaie, puis alla s'asseoir sur une chaise de cuisine en chrome et cuirette turquoise qui lui rappelaient celles de chez Marcel.

Elle but quelques gorgées de Coke en réfléchissant. Certes, elle avait réalisé son rêve, mais la vie était ainsi faite qu'une fois un rêve réalisé, un autre naissait. Le second était cependant moins concret que l'acquisition d'une voiture, voire moins essentiel à son bonheur. Rachel voulait maintenant rencontrer quelqu'un avec qui partager son mode de vie hors normes, un homme pour qui elle éprouverait des émotions qui les amèneraient vers une plus grande complicité. Mais quel genre d'individu pouvait s'intéresser à une femme sans morale sexuelle, qui passait la majeure partie du temps dans sa voiture ? Difficile à dire. Rachel n'avait pas de critères de sélection préétablis. Elle espérait simplement qu'un jour cet homme croiserait sa route, l'accepterait comme elle était et voudrait la suivre.

Les minutes passèrent, laissant Rachel seule avec ses pensées jusqu'à ce que la porte du local s'ouvre.

— Ton paquebot est *nickel*, ma belle.

Rachel jeta sa canette vide dans la corbeille à papier et se dirigea vers le comptoir derrière lequel l'attendait celui qui l'avait accueillie à son arrivée.

— C'est vingt dollars pour les autres clients, dit-il, mais parce que je suis Luigi et que Luigi aime les beaux *chars* et les belles femmes, je te fais un prix d'ami. C'est dix-sept dollars juste pour toi.

Rachel lui offrit son plus beau sourire.

— Je t'offre quinze piastres. Dix-sept, c'est le prix normal. Alors si Luigi veut être vraiment gentil, c'est quinze.

— Hola! la petite dame, faut pas se fâcher comme ça...

Il y eut un bref moment de silence, puis Luigi se pencha vers Rachel :

— Quinze si tu payes comptant.

Rachel lui fit un clin d'œil. Elle fouilla dans son sac à main en vinyle rouge et blanc à petits pois, tira les billets de son portefeuille et ajouta une pièce de deux dollars pour le pourboire.

— Ahhh! On s'entend déjà bien, toi et moi, dit Luigi en fourrant l'argent dans la poche de son bleu.

Puis il lui remit les clés de sa voiture et salua Rachel en ajoutant :

— À la prochaine, *mia bella*.

Rachel monta dans la Continental reluisante comme un sou neuf. Elle baissa le pare-soleil muni d'un miroir éclairé de chaque côté. Elle fit glisser un bâton de rouge sur ses lèvres, se poudra le nez et passa quelques coups de brosse dans ses boucles blondes. Et voilà! Elle était prête à reprendre la route.

15 MAI 2010

ILS SE CROISENT

JOHN

John passait tous les jours devant ce bar sans s'arrêter. Ce soir-là, il s'immobilisa pourtant devant la devanture et l'observa. La porte vitrée était ornée de fer forgé dont une partie formait les mots Casa Del Popolo. De chaque côté, les fenêtres étaient aussi décorées d'une structure métallique aux carreaux inégaux de facture artistique. Derrière les vitres cohabitaient quelques plantes faiblement éclairées par une lumière jaunâtre. John trouva l'endroit attirant et sans prétention. Pris d'un élan de spontanéité, il fit les quelques pas qui le séparaient de la porte et entra.

Il fut accueilli par un jeune homme assis à une table, près de la porte, qui lui demanda six dollars pour le spectacle. C'était un bon début. John lui donna l'argent sans poser de question puis il avança dans le petit bar étroit où bois, brique et métal se côtoyaient harmonieusement. Il remarqua les lampes suspendues au plafond : des ampoules au bout d'un fil dont l'abat-jour était un wok inversé dans lequel on avait percé un trou. Les tables et divans étaient presque tous occupés par des gens dont l'âge, semblat-il à John, s'échelonnait sur plusieurs générations, à en juger par certaines chevelures de couleur vive et d'autres grises. Peu importe, c'était un lieu où il ne se sentait ni à l'aise ni mal à l'aise. Il s'y sentait exister, et c'était suffisant.

Il avait presque atteint le fond de la salle lorsqu'il tourna sur lui-même : où pouvait-il donc y avoir un spectacle dans cet espace exigu ?

Une fois revenu à sa position initiale, il se retrouva face à face avec une femme plus grande que lui d'au moins quatre centimètres.

— Vous cherchez la salle de spectacle ?

— Oui.

— La porte à votre gauche.

— Merci.

John se dirigea vers la porte indiquée, qu'il poussa. Il s'engagea dans le très court et très étroit couloir qui donnait sur une autre porte. Derrière se trouvait une seconde salle aux dimensions à peine plus grandes que celles de la première, mais dont l'extrémité se terminait par une scène. Le bar occupait la majeure partie du mur de droite, tandis que sur celui de gauche était fixée une simple tablette, assez large et solide pour accueillir les bouteilles de bière et les verres des clients. Ici, les ampoules pendant au bout des fils étaient protégées par de gros bocaux à confiture en vitre. John en compta six au-dessus du bar. Il y avait le même nombre de tabourets en cuirette noire autour du bar. Et deux marches pour accéder à la scène. Et deux portes pour les toilettes dans le mur opposé à la scène.

C'était un endroit bien.

Il commanda deux *tonic water* à la fille derrière le bar. Debout près du comptoir, il se mit à recenser le nombre d'individus autour de lui. Ce n'était pas aussi simple qu'au cinéma, où les gens étaient assis sans bouger. Ici, il y avait un mouvement constant d'individus qui entraient et sortaient de la salle. Et puis devait-il inclure le technicien de son derrière sa console ? ceux qui allaient donner le spectacle ? La barmaid déposa les verres devant lui. Il paya et resta où il était. Il cherchait une solution à son projet de recensement lorsque son regard fut attiré par ce qui se passait par terre devant la scène ; un homme y installait de l'équipement composé principalement de petites machines qu'il reliait par des câbles. Lorsqu'il eut terminé, il s'agenouilla devant son installation et, sans que personne ait annoncé quoi que ce soit, il se mit à tourner et à faire glisser les boutons de ses machines. Au moment où les haut-parleurs crachaient les premiers sons, il y eut un mouvement dans la salle et les gens se regroupèrent tous en demi-cercle autour de l'artiste.

John se demanda d'abord pourquoi l'artiste ne jouait pas de ses machines sur scène. Et pourquoi il était à genoux. N'aurait-il pas pu mettre ses boîtes sur une table ? Mais ses questions s'arrêtèrent net quand son cerveau se connecta soudain avec ce qu'il entendait. Ce n'était certainement pas de la musique ; il était évident que les sons qui sortaient des machines n'avaient pas pour but de plaire, encore moins de divertir. John pensa au mot « abîmer ». Il avait l'impression d'entendre de la détérioration contrôlée. L'artiste jouait avec les sons, tantôt aigus, tantôt graves, certains étaient insistants, d'autres plus retenus. On aurait dit un contexte exploratoire. Le tout créait une sorte d'invasion auditive déchirante. Des bruits déchirants, pensa John. Comme ceux de ses dessins que sa mère déchirait. Des claquements secs semblables à ceux des gifles et des coups de lanière qu'elle lui donnait. Des sons perçants comme lorsqu'elle hurlait après lui ou pour rien. Des martèlements rapides comme ceux de ses pieds sur le sol lorsqu'il fuyait. Des sons déconcertants tels ceux que sa mère poussait lors de ses ébats sexuels.

Au bout d'une vingtaine de minutes, les sons s'interrompirent brusquement. Il y eut des applaudissements et les spectateurs se dispersèrent dans la salle.

John pensa d'abord que c'était ça, le spectacle, puis il comprit qu'il allait y en avoir un deuxième, car tandis que l'artiste qui venait de jouer rangeait ses machines dans des valises, un autre individu s'affairait sur scène à installer et à connecter d'autres machines, cette fois-ci à un clavier.

— Ça vous a plu ?

John tourna le visage vers son interlocutrice, la même qui lui avait demandé, plus tôt, s'il cherchait la salle de spectacle.

— Oui.

— Pourquoi ?

— Je n'aime pas la musique. Ce que j'ai entendu est mieux.

— Ça s'appelle du *noise*.

Elle vida d'un trait le verre qu'elle tenait et le déposa sur le comptoir.

— Vous avez le regard précis et froid de quelqu'un qui pourrait être capable de tuer. Qu'est-ce que vous faites dans la vie ?

— J'élimine.

— Quoi ?

— Des gens.

— Vous les tuez ?

— Oui.

La femme resta là. Calme. Détendue. C'était une femme étrange.

— Ça ne vous dérange pas d'être à côté d'un tueur ? demanda John.

— Est-ce que ça vous dérange d'être à côté d'une artiste *noise* ?

John réfléchit à la question. En quoi était-ce différent d'être en présence d'un tueur plutôt que d'une artiste *noise* ? En rien. À chacun sa spécialité.

— Non.

— J'espère que vous apprécierez, dit-elle soudain avant d'aller rejoindre le technicien sur scène.

John observa la grande femme mince s'activer, elle aussi, à brancher des câbles. Il y avait de la précision dans les gestes simples qu'elle posait. Le spectacle débuta huit minutes plus tard par un unique grondement de basse fréquence qui dura jusqu'au point de provoquer un effet hypnotique auditif. Graduellement s'y mêlèrent des sons, sorte de souffles rauques et inquiétants qui inspiraient un sentiment d'inconfort, comme lorsqu'on se trouvait dans un environnement où il était ardu de respirer normalement. Puis il y eut des égratignures, des écorchements et des sons stridents qui semblaient avoir pour but de rendre fou.

John observait l'artiste, concentrée sur les multiples machines qu'elle contrôlait avec, ce qui lui sembla, plus d'expérience et de précision que l'artiste précédent. De nouveaux sons se joignirent à l'œuvre. Ceux de la déconstruction vers le bas. De la non-vie. Une victime qui agonise à répétition sans espoir. Soudain, des images en noir et blanc apparurent sur l'écran derrière la femme. John ne pouvait reconnaître clairement leur contenu. Elles évoquaient des textures organiques mystérieuses en mouvement, des matières fluides qui glissaient ou de la lave qui cherchait à pénétrer on ne savait trop quoi. Puis il y eut des coulées rouges qui donnaient l'impression d'avoir été peintes directement sur la pellicule, et brusquement les bruits moururent, sauf pour la basse fréquence du début. L'artiste parla, sa voix déformée par un appareil qui la rendait plus grave et avec un effet d'écho.

No matter what you think
You will bleed until you die
And I will look into your eyes
My hand on the knife
No matter what you feel
You will beg me to go on
You will beg me to go on
You will beg me to go on
Beg… me… to go on

John trouva les paroles curieusement exactes. Elles correspondaient à une certaine époque de sa vie où il avait dû parfois éliminer avec un couteau. Il avait vécu le genre de situation que les mots décrivaient.

Il sortit de la Casa Del Popolo avant la fin du spectacle, même s'il appréciait ce qu'il entendait –

pour lui, ce genre de prestation était plus près de la vérité que la musique –, car il craignait que la femme, créatrice de tout ce bruit, vienne de nouveau lui adresser la parole. Avec elle, il avait enfreint le Code six.

Lorsqu'il tourna au coin de Saint-Laurent et Saint-Joseph, John pensa à la femme qui l'avait frappé, deux ans plus tôt presque jour pour jour, au même endroit. Toutes les fois qu'il passait à cette intersection, il pensait à elle. Parce que c'était une femme bien. Vraiment bien.

HÉLÉNA

Héléna avait choisi de prendre le métro. Elle préférait garder les quelques dollars qu'il lui restait pour acheter une bouteille de vodka plutôt que de s'offrir un taxi. Elle descendit à la station Place-d'Armes et prit la direction du Vieux-Montréal. L'adresse était à une dizaine de minutes de marche du métro. C'était celle d'une salle de spectacle fermée depuis plusieurs mois. Le hall d'entrée sentait le renfermé. Héléna fut accueillie par une fille debout sur des talons vertigineux. Elle tenait une tablette sur laquelle était pincée une liste imprimée et elle mâchouillait le capuchon d'un stylo. Ses lèvres étaient déformées par un abus d'injections de Botox.

— C'est quoi ton nom ?

— Crushing Steel.

Héléna avait jugé préférable de s'inscrire sous ce nom, question de crédibilité, et pour une seconde raison plus sentimentale.

La fille repéra le nom dans son carnet et lui fit signe d'entrer.

Il fallait une capacité d'adaptation particulière pour passer, dans la même heure, d'une soirée *noise* intimiste à un immense lieu en devenir envahi par la voix de Lady Gaga, mais Héléna devait se remettre à faire des spectacles plus payants que ceux de la Casa Del Popolo si elle ne voulait pas se retrouver à la rue. Elle en était rendue là et c'est pourquoi elle était venue à cet endroit.

Elle se retrouva à l'extrémité d'un long couloir dont chacun des côtés était occupé par une file d'hommes à gauche et de femmes à droite, tous jeunes et attrayants dans leurs vêtements le plus près du corps possible. Probablement des danseurs ou d'autres artistes de la scène, qui attendaient pour passer une audition ou une entrevue comme elle allait devoir le faire. Que ce genre d'événement ait lieu tard un samedi soir était inusité. Ce n'était cependant pas un problème pour Héléna, habituée au rythme de vie nocturne. Elle eut également l'impression que la plupart des jeunes postulants étaient des habitués des bars.

Une femme en jean bleu et chemisier blanc arriva dans le couloir en coup de vent, un écouteur dans l'oreille, un micro près de la bouche et un iPod en main. Héléna constata avec soulagement qu'elle avait l'air plus intelligent et professionnel que la fille aux lèvres boursouflées à l'entrée.

— Excusez-moi, est-ce que je dois faire la file dans la ligne de mon sexe? demanda-t-elle non sans une pointe d'ironie alors qu'elle passait près d'elle.

— Quel est votre nom?

— Crushing Steel.

— Oh! Bienvenue, dit la femme en échangeant une poignée de main sincère d'admiration avec Héléna. Je suis Mélanie, responsable des auditions. Je vais dire à...

Elle cessa de parler et prêta attention au message qu'elle devait recevoir dans son écouteur.

— J'arrive, répondit-elle aussitôt en commençant à remonter le couloir aussi vite qu'elle l'avait descendu. Attendez-moi ici, lança-t-elle à l'attention d'Héléna. Je reviens dans quelques minutes.

La Musicienne resta debout dans le couloir entre les deux files. Alors que Lady Gaga continuait de tonitruer ses paroles, elle observa les jeunes qui patientaient. Certains jasaient entre eux, d'autres étaient branchés sur leur iPod ou leur Game Boy. Le jeune homme qui accrocha son attention tripotait une bouteille d'eau. Il dépassait tous les danseurs d'un bon quatre centimètres et il avait un corps auquel on ne pouvait rien reprocher, sinon qu'il était trop parfait. La moitié droite de son visage était cachée derrière une longue mèche blonde lui donnant à la fois l'allure d'un personnage de manga et d'un amateur de la mode emo. Ce qui intéressa pourtant Héléna, c'était ce qu'il dégageait: une joie de vivre spontanée et franche. Il lui inspira le mot « honnêteté ».

Le jeune homme blond, s'apercevant qu'il était observé, dirigea son regard vers Héléna et, au bout d'une dizaine de secondes, un sourire fit rayonner son visage de manière éblouissante. Héléna ne put résister à cette vision transcendante et peut-être bien que les *Rah rah ah-ah-ah! Ro mah ro-mah-mah Gaga Ooh-la-la! Want your bad romance* y furent pour quelque chose lorsqu'elle sentit ses yeux et sa bouche former, eux aussi, un sourire. Elle en fut bouleversée. Elle n'avait pas souri avec autant de plaisir depuis longtemps.

Le charme dura jusqu'à ce qu'un jeune homme, habillé de façon plus décontractée que les autres, adresse la parole au grand blond. Ils étaient assez près pour qu'elle entende leur conversation.

— Hé! Salut, Adam! Je ne savais pas que tu auditionnais pour ça.

— J'ai appris hier qu'ils cherchaient des danseurs. Toi, tu viens pourquoi?

— Pour un poste de barman.

Ainsi donc, il se nommait Adam et il dansait…

Lady Gaga fut remplacée par un remix de *techno house* sur lequel les jeunes se mirent à onduler, sourire aux lèvres et bras en l'air, en scandant des yeah, yeah, yeah, comme on le faisait dans certains bars. Rien à voir avec l'univers d'Héléna – même lorsqu'elle était plus jeune –, mais elle pouvait endurer ça. Il le fallait, de toute façon. Et puis, elle devait bien l'admettre, il y avait quelque chose d'énergisant à voir ces corps bouger. La pensée l'effleura qu'elle aimerait voir danser Adam quand elle entendit son nom de scène :

— Madame Crushing Steel! criait Mélanie au bout du couloir. Venez par ici, s'il vous plaît.

Héléna traversa le corridor en zigzaguant parmi les danseurs. Lorsqu'elle passa près d'Adam, il lui sourit de nouveau. Ses yeux étaient bleus, comme les siens, mais plus chaleureux.

La coordinatrice guida Héléna dans une immense salle où un trio féminin exécutait une chorégraphie plus près de la contorsion que de la danse. Devant la scène étaient assis à une longue table cinq individus assez semblables aux juges de *So You Think You Can Dance ?* On dirait une parodie, pensa Héléna.

Mélanie la fit entrer dans un bureau où un homme corpulent parlait en anglais à tue-tête dans son cellulaire.

— C'est JMB, le concepteur du projet, lui expliqua Mélanie en chuchotant à son oreille. C'est lui qui va vous faire passer l'entrevue. Assoyez-vous. Ça ne devrait pas être trop long.

La coordinatrice ferma la porte derrière elle.

Héléna prit place sur la chaise en face du bureau. Elle se demanda à quoi correspondait « JMB » prononcé à l'anglaise. Jay Mark Brown ? John Michael Baker ? Jasper Matthew Bailey ?

L'homme en question lui lança un regard intéressé, puis lança tout à trac à son interlocuteur :

— *This conversation is over.*

JMB ferma aussitôt son cellulaire.

— Enfin, je rencontre un membre de Crushing Steel, reprit-il dans un français sans accent.

Ah, pensa-t-elle, un Québécois.

— Votre partenaire ne pouvait pas venir ?

— Il est mort.

— Quoi !?! Quand ça ?

— Il y a deux ans.

— Je ne… Est-ce que sa mort a été annoncée dans les journaux ?

— Très discrètement.

— Ah!... Eh bien... vous me voyez désolé. JMB parut mal à l'aise pendant quelques secondes, puis il se reprit:

— Je me souviens d'un de vos spectacles *dark kinky*, à New York. Celui où il y avait des chaînes qui pendaient du plafond et des filles et des gars pas très habillés pris dedans. On leur badigeonnait le corps d'un truc luisant avant de les abuser sexuellement. C'était crissement excitant.

Il fit une pause et s'appuya au fond de son fauteuil en cuir.

— Qu'est-ce que c'est votre prénom?

— Héléna.

— Avez-vous un nouveau partenaire?

— Non, et je n'en ai pas cherché. Crushing Steel n'existe plus, mais j'aimerais donner un spectacle dans le même style pour rendre un dernier hommage à Wouter, mon ancien partenaire.

— Excellente idée! Alors vous devez trouver un partenaire le temps de ce projet.

Héléna ne put retenir une grimace de désaccord qui n'échappa pas à JMB.

— Et si je vous en trouve un? suggéra-t-il en se redressant et en appuyant les avant-bras sur son bureau.

Cette idée lui déplaisait, même si elle n'était pas mauvaise en soi.

— Dites-moi qu'est-ce que ça vous prend, poursuivait déjà JMB, habitué à tout régler en un quart de seconde.

Elle ne le savait pas.

— Bon. OK. Je vais trouver en me fiant à mon intuition.

JMB (Jean-Marc Bouchard, peut-être ?) et elle passèrent les quinze minutes suivantes à discuter du genre de spectacle qu'il convenait de préparer pour la soirée d'inauguration du Temple d'Éros, du contrat à signer et de la rémunération qu'Héléna allait recevoir. Il lui donna rendez-vous pour la semaine suivante à la réunion de production qui rassemblerait tous les chanceux choisis après les auditions.

— Et je vais garder un œil ouvert sur un potentiel partenaire pour Crushing Steel, conclut-il.

Héléna sortit du bureau. Elle jeta un coup d'œil sur ce qui se passait sur la scène : un gars et une fille mimaient l'acte sexuel sans conviction. Ceux-là ne reviendraient pas la semaine suivante.

Elle allait emprunter le couloir qui menait à la sortie lorsqu'elle aperçut Adam au bout de la file de gauche, ce qui laissait sous-entendre qu'il était le prochain candidat à auditionner. Elle resta debout au fond de la salle.

Le couple sans talent termina sa prestation et Mélanie invita Adam à monter sur scène. Il s'installa debout en plein milieu et attendit. Lorsque la musique débuta, il resta sans bouger les vingt-cinq premières secondes, le regard rivé en direction des juges puis, au moment où la basse embarqua, son corps se mit à bouger de manière si inattendue que les juges, la coordinatrice et la Musicienne furent instantanément subjugués.

Mélanie cria quelque chose dans son micro.

Héléna comprit qu'Adam avait choisi sa pièce avec audace. Mais le dynamisme, la violence et l'invitation sexuelle qu'il exprimait étaient parfaitement dosés. Et de voir ce grand corps svelte bouger si bien ne pouvait laisser personne indifférent. Adam dégageait un charisme hors du commun. Elle se demanda s'il en était pleinement conscient.

JMB aussi était maintenant debout près de la scène. C'était lui que la coordinatrice avait appelé dans son micro.

La pièce dura un peu plus de six minutes et personne ne proposa de l'arrêter avant la fin. Lorsque Adam termina sa prestation, un lourd silence d'admiration plana sur la salle. JMB applaudit le premier. Les juges se levèrent et l'imitèrent. Pas de doute. Il participerait à la soirée d'inauguration du Temple d'Éros.

Après avoir reçu les commentaires élogieux des juges, Adam descendit de la scène, où il fut accueilli par la solide poignée de main de JMB. Ils échangèrent quelques phrases, puis le jeune prodige dut promettre qu'il allait revenir pour la réunion de production. Héléna s'aperçut alors qu'Adam venait droit vers elle, le visage irradiant de son sourire fantastique.

— Est-ce que tu as aimé me voir danser ? voulut-il savoir.

— Beaucoup.

— As-tu été sélectionnée ?

— Oui.

— *Nice*. Alors on va se revoir bientôt.

Puis, comme s'il était soudain piqué par une mouche, il s'enfuit du Temple en courant. Une émotion intense traversa tout le corps d'Héléna lorsqu'elle le vit disparaître ainsi. Elle repéra JMB qui se dirigeait vers son bureau, le rattrapa et lui mit une main sur l'avant-bras :

— Je veux Adam comme partenaire, lui dit-elle tout de go.

JMB eut d'abord un regard étonné avant de répondre :

— Oui, c'est bon, ça. *Good!* Excellente idée.

ADAM

Adam sortit du futur Temple d'Éros littéralement en dansant plutôt qu'en marchant. Il était fier de lui. Fier de son choix musical – *Uncut*, de Psyko Punkz – et de sa performance. Il avait pris un risque ; le style de danse *hard* n'était pas *a priori* un style de danse sensuel. Ce n'était pas un choix judicieux pour auditionner dans un bar qui serait dédié au sexe. Adam aurait pu simplement présenter ce qu'il faisait cinq ou six soirs par semaine, c'est-à-dire danser presque nu, mais ce choix n'aurait présenté aucun défi à relever et Adam avait besoin de prouver qu'il était capable d'autre chose. C'est pourquoi il avait opté pour cette chanson très rythmée et agressive, dont il avait cependant su faire ressortir un côté érotique. Le succès de sa chorégraphie semi-improvisée lui donnait un buzz intense sur lequel il flottait encore.

Il avait été sélectionné.

Et il y avait aussi cette femme, mince et presque aussi grande que lui, à qui sa performance avait plu. Elle l'avait drôlement allumé; c'était plus qu'une simple attirance. Elle était pourtant à l'opposé des femmes plantureuses qui l'attiraient habituellement. Mais elle, il l'avait vraiment trouvée sublime. Et puis elle avait les yeux bleus. Il lui arrivait rarement d'avoir des partenaires sexuels aux yeux de cette couleur. Il aimait beaucoup les yeux bleus.

Adam ne savait pas ce que la femme avait pensé de lui, par contre il était évident qu'elle avait aimé le regarder danser. C'était le plus important. Ça et le fait qu'il allait la revoir la semaine suivante.

Même en courant, le dernier métro lui passa sous le nez. Adam jura, ressortit de la station et se mit en route vers le village gai. Il en avait pour une trentaine de minutes. La température était douce et, finalement, marcher était une bonne idée. Surexcité, il espérait pouvoir se calmer un peu.

Il arriva pourtant au Hard & On vingt-quatre minutes plus tard et plus énervé que jamais. Il prit sa douche en un temps record et, prêt à monter sur scène, il se dépêcha de donner sa clé USB au DJ, comme chaque fois qu'il voulait danser sur une nouvelle chanson.

Le bar était plein à craquer.

Dès qu'il entendit les premières mesures de *If I Had You*, il sauta sur scène, prêt à en mettre plein la vue.

So I got my boots on,
got the right 'mount of leather...
En moins de dix secondes, la salle était envoûtée par le sourire radieux d'Adam, son attitude pleine d'assurance et son corps magnifique qui savait bouger

d'une manière incomparable. Au refrain, la réaction des spectateurs prit des allures d'hystérie collective. Le gars de la sécurité dut monter sur scène pour empoigner un jeune homme qui se prosternait à genoux devant Adam, qui n'avait eu le temps que d'enlever son t-shirt. Un groupe de filles se mit à crier. Un serveur renversa le contenu de son plateau. Debout près de la scène, Anthony affichait un sourire ravi.

Lorsque Adam commença à baisser lentement son jean, le bar baignait dans une tension sexuelle presque palpable qui avait atteint un point de non-retour. Les mains avides de caresser se tendirent symboliquement vers la scène. Les gars se mirent à crier encore plus fort que les filles, et parce qu'il fallait bien qu'ils fassent quelque chose pour exprimer ce que les hormones provoquaient dans leur corps afin de ne pas exploser, tous se mirent à lancer du popcorn en l'air en sautant sur place. C'était devenu un rituel chaque fois que Converse Boy montait sur scène pour sa première danse de la soirée.

Trois minutes plus tard, Adam terminait son numéro en ramassant rapidement ses vêtements avant de quitter la scène, en laissant derrière lui le raz-de-marée qu'il avait déclenché.

Dans les coulisses, il s'assit sur une chaise pour remettre ses Converse. Il n'aimait pas marcher pieds nus, et puis les clients le trouvaient mignon quand il dansait aux tables avec ses chaussures.

Anthony vint le rejoindre quelques secondes plus tard.

— Peux-tu refaire la même chanson pour la finale?

— Toi aussi, tu trouves que deux Adam valent mieux qu'un? demanda Adam en lui lançant un clin d'œil.

— Quoi ?

Il rit et expliqua à son patron que la chanson était une nouveauté d'Adam Lambert. Anthony sourit, mais il avait le regard contrarié.

— Je voulais te le dire avant, mais je ne t'ai pas vu arriver. Saphira est assise à droite, près de la scène.

Adam lui avait confié sa mésaventure avec la Diva nocturne lorsqu'il était arrivé au bar avec un œil au beurre noir, quelques mois plus tôt.

— Elle m'a demandé trois fois quand tu dansais, continua Anthony.

— Ça faisait longtemps qu'on ne l'avait pas vue, dit Adam en se levant.

— J'ai appris qu'elle avait quitté Montréal pendant un bon moment. Disons qu'elle commençait à taper joliment sur les nerfs de plusieurs personnes qui auraient aimé lui arranger le portrait.

— Pourquoi je ne suis pas étonné ?

— En tout cas, méfie-toi d'elle, ajouta Anthony en lui donnant une tape amicale dans le dos.

Quelques instants plus tard, Adam réapparaissait dans le bar, cette fois pour aller danser aux tables. Contrairement à ses collègues, il n'utilisait pas de tabouret. Il était si grand qu'il préférait danser aux tables au niveau plancher. Et puis il aimait se sentir plus accessible, plus près de ceux et celles qui le payaient pour jouir de la vue de son corps. Comme sa fidèle cliente du samedi soir. Celle qui réservait la même table depuis des semaines et pour laquelle il allait toujours danser en premier. Féminine jusqu'au bout de ses ongles manucurés et vernis de rouge, un visage plein et invitant aux plaisirs sensuels, encadré de longs cheveux blonds bouclés, chemisiers et jupes toujours trop moulants, talons toujours trop hauts. Comme lui, elle incarnait sans aucune subtilité les plaisirs de la chair. Adam adorait danser pour cette cliente, qui le regardait avec concupiscence, car il était là exactement pour ça : pour qu'on le désire. D'un autre côté, il s'étonnait qu'elle ne lui ait pas encore proposé de partir avec lui après la fermeture du bar. Peut-être qu'elle était dans une relation stable et qu'elle s'offrait seulement un plaisir visuel ? Elle venait toujours seule, ne buvait pas d'alcool, et elle ne lui parlait jamais, contrairement aux autres clientes qui lui demandaient parfois de faire quelque chose de spécial ou cherchaient bêtement à se rendre intéressantes avec l'espoir de passer le reste de la nuit avec lui.

Adam marcha jusqu'à la table de son admiratrice et, parce qu'il ressentait toujours le puissant *high* de son audition spectaculaire, il décida de la mettre à l'épreuve.

Il se pencha et lui chuchota à l'oreille :

— J'avais hâte de danser pour toi.

Surprise, elle haussa d'abord les sourcils, puis elle sourit.

Adam lui fit un clin d'œil et commença à bouger lascivement en harmonie avec le doux début d'*Innocence,* dont le titre ne lui allait pas très bien mais dont il savait d'autant mieux tirer le potentiel érotique. Il se sentait tout-puissant et, alors que la chanson prenait son élan, il se donna comme défi de faire craquer la belle blonde. Après tout, il était la star du Hard & On. Et qui ne rêvait pas de baiser avec une star ?

Rachel

— J'habite tout près, dit Adam.

Rachel n'avait jamais été une groupie de qui que ce soit, mais Converse Boy était une exception, et elle ne pouvait nier le frisson d'excitation particulier qui la parcourait à l'idée de vivre une relation sexuelle avec lui. Elle fantasmait sur le danseur depuis la première fois où elle l'avait vu à l'œuvre. Il était simplement sublime. Il avait passé sa dernière danse de la soirée assis à califourchon sur elle en la regardant de ses yeux bleus enflammés – ce qui semblait une contradiction mais ne l'était pas dans le cas d'Adam –, en lui disant qu'il lui offrait cette danse et tout le reste si elle le désirait. Quelle femme aurait résisté ?

— Je préfère dans ma voiture.

— Ça ne sera pas très confortable pour mon mètre quatre-vingt-quinze, dit-il en riant.

— On va s'organiser.

Il la regarda d'un air amusé, comme la plupart des hommes regardaient Rachel qui, même sur ses talons hauts, ne dépassait pas un mètre soixante. Elle en avait l'habitude et, loin de la froisser, ça l'amusait. Suggérer le plaisir sous toutes ses formes était inhérent à sa personnalité.

Rachel marchait vite pour suivre les longues enjambées d'Adam, et c'est en moins de cinq minutes qu'ils atteignirent la Lincoln, stationnée dans une rue secondaire.

— Wow! C'est ça, ta voiture?

— Oui, répondit-elle, très fière que la Lincoln impressionne son beau danseur.

Rachel composa le code à cinq chiffres sur les cinq boutons encastrés dans la porte du côté chauffeur. Elle monta dans la voiture et appuya sur l'interrupteur qui permettait de déverrouiller les autres portes. Adam se glissa sur le siège avant avec une souplesse de fauve, mais il ne put allonger les jambes. Rachel tourna la clé et le moteur huit cylindres s'activa doucement. Elle indiqua à son passager les boutons électriques qui lui permettaient de reculer son siège et d'ajuster le dossier. Une fois les réglages faits, ils pouffèrent de rire ensemble: Adam se retrouvait assis en diagonale derrière Rachel.

Elle l'imagina nu, puis chassa vite l'image; elle devait d'abord se concentrer sur sa conduite. Elle redressa le siège d'Adam et prit la route. Elle sortit de façon fluide la Lincoln du stationnement et l'engagea dans la rue.

Adam montra soudain du doigt la petite poupée, à jupe fluo verte, aimantée sur le dessus du tableau de bord.

— Est-ce que l'hawaïenne venait avec la voiture?

— Non, c'est un souvenir. C'est la poupée qui se trouvait dans la Lincoln de mon oncle Marcel, celui qui m'a transmis sa passion des voitures… enfin… surtout de la Lincoln.

— Personnellement, je ne connais rien aux voitures. Ma passion, c'est la danse.

Rachel imagina un Adam miniature dansant sur le dessus du tableau de bord. Mauvaise idée. Déconcentration. Accident garanti.

Ils ne parlèrent pas les vingt minutes suivantes, le temps d'arriver à l'un des endroits sécuritaires que Rachel utilisait pour s'amuser sans se faire déranger. Elle immobilisa la Lincoln dans le stationnement du garage où elle faisait faire l'entretien de la voiture. Il y avait toujours plusieurs voitures garées tout autour, ce qui assurait la discrétion de la Lincoln, et puis à quatre heures du matin, bien peu de personnes passaient dans ce coin perdu de l'est de Montréal. Rachel connaissait des endroits plus romantiques, mais qui se trouvaient plus loin, et cette nuit son amant occasionnel était si excitant qu'elle se sentait impatiente. Elle mit la sonnerie de son cellulaire à *off* puis elle appuya sur un bouton qui fit de nouveau baisser le siège passager en position horizontale, ce qui amena un grand sourire sur le visage d'Adam. Elle éteignit le moteur et se tourna vers lui. Il avait l'air parfaitement à l'aise. Et il n'était toujours pas nécessaire de parler.

Rachel détacha sa ceinture de sécurité et manœuvra habilement pour s'agenouiller entre les jambes d'Adam. Elle caressa ses cuisses et embrassa le jean, là où son pénis tendu attendait patiemment d'être utile. Elle fit glisser la fermeture éclair en même temps qu'elle sentait une main fouiller sa chevelure. Elle huma l'odeur de son sexe et en fut étourdie d'excitation. Elle glissa ses mains sous le t-shirt d'Adam et le seul contact de sa peau chaude, douce et ferme provoqua une réaction brusque. La tête enfoncée entre les cuisses du jeune danseur,

Rachel jouit une première fois. Il lui aurait fallu un moment pour reprendre ses esprits, moment qu'Adam ne lui laissa pas. Elle se sentit agrippée, puis se retrouva à califourchon sur lui, sa jupe étroite haut remontée sur ses cuisses. Il avait enlevé son t-shirt et il déboutonnait son chemisier à elle.

— J'ai aussi le sexe comme passion, dit-il tout bas au moment où il détachait son soutien-gorge et empoignait ses seins généreux.

Rachel en profita pour baisser son jean et son slip. Adam l'aida en soulevant le bassin. Lorsqu'elle vit son membre érigé dans toute sa splendeur, elle pensa d'abord s'asseoir dessus, puis trouva la force de se retenir. Elle l'entoura plutôt de ses cuisses et le serra contre sa petite culotte en soie trempée de plaisir. Adam prit son visage entre ses longues mains et l'attira vers lui. Son baiser eut l'effet d'une flamme qui lui réchauffa tout l'intérieur du corps. Rachel crut qu'elle allait s'évanouir, mais elle jouit plutôt une seconde fois, la bouche encore sur la sienne et leurs lèvres s'entremêlant tandis qu'il lui caressait les seins et titillait ses mamelons. Lorsqu'elle ne put attendre plus longtemps, Rachel se détourna pour fouiller dans le coffre à gant d'où elle sortit un préservatif qu'elle donna à Adam. Elle lui laissa le temps de l'enfiler tandis qu'elle retirait sa petite culotte. Quelques secondes plus tard, Adam la pénétrait avec la même vivacité que lorsqu'il dansait, c'est-à-dire avec une intensité au-delà des normes. Il l'embrassait pendant qu'elle se soulevait et s'abaissait sur lui, pétrissait ses seins et les mettait dans sa bouche pour les sucer et les mordiller. Rachel atteignit de nouveau un point culminant et perdit tout point de repère avec la réalité. Elle n'était que pure jouissance.

Lorsqu'elle reprit conscience, il lui fallut un moment pour se souvenir de ce qui venait de se passer. Son corps nu était allongé sur celui d'Adam, le danseur du Hard & On. Une main caressait son dos.

— Ça va? entendit-elle.

Elle n'était pas certaine d'avoir encore saisi tout ce qu'elle ressentait, mais oui, elle allait bien. Très bien, même.

— Oh oui.

Ils restèrent enlacés une dizaine de minutes puis, enfin de retour dans la réalité, ils se rhabillèrent en silence.

Vingt minutes plus tard, Rachel laissa Adam devant chez lui.

— Vas-tu revenir me voir danser samedi prochain? demanda-t-il

— Avec encore plus de désir qu'avant, répondit-elle en lui lançant un clin d'œil.

Puis Converse Boy quitta son univers. Sa Lincoln. Elle vérifia son cellulaire ; aucun message. Elle en mit la sonnerie à *on* et démarra.

L'aurore se manifestait déjà tandis que Rachel roulait vers son appartement. Elle avait besoin d'une douche chaude et, pour une rare fois, son lit lui semblait la place idéale où se reposer quelques heures. Quoiqu'elle n'était pas certaine de pouvoir dormir après une relation sexuelle de cette intensité. Elle n'eut cependant pas la chance de se demander si elle devait continuer de flotter ou aller se coucher, la sonnerie de son cellulaire retentit ; elle devait aller chercher des gens immédiatement. Être disponible vingt-quatre heures sur vingt-quatre faisait partie du contrat de chauffeure privée que Rachel avait signé pour les prochaines semaines. Elle se rendit donc le plus vite possible au Temple d'Éros. À l'arrière, dans le stationnement, Jean-Marc Bernard et son assistante Mélanie l'attendaient près de la porte en métal.

JMB, bien connu de la scène nocturne, surtout en tant que propriétaire de plusieurs bars branchés de Montréal, allait, quelques semaines plus tard, inaugurer son dernier-né. Le Temple d'Éros, comme son nom le suggérait, serait spécifiquement dédié aux plaisirs du sexe. Rachel se demandait ce qui était inclus dans cette publicité alléchante. Probablement plus que de simples divertissements légaux. Quoique monsieur Bernard, compte tenu de son succès, n'avait aucun intérêt à dépasser les limites permises par la loi s'il voulait rester dans les bonnes grâces des services d'ordre de la ville de Montréal.

JMB n'avait pas engagé Rachel par hasard. Il avait entendu parler de la *pin-up* qui se baladait en Continental et travaillait comme taxi privé. Il lui avait proposé un montant plus que raisonnable en laissant clairement entendre qu'elle avait la possibilité de faire beaucoup plus si elle acceptait de coucher avec lui de temps en temps. Elle l'avait remercié en disant qu'elle allait se contenter de la version de base du contrat. JMB avait ri et répliqué qu'elle avait l'air d'une *dumb blonde* mais qu'elle n'en était pas vraiment une.

Non, vraiment pas. Pas du tout.

JMB et Mélanie se glissèrent sur la banquette arrière de la Lincoln et, pendant un moment, Rachel se demanda si l'odeur de sexe flottait encore dans l'habitacle comme elle le soupçonnait sans pouvoir s'en rendre compte tellement elle en était imprégnée. Ses passagers, en grande conversation, ne passèrent aucune remarque.

Mélanie, qui habitait un appartement au centre-ville, descendit en premier. Puis ce fut le tour du patron, devant son imposante maison à Outremont.

— Tu me ramasses ici à deux heures demain après-midi, dit-il avant de fermer la porte de la Lincoln.

Rachel avait donc enfin plusieurs heures devant elle pour aller prendre une douche et se reposer.

18 MAI 2010

ILS TISSENT DES LIENS

JOHN

Le bruissement du ventilateur couvrait le silence. Assis sur le divan, John regardait une par une les quarante-quatre photos qu'il venait d'imprimer. Sur chacune apparaissait la même bâtisse à deux étages, vue sous différents angles avec détails sur le toit, les portes, les escaliers de secours et les fenêtres. Il avait recensé six possibilités simples d'y pénétrer et d'en sortir ; la porte principale avant du rez-de-chaussée, celle plus large située sur le côté nord qui permettait aux camions d'accéder à un quai de chargement, une porte secondaire sur le côté sud, celles reliées aux escaliers de secours du premier et du deuxième étages et enfin la porte qui ouvrait sur le toit. Six possibilités. C'était mieux que cinq ou sept.

Certes, les fenêtres étaient presque toutes assez larges pour laisser passer un corps adulte, mais John détestait utiliser les fenêtres.

Il glissa une main sur sa nuque raide. Beaucoup trop raide. Ça n'arrêtait pas depuis qu'il avait transgressé le Code six qui lui interdisait de révéler à quiconque des informations personnelles. Or, c'est ce qu'il avait fait avec cette femme qui jouait du *noise*. Il lui avait dit qu'il éliminait des gens. Il ne savait pas ce qui l'avait incité à lui dire la vérité. Il était possible qu'elle l'ait cru mais, si tel était le cas, John doutait qu'elle lui cause des problèmes. Elle avait l'air assez intelligent pour comprendre que ce n'était pas à son avantage.

John massa de nouveau sa nuque. Il lui fallait agir, sinon l'inconfort deviendrait intolérable. Il alla à la cuisine et ouvrit le congélateur. Il ne contenait que des bacs à glaçons. Il prit un cube de glace et l'appuya fermement sur sa nuque sous le col de sa chemise. Au bout de quelques secondes, le froid commença à engourdir ses muscles tendus. John se mit à arpenter son logement en longueur entre la cuisine et le salon, en tenant le glaçon contre sa nuque. La plante de ses pieds nus sur le carrelage frais de la cuisine lui était aussi bénéfique et, après avoir fait vingt-deux allers-retours, il put de nouveau se concentrer sur la préparation de son prochain Travail.

Il ne pouvait décider de l'arme qu'il allait utiliser avant d'avoir visité l'intérieur de la bâtisse et choisi l'emplacement de tir. Il n'aurait aucun problème à entrer, mais il devait prévoir la meilleure porte de sortie une fois qu'il aurait terminé ce qu'il avait à faire. Contrairement à certains Travaux qui exigeaient de longues heures à patienter avant d'effleurer la détente, ce Travail-ci allait se dérouler en l'espace de quelques minutes. L'exigence de précision en serait aussi grande, voire probablement plus. En raison des circonstances ambiantes, il n'aurait aucune marge d'erreur.

Le cube avait fondu et sa chemise était trempée. John se rendit dans la chambre à coucher où il ôta son vêtement, qu'il suspendit à une patère. Il fit quelques étirements et torsions du cou. Ce n'était pas encore parfait. Il se dévêtit au complet et passa dans la minuscule salle de bain attenante à la chambre pour se doucher.

Il laissa le puissant jet d'eau froide marteler sa nuque en espérant qu'elle redeviendrait souple comme elle devait l'être.

Il fixa sa pensée sur le Code huit : laisser sa trace sur le lieu du Travail. Une fois à l'extérieur, une fois à l'intérieur et, surtout, avant la date à laquelle devait avoir lieu le Travail. Le risque de se faire prendre en laissant sa trace l'excitait encore plus lorsqu'il avait un lien avec l'acte d'éliminer. C'étaient, en quelque sorte, les préliminaires.

Huit minutes plus tard, John sortait de la douche après s'être masturbé et avoir joui en pensant qu'il allait bientôt recommencer en respectant le Code huit.

Il sécha son corps avec une serviette blanche qu'il étala ensuite sur la barre du rideau de douche. Il s'assura qu'il n'y avait aucun pli, puis tourna la tête de gauche à droite, la leva et la baissa. Sa nuque était de nouveau parfaitement souple.

Il brossa ses dents pour se débarrasser du goût amer des quatre cafés qu'il avait bus en deux heures. Il passa un bâton de déodorant sur ses aisselles. Il coupa deux ongles qu'il jugeait trop longs et en profita pour limer tous les autres.

John sortit ensuite de la salle de bain. Il souleva la valise noire qui se trouvait sous la fenêtre et la transporta jusqu'au lit, sur lequel il la déposa et l'ouvrit.

Elle contenait un costume d'agent de sécurité. Celui qu'il porterait pour le prochain Travail. John le sortit de la valise pour l'examiner. Il vérifia qu'il n'était pas taché ni abîmé et que les boutons étaient solidement fixés. Lorsqu'il fut certain que le costume était en parfaite condition, il l'enfila pour s'assurer qu'il lui allait comme un gant. Ce que son reflet dans la glace plein pied de la chambre lui confirma. Impeccable. Il l'enleva et le suspendit dans la garde-robe. La journée avant le Travail, il cirerait les souliers. La valise retrouva sa place sous la fenêtre. John s'enveloppa dans une robe de chambre de coton et il retourna au salon. Il s'assit sur le divan et ouvrit son portable. Il tapa *noise* dans Google. Il lut la définition de *noise music* sur Wikipédia, puis l'équivalent français :

« La musique bruitiste, ou *noise music* en anglais, bien que le terme "bruitiste" d'origine française ait été à présent largement adopté, est une vaste appellation pouvant regrouper divers genres musicaux, relevant de plusieurs grandes familles musicales : l'électroacoustique, la musique improvisée, le jazz, la musique industrielle, et le rock. Elle se caractérise par l'assemblage de sons communément perçus comme désagréables ou douloureux, et prend à contre-pied les plus communes approches définitoires, fondées sur sa dimension esthétique, pour s'intéresser à d'autres aspects de l'œuvre musicale : sa structure, son sens, son effet sur l'auditeur, ou les différentes caractéristiques du son. »

Il parcourut la liste des artistes bruitistes reconnus et cliqua, au hasard, sur Merzbow. Il fit une recherche sur YouTube et sélectionna la pièce *Hitchhike to Kill*. Il inséra les mini-écouteurs dans ses oreilles et laissa son cerveau s'imprégner des bruits dérangeants. Agressifs. Corrosifs. C'était à la limite du tolérable.

Une métaphore auditive de sa vie.

John transféra plusieurs pièces sur son iPod. Il se rhabilla et décida d'aller marcher dans la nuit fraîche en écoutant Merzbow et en réfléchissant à son prochain Travail. Il devait l'exécuter dans exactement quarante-six jours. Il ne connaissait pas encore la victime, mais cela avait peu d'importance. Bien peu d'importance.

ADAM

— Mille! offrit Diva Saphira, qui l'attendait à la porte du Hard & On.

Adam passa devant elle sans dire un mot et fit quelques pas dans Sainte-Catherine. Il souriait. Mille dollars pour coucher avec lui? C'était flatteur. Mais il ne voulait rien savoir de cette femme.

Il eut soudain un mauvais pressentiment et se retourna; Saphira le rattrapait. Le sourire abandonna ses lèvres.

Samedi soir, elle s'était tenue tranquille. Adam ne se serait même pas aperçu de sa présence si Anthony ne l'avait pas averti. Ce soir, elle s'était par contre imposée dans toute son arrogance. Un jeune chauve pathétique la suivait – ombre muette qui s'attirait des commentaires moqueurs de la part des clients et danseurs –, espérant que la Diva daigne lui adresser la parole. Il n'était certes pas le premier ni le dernier de ses admirateurs qu'elle ignorait. Elle avait demandé à Adam de danser à sa table et il s'était exécuté en espérant que tout se passerait bien. Mais dès la première danse, Saphira lui avait fait des propositions qu'il avait poliment refusées. À la seconde, elle lui avait tenu des propos sexuels explicites. Il avait failli refuser d'aller à sa table une dernière fois avant la fermeture, mais quelque chose dans l'attitude de cette femme lui avait suggéré qu'elle causerait du trouble s'il refusait. Il ne s'était cependant pas gêné pour refuser les deux billets de cent dollars qu'elle lui avait offerts pour coucher de nouveau avec lui. Adam avait failli lui demander si l'œil au beurre noir était inclus dans le forfait.

— Adam!

Elle l'agrippa par le bras pour l'obliger à se tourner vers elle. Il se dégagea d'un geste brusque.

— Écoute, Saphira, je ne veux pas d'argent et je ne veux plus coucher avec toi. Est-ce que tu peux comprendre ça?

Il avait parlé sur un ton ferme et agressif qui ne lui était pas familier. Saphira le dévisagea, le regard plein de hargne.

— Cinq mille.

— Je veux que tu me foutes la paix, OK?

— Espèce de pédé à queue molle ! cria-t-elle en accompagnant l'insulte d'une spectaculaire gifle qui claqua dans la nuit comme un coup de fouet.

Adam resta stupéfait, incapable du moindre geste pendant quelques secondes. Autour d'eux, des gens curieux, la plupart clients du Hard & On mais aussi des fans de la Diva, s'étaient arrêtés pour assister à la suite de ce spectacle gratuit ; Converse Boy venait de se faire gifler par la célèbre Diva Saphira.

Mais il n'allait pas y avoir de suite.

Adam maîtrisa son désir de la gifler à son tour et, comme la première fois où il avait été frappé par une femme, il quitta les lieux sans rien dire, la joue en feu. Il entendit les talons de Saphira marteler le trottoir derrière lui.

— Adam, attends, je… !

Il se mit à courir, sachant qu'il était impossible pour qui que ce soit de le rattraper à moins d'être un coureur olympique. Il bouscula les gens qui avaient le malheur d'être sur sa trajectoire et courut sans trêve jusqu'à ce qu'il arrive devant l'immeuble où il habitait. Il s'assura que Saphira n'était pas en vue et se dépêcha d'insérer la clé dans la serrure et d'ouvrir la porte.

Il grimpa les marches de l'escalier central deux par deux et atteignit son appartement avec soulagement. Essoufflé, il se laissa choir sur le divan, enleva son t-shirt et s'en servit pour essuyer son visage et sa nuque en sueur.

— Tu parles d'une *bitch* ! jura-t-il en s'adressant aux murs.

C'était la première fois qu'une cliente – ou un client – le harcelait d'une telle manière. Et dire qu'elle avait poussé l'audace jusqu'à le poursuivre hors du Hard & On, jusqu'à lui balancer ses absurdités – il n'était pas gai et son pénis fonctionnait très bien, merci – et le gifler en public !

Saphira avait des problèmes d'*ego*, tout le monde le savait. Par contre, ce genre de comportement... Peut-être fallait-il l'associer à ses dépendances connues aux drogues et à l'alcool ? Peu importe, c'était une source de problèmes pour lui. Allait-elle le faire tabasser par ses « amis » parce qu'il refusait de coucher avec elle ? Adam ne doutait pas qu'elle en soit capable. Pouvait-il se protéger ? Demander à Anthony de lui interdire l'accès au Hard & On ? Des plans pour que le bar passe au feu...

Adam alla à la cuisine et cala une demi-bouteille d'eau avant de passer sous la douche. Il avait besoin de se rafraîchir le corps et les idées.

Il était fier d'avoir fui plutôt que de riposter physiquement devant des témoins dont certains se seraient fait un plaisir de répandre la rumeur que Converse Boy n'hésitait pas à frapper une femme. Cet incident ne l'en troublait pas moins. C'était la deuxième fois de sa vie qu'une femme le giflait. La première parce qu'elle ne voulait pas baiser avec lui, la seconde parce qu'elle voulait baiser de nouveau avec lui. Heureusement, toutes les femmes n'étaient pas comme ces deux-là. Il y avait en ce monde des Rachel qui aimaient le sexe pour le sexe sans causer de problème.

Ça lui fit du bien de penser à cette femme avec laquelle il avait pris beaucoup de plaisir. Et qui, de toute évidence, avait apprécié aussi. Adam aimait voir les femmes jouir, et Rachel se laissait aller avec une facilité impressionnante. Et elle n'était pas du genre à attendre tout sans agir. Il essayait d'éviter ces femmes-là, mais certaines, qui avaient l'air entreprenantes, se révélaient ennuyantes et sans initiative dans l'intimité sexuelle.

Pénis bandé et savonné, Adam commença à se masturber sous le jet d'eau tiède. Il se revoyait en train de baiser Rachel assise sur lui, prenant ses seins à pleines mains, tandis qu'elle montait et descendait sur son membre en poussant des sons de plaisir... Le souvenir était encore si frais dans sa mémoire qu'il jouit en quelques secondes.

Cheveux mouillés et serviette enroulée autour des hanches, Adam retourna au salon, apaisé par cet acte qui l'avait libéré de sa frustration d'avoir été giflé. Il s'allongea sur le divan et ferma les yeux pour mieux réfléchir. Il avait beau aimer danser, la carrière d'un *gogo boy* était de courte durée. On lui avait proposé quelques fois de devenir mannequin, mais l'idée de déambuler sur une scène sans danser et pour mettre en vedette des vêtements et non lui-même ne lui disait rien. Il avait aussi été approché pour des sessions de photos, mais toujours dans un but érotique, ce qui l'agaçait. Il aurait préféré qu'on veuille le photographier en train de danser.

Adam ne savait pas encore ce qu'il voulait faire de sa vie mais, idéalement, continuer à danser était sa priorité. En attendant, il se contentait d'un modeste deux et demi qui lui permettait de mettre de l'argent de côté. Allait-il enfin se décider à suivre des cours de danse? Y avait-il un moyen de vivre de la danse sans être un professionnel? Puisque les juges avaient tant apprécié sa prestation à l'audition du Temple d'Éros, pourrait-il monter un jour un numéro mettant en scène sa propre chorégraphie ?

Il y avait là peut-être une occasion d'explorer son talent naturel et de s'ouvrir les portes d'un monde plus vaste que celui des bars de danseurs.

Stimulé par ce projet qui lui semblait possible, Adam se redressa. Il avait faim et besoin de bouger.

Il se rhabilla et, cinq minutes plus tard, il marchait dans Sainte-Catherine en direction du Club Sandwich, à quelques pas de chez lui.

20 MAI

HÉLÉNA

Debout derrière le Temple d'Éros près de la porte de métal, Héléna attendait la chauffeure privée de JMB qui allait la reconduire chez elle.

Elle avait demandé au patron quel genre d'équipement et d'installation seraient mis à sa disposition pour monter son spectacle.

— La salle va être refaite au complet, avait-il répondu, mais vous pouvez venir jaser avec les gars de la technique, ils vont vous dire ce que vous voulez savoir.

Sylvain, responsable du son, et Bill, de l'éclairage – deux amis honorés de travailler avec un membre de Crushing Steel, un band dont ils avaient suivi la carrière de près –, avaient expliqué à Héléna que le budget dont ils disposaient était plus que généreux et, donc, si elle avait des besoins spécifiques, ils se feraient un plaisir de les satisfaire. C'était plus qu'Héléna ne l'avait espéré. Ses prestations à la Casa Del Popolo se déroulaient dans des conditions plutôt rudimentaires. Plonger dans la préparation d'un spectacle plus élaboré entourée d'une équipe de professionnels lui plaisait. Et puis si elle avait choisi le *noise* depuis des mois, ce n'était pas parce qu'elle avait définitivement renoncé à la musique, mais parce que cette forme d'expression lui avait paru la meilleure pour faire une transition entre Crushing Steel et ce qui viendrait après. Le 3 juillet serait non seulement la soirée d'inauguration du Temple d'Éros, mais la soirée où Héléna enterrerait officiellement les cendres de Crushing Steel.

Une imposante Lincoln Continental brune tourna soudain dans le stationnement. Constatant qu'une femme était au volant, Héléna en déduisit que c'était son *lift*. La voiture s'arrêta à côté d'elle et la conductrice baissa sa vitre :

— Héléna ?

— Oui.

La femme ouvrit la portière et descendit de son véhicule. Petite et plantureuse, drapée d'une robe moulante qui aurait convenu à Marilyn Monroe mais qui lui allait très bien à elle aussi, elle ouvrit la portière arrière.

— Je suis Rachel, dit-elle en affichant un sourire hollywoodien. C'est moi qui vous ramène chez vous.

Amusée du spectacle de cette vamp chauffeure de taxi vintage, Héléna la remercia d'un signe de tête. Elle monta et prit place sur la banquette en cuir noir dont le contact et l'odeur de fauve eurent pour effet d'envoyer un message de plaisir dans son corps et des images de souvenirs agréables dans sa tête.

La voiture quitta le stationnement.

— Vous allez où ?

— Saint-Laurent et avenue des Pins.

Héléna se souvenait des nombreuses fois où Wouter et elle avaient fait l'amour sur la banquette arrière d'un taxi, exposés au regard du chauffeur qui, complice, prolongeait la course si c'était nécessaire. Puis ses pensées bifurquèrent et elle s'imagina le même scénario mettant en scène Adam et elle. C'était normal. Grand, cheveux blonds et yeux bleus, elle ne pouvait nier la ressemblance entre Wouter et lui. Ce n'était pas par hasard que son regard s'était arrêté sur lui et non sur un autre jeune homme venu auditionner au Temple. Mais la ressemblance s'arrêtait là. Adam devait avoir au moins vingt ans de moins qu'elle. Ce n'était pas un obstacle pour Héléna. Il réveillait son désir sexuel, éteint depuis la mort de Wouter, c'était tout ce qui importait. Elle le désirait et, si ce désir se révélait réciproque, elle allait vivre ce qu'elle avait à vivre avec Adam.

La voiture s'arrêta sur l'avenue des Pins.

— Vous voilà à votre destination, dit Rachel.

— Est-ce que je vous dois quelque chose ?

— Je suis très bien payée. Le pourboire n'est pas nécessaire non plus.

— Eh bien, merci.

Héléna ouvrit la portière et descendit de la Lincoln.

— NATASHA BEAULIEU

RACHEL

Rachel regarda Héléna traverser la rue et entrer dans un immeuble. Elle se demanda quel était le lien entre cette grande femme d'allure ténébreuse et le Temple d'Éros. Elle allait peut-être l'apprendre au fil des semaines si elle devait transporter Héléna de nouveau.

Elle ne posait pas de question à ses passagers, car elle jugeait que c'était une attitude fort indiscrète et, de toute façon, elle n'avait besoin que d'une seule information : leur destination. Si la personne assise sur la banquette arrière engageait elle-même la conversation, Rachel se faisait alors un plaisir d'y prendre part. Bien sûr, il y avait eu quelques exceptions, comme la fois où l'homme qu'elle venait de heurter lui avait demandé de le conduire à une heure de route de Montréal plutôt qu'à l'hôpital. Elle n'avait jamais eu un passager aussi étrange.

Rachel reprit la route, libre en ce début de soirée de se balader comme bon lui semblait jusqu'à ce que JMB ait besoin de ses services.

Depuis qu'elle avait partagé le siège passager avec Adam, elle ne pensait qu'à recommencer. Bon, d'accord, peut-être sur la banquette arrière la prochaine fois si son mètre quatre-vingt-quinze pouvait s'y adapter, mais en fait peu lui importait. Il pouvait bien la prendre sur le capot de sa voiture si cela lui permettait d'être totalement libre de ses mouvements. Rachel connaissait quelques endroits isolés où il était possible de s'adonner à ce genre d'ébats. Il y avait toujours un risque de se faire prendre mais, en général, les gens préféraient regarder, cachés dans l'ombre, plutôt que d'appeler la police. Et Rachel se souvenait aussi d'une voiture de police qui avait été témoin d'une de ses aventures en plein air près de la Lincoln sans intervenir. Après tout, qu'est-ce que ça pouvait bien déranger que des gens s'amusent un peu hors normes ?

Elle s'arrêta au coin de Saint-Laurent et Sherbrooke pour faire le plein d'essence. Elle entra dans le dépanneur pour payer et en ressortit avec un café et une Caramilk. Elle prit le temps de manger la tablette de chocolat, debout à côté de la Lincoln, ce qui lui permit de remarquer que sa voiture avait besoin d'un bon nettoyage.

Une quinzaine de minutes plus tard, Rachel laissait sa voiture aux bons soins de l'équipe de Chez Luigi. L'année précédente, le père avait légué son lave-auto à l'aîné de ses fils pour aller profiter de sa retraite en Italie.

— Rachel, *mia bella*, je nous préparais justement un espresso !

Fabio avait tout pour plaire aux femmes, de la belle gueule à l'apparence soignée en passant par les belles manières, et Rachel ne faisait pas exception.

Depuis qu'il avait repris l'entreprise de son père, Fabio l'avait complètement transformée. Les clients attendaient maintenant qu'on leur livre leur voiture *nickel* dans un bistro à l'ambiance sympathique où le patron aimait préparer et servir lui-même les cafés. De l'ancien décor, il ne restait que les photos de hockey de 1964 et 1965 parce que Fabio était aussi un fan de hockey en plus d'être un joueur de soccer.

Rachel s'installa au comptoir, fière de porter sa robe rouge en jersey moulant, une de celles qui

plaisaient à son jeune amant occasionnel. Et, puisqu'ils étaient seuls dans le bistro, la conversation
ne fut qu'une suite de phrases qui avaient pour but
de stimuler leur désir de passer à des actes où la
langue, la peau et la sueur jouaient un rôle pri-
mordial. Il fut convenu que Rachel reviendrait à la
fermeture du lave-auto.

— Sauf si mon patron a besoin de mes services,
dit-elle sur un ton lascif.

— Si tu étais ma femme, tu n'aurais pas de patron,
répliqua-t-il en lui caressant la main.

Rachel sourit et le contact de la peau du jeune
homme sur la sienne l'émoustilla. Elle n'avait aucun
désir d'être la femme de Fabio et il n'avait aucune
intention qu'elle soit sa femme. Mais jusqu'à ce
qu'il trouve la future mère de ses enfants, Rachel et
lui s'adonnaient au sexe libre avec enthousiasme.

Un client entra, Fabio le salua et ils engagèrent
une conversation à laquelle Rachel n'avait aucun
désir de se mêler. Elle préféra s'imaginer dans
quelques heures, en train de s'ébattre avec le bel
Italien dans sa Continental. Ce rendez-vous im-
prévu arrivait à point. Il lui permettrait de patienter
en attendant de revoir Adam dans deux jours. Car
elle devait bien se l'avouer, le *gogo boy* avait été
une baise mémorable. Et Rachel avait baisé suffi-
samment pour être en mesure de comparer.

21 MAI

JOHN

Une multitude de bruits s'entremêlaient dans ce Temple: voix masculines et féminines, portes ouvertes et fermées, roulements de chariots transportant du matériel, talons claquant sur le plancher, et cela aurait été parfait si la musique ne les enterrait pas tous. John allait pourtant devoir l'endurer, le temps d'accomplir le Travail.

Debout dans la grande salle, il regardait avec indifférence les jeunes corps à moitié vêtus se mouvoir sur scène en prenant des poses provocantes. Trois individus étaient assis dans la première rangée du parterre. Heureusement un blond, beaucoup plus grand que les autres, pratiquait des mouvements de danse dans une des allées entre les bancs. Ça faisait quatre. C'était mieux.

La musique cessa brusquement et la chorégraphe commença à donner des instructions aux danseurs. John s'éloigna vers le mur au fond de la salle dans lequel se trouvaient deux portes. Il ouvrit celle de droite sur un couloir sombre dans lequel il avança jusqu'à ce qu'il atteigne une large porte battante qu'il poussa. Il pénétra dans le débarcadère de livraison qu'il avait repéré lors de sa récente exploration des lieux extérieurs. Certes, il serait peu pratique de sortir par cette issue, car les portes donnant sur l'extérieur devaient être lourdes à ouvrir et surtout bruyantes. À moins qu'elles soient ouvertes en début de soirée et qu'elles le restent toute la nuit du 3 juillet – une date fort déplaisante pour un Travail –, ce qui était peu probable. John jeta néanmoins un regard circulaire sur le débarcadère pour vérifier s'il y avait un recoin sécuritaire où se cacher en cas d'urgence. Il ne repéra aucun endroit adéquat.

Il retourna sur ses pas et passa de nouveau la porte qui s'ouvrait sur la grande salle.

Son œil la repéra instantanément : la femme de la Casa Del Popolo. Elle discutait avec un homme, ils étaient à une douzaine de mètres de lui. John resta dans l'ombre à la regarder, peu étonné qu'elle croise de nouveau son chemin, comme si cela allait de soi, parce qu'il y avait un lien spécial entre elle et lui. Et puis c'était une artiste. Elle participait peut-être à cet événement.

John se tourna et poussa la seconde porte, sur laquelle était écrit « Réservé au personnel ». Il escalada l'escalier qui lui faisait face et, en haut, il emprunta le couloir qui s'allongeait uniquement vers la gauche. Il passa devant plusieurs portes fermées, qu'il ouvrit sur des bureaux désuets au mobilier recouvert de poussière. Sans fenêtres. Impensable de s'y cacher. Sur l'avant-dernière porte était écrit « Toilettes ». Le couloir débouchait ensuite sur les hauteurs du côté cour de la scène où se déployaient, au plafond, rampe, grille d'éclairage, projecteurs et câbles. John monta sur la passerelle en métal qui permettait d'accéder à cette machinerie et, au milieu, il s'accroupit pour observer, en plongée, les danseurs toujours attentifs aux directives de la chorégraphe. C'était un choix classique, mais néanmoins le meilleur. John savait qu'il était facile de demeurer invisible d'en bas.

— Vous allez tirer de cet endroit?

John ne broncha pas en reconnaissant la voix basse de l'artiste *noise*. Après avoir constaté sa présence dans le Temple, il n'était pas plus surpris qu'elle l'ait vu et suivi. Elle avait agi de la même manière lorsqu'elle lui avait adressé la parole à la Casa Del Popolo. Sa question était logique. Cette femme agissait comme si elle le connaissait depuis toujours. Il resta dans sa position sans la regarder.

— Je ne le sais pas encore.

Le long silence qui suivit ébranla John jusqu'à ce que la main de cette femme se pose fermement sur son épaule droite. Il resta immobile.

— Je ne dirai rien, murmura-t-elle.

La main quitta son épaule. John n'entendit pas la femme s'éloigner. Comme lui, elle se déplaçait sans bruit.

Il aurait voulu qu'elle lui touche aussi l'épaule gauche. Pour en faire un souvenir de geste pair.

La musique explosa de nouveau, forte et agressive. John serra les dents tandis qu'une vive douleur lui traversait la tête. Les pieds des danseurs martelaient la scène, mais ce n'était pas ce son qui l'exacerbait. C'était la musique. N'importe quel genre de musique lui était insupportable et celle-là était particulièrement une torture pour ses tympans. Sa mère avait comblé le silence avec de la musique. N'importe quelle musique. Jour et nuit, des voix irritantes, des airs ringards et des mélodies niaises s'enchaînaient dans la chaîne stéréo du salon aux haut-parleurs médiocres.

John ferma les yeux.

Elle n'allait rien dire. Pourquoi? Et pourquoi n'avait-il pas cherché à nier? Pourquoi n'arrivait-il pas à respecter le Code six avec cette femme?

Il se redressa. Il quitta la passerelle et revint sur ses pas. Il s'arrêta devant la porte des toilettes, où il entra.

C'était une toilette unique et des plus ordinaires.

Il souleva le bol de la cuvette et se concentra pour calmer son érection le temps d'uriner. Il y arriva au bout de quelques secondes. Sa vessie soulagée, il se tourna vers l'évier, se lava les mains et les sécha avec deux papiers bruns qu'il tira de la distributrice.

Son érection ayant repris du solide, il appuya son dos contre les tuiles blanches. La musique en sourdine l'agaçait, mais elle ne l'empêcha pas de commencer à se masturber. Sa main faisait déjà un mouvement de va-et-vient rapide. John sentait l'urgence d'éjaculer. C'était sa troisième fois ce jour-là.

Il lui fallut à peine trente secondes et, au moment d'atteindre son but, il dirigea son pénis vers la porte, qu'il éclaboussa de son sperme. Enfin détendu, il déroula quatre carrés de papier hygiénique avec lesquels il s'essuya. Il jeta les papiers dans la poubelle et remonta son pantalon.

Il sortit des toilettes, satisfait d'avoir encore une fois laissé sa trace et cette fois-ci, en plus, respecté la moitié du Code huit.

De retour dans la grande salle, John resta à l'écart dans un recoin sombre. Il observa la spécialiste de bruits, assise par terre près d'un homme. Devant eux, par terre aussi, des machines, des câbles et un portable. Le même équipement qu'elle avait utilisé pour sa prestation à la Casa Del Popolo. L'homme et elle avaient tous les deux un casque d'écoute qu'ils enlevaient et remettaient pour discuter.

Elle n'allait rien dire.

Un individu corpulent avança soudain vers une porte fermée à gauche de John mais, en l'apercevant, il s'adressa à lui.

— Bonjour, vous êtes qui au juste ?

— John, de Lamarre Sécurité.

— Ah ! Enfin. Jean-Marc Bernard, se présenta l'homme en tendant la main. Mais tout le monde m'appelle JMB.

John serra la main avec la même fermeté que son interlocuteur.

— J'apprécie que votre équipe ait accepté de veiller à la sécurité du Temple le soir de l'inauguration. Ce sera surchargé de monde. J'espère que vous n'êtes pas trop regardant sur les lois, car on risque de dépasser un peu les quotas permis, si vous voyez ce que je veux dire.

— Nous serons là pour assurer la sécurité. Le reste ne nous regarde pas.

— Excellent, je vois qu'on s'entend bien, dit JMB en donnant une tape amicale sur le dos de John. Est-ce qu'on vous a fait visiter les lieux ?

— Je visite par moi-même.

— Parfait. Si vous avez besoin de quelque chose, n'hésitez pas à me le demander. Je vous laisse à votre travail et je retourne au mien.

John vit JMB se diriger vers la femme aux cheveux noirs. Cette dernière enleva son casque d'écoute et échangea quelques phrases avec lui. Le patron du Temple retourna ensuite dans son bureau. L'homme qui travaillait avec elle se leva. Il sortit un paquet de cigarettes de la poche de son blouson et il gesticula, laissant sous-entendre qu'il allait fumer dehors. Les écouteurs autour du cou, elle resta assise par terre devant ses instruments. Au bout de quelques secondes, elle leva la tête et regarda dans la direction de John, comme si elle voyait sa présence dans l'ombre. Il resta immobile, même lorsqu'elle déplia son long corps et qu'elle marcha vers lui sans aucune hésitation. Il aurait peut-être dû partir, mais il était trop tard.

— Héléna, dit-elle en lui tendant sa main.

Ses yeux étaient d'un bleu glacial.

Sa peau doit être froide, pensa John.

Il serra la main. Déconcerté par sa chaleur ainsi que par la longueur et la finesse des doigts. Il la garda pourtant dans la sienne plus longtemps que le protocole d'une simple poignée de main ne l'exigeait.

— John.

Héléna ne bougea pas. Elle ne sourit pas. Elle le regardait et, uniquement à l'aide de sa main, John avait l'impression qu'elle communiquait avec lui, même s'il ne comprenait pas le sens de cet échange muet.

Dès que leurs mains se séparèrent, John tendit spontanément la main gauche. Héléna pencha la tête de côté, puis elle tendit sa main gauche.

La deuxième aussi était chaude. L'équilibre du geste pair était parfait.

John retira sa main et s'éloigna vivement. C'était mauvais. Très mauvais. Il ne pouvait se permettre de transgresser aussi le Code deux.

ADAM

Adam s'échauffait dans l'allée entre deux rangées de fauteuils de la grande salle du Temple d'Éros. Il pratiquait des mouvements empruntés à la *shuffle dance* en y ajoutant sa touche personnelle, dont le résultat devenait magiquement plus sensuel qu'une démonstration d'agilité. Les autres danseurs et danseuses qui avaient été sélectionnés pour la soirée d'inauguration étaient sur scène avec la chorégraphe.

Il avait vu la grande femme aux courts cheveux noirs en arrivant au Temple. Ils s'étaient salués mais n'avaient pas eu l'occasion de se parler. Elle s'affairait autour de machines et de câbles avec un homme qui semblait s'y connaître. Il ne savait pas si c'était une musicienne ou une technicienne.

Adam ne savait pas non plus pourquoi on ne lui avait pas demandé de se joindre aux autres danseurs. Mélanie lui avait dit d'attendre là ; elle viendrait le chercher plus tard. Alors il dansait et, au début, de temps en temps, il jetait un œil vers celle qui le fascinait. Mais depuis une bonne dizaine de minutes, elle n'était plus où il l'avait vue. Adam espéra qu'elle était toujours dans le Temple.

Il cessa soudain de bouger et s'assit sur un des bancs du parterre. Il s'intéressa à ce qui se passait sur scène. La chorégraphe s'adressait aux artistes avec enthousiasme et, lorsqu'elle faisait une démonstration de mouvement, Adam admirait la souplesse de son corps et la fluidité de ses enchaînements.

Une nouvelle pièce de musique débuta. La chorégraphe invita les danseurs à improviser. Adam reconnut du *hard style* comme il l'aimait, intense et ultra rythmé. Il avait le goût de sauter sur scène et de se joindre à eux, mais Mélanie arriva soudain près de lui.

— Viens, dit-elle.

Adam se leva et suivit la coordinatrice jusqu'au bureau de JMB. Elle frappa sur la porte fermée et elle eut le OK du patron pour entrer.

La première chose qu'Adam vit fut l'arrière de la tête aux courts cheveux noirs. La grande femme était assise devant JMB. Ce dernier fit signe à Adam de s'asseoir sur la chaise vide à côté d'elle, tandis que Mélanie sortait du bureau en fermant la porte.

— Voici mes deux stars de la soirée réunies, annonça fièrement JMB. La musicienne la plus *dark* de Montréal et le *gogo boy* le plus hot que j'ai vu dans ma vie. Adam, je te présente Héléna.

Il se tourna vers celle qui avait enfin un prénom. Il trouva qu'elle avait l'air un peu bizarre.

— Salut, Héléna.

— Bonjour, Adam.

Un bref moment de silence passa tandis que JMB s'appuyait au fond de son fauteuil, les mains jointes par le bout des doigts.

— Est-ce que tu connais Crushing Steel ?

— Non, répondit Adam, tout en se rappelant que c'était le nom que la coordinatrice avait utilisé, la journée des auditions, pour s'adresser à Héléna.

JMB ouvrit son portable et, après avoir tapé sur le clavier, il le tourna vers Adam.

— J'ai choisi cette *toune*-là parce qu'elle donne une bonne idée de ce que j'aimerais.

Adam ne comprenait pas le rapport avec lui mais, avant de poser des questions, il regarda la vidéo YouTube de la chanson *Burn Me Through*, de Crushing Steel. C'était en fait un duo composé d'un homme et une femme, tout de noir vêtus, qui se tenaient au centre d'un équipement complexe de claviers électroniques, d'ordinateurs portables et d'une multitude de câbles. L'homme était un grand blond svelte, et la femme, Héléna. Tandis que les musiciens s'activaient à leur équipement électronique, un spectacle se déroulait en parallèle sur la vaste scène. Un homme vêtu d'une combinaison de cuir noir, et assis sur un trône surélevé magnifiquement sculpté et peint en or, observait une suite de combats qui se déroulaient dans l'arène à ses pieds. Les combattantes étaient de plantureuses et séduisantes filles à moitié nues. Armées de torches enflammées, elles luttaient jusqu'à ce qu'une des deux soit brûlée et, de ce fait, éliminée. La victorieuse affrontait alors la candidate suivante.

Adam était fasciné par tout ce spectacle. Sur fond de musique très rythmée, il lui donnait le goût de danser, l'excitait sexuellement, même. Il avait hâte de savoir pourquoi JMB lui montrait cette vidéo.

Vers la fin de la chanson arrivait sur scène une fille encore plus imposante que les autres, une déesse sortie tout droit d'un épisode de Xena, l'une des héroïnes d'enfance d'Adam. Elle ne portait pas de torche mais chacun de ses doigts se prolongeait en une longue extension de métal au bout de laquelle brûlait une flamme. Et, évidemment, agile et rusée, elle remportait le combat final qui se déroulait pendant un moment fort de la chanson. L'homme qui trônait daignait ensuite se lever et, pour féliciter la gagnante, il la laissait le déshabiller. Son sexe était camouflé sous un harnais qui mettait en évidence un pénis en silicone surdimensionné. La belle victorieuse s'agenouillait devant le don offert et le prenait dans sa bouche.

C'est le moment que choisit JMB pour geler l'image et retourner l'écran vers lui. Adam en fut soulagé, car il commençait à se sentir drôlement à l'étroit dans son jean. Le patron, lui aussi affecté, essuyait son front moite avec un mouchoir. Le regard d'Héléna était intense et froid, mais sa bouche affichait un sourire qui animait les lignes au coin de ses yeux. Adam réalisa qu'elle devait être pas mal plus âgée que lui, mais il s'en foutait et, s'il l'avait pu, il l'aurait prise tout de suite, là, sur le bureau.

Ce fut JMB qui brisa le silence. Il expliqua brièvement que le partenaire d'Héléna « n'était plus », mais que Crushing Steel pouvait tout de même revivre, le temps d'un spectacle.

— Il faut en mettre plein la vue aux invités ! Je veux quelque chose de *dark fucké* érotique. Un show cochon comme ils n'en ont jamais vu de leur vie, et bizarre en masse pour qu'ils ne l'oublient jamais. Je veux qu'ils puissent dire « j'étais là et je l'ai vu » avec autant d'excitation qu'ils le diraient pour un show de Lady Gaga. Vous comprenez ?

— Non, répondit Adam. Je ne vois pas ce que je viens faire là-dedans. Je ne joue pas de musique.

Ce fut Héléna qui répliqua :

— Non, mais tu sais jouer de ton corps de manière très sensuelle et efficace. On va monter un spectacle ensemble. Je vais m'occuper de la musique et on va créer la partie érotique en duo.

Un court silence plana dans le bureau. Adam n'était pas certain d'avoir saisi ce qu'il venait d'entendre. Son pénis, au contraire, semblait avoir tout compris, car il restait bien dur.

— Est-ce que ça te plaît, le jeune ? demanda JMB.

— C'est parfait.

— Parfait, c'est le bon mot ! Alors je vous laisse vous organiser entre vous, dit le patron en se levant. Je vous avertis d'avance quand j'ai besoin de savoir de quoi aura l'air ce spectacle.

— OK, dit Héléna en se levant aussi.

Adam l'imita et ils sortirent du bureau.

Dans la grande salle où la musique jouait à tue-tête pendant que les danseurs pratiquaient, Adam se tourna vers sa future partenaire.

— Tu veux aller prendre un verre quelque part ?

— Oui.

Héléna se mit à avancer à grandes enjambées. Adam, amusé de la voir si dynamique, lui emboîta le pas. Ils sortirent du Temple, dans la nuit encore jeune, et marchèrent côte à côte.

— C'est bien que je sache ton prénom, comme ça je ne serai plus obligé de penser à toi comme à la femme aux cheveux noirs.

— Tu penses à moi ?

Adam lui jeta un coup d'œil. Elle souriait. Il allongea le pas pour pouvoir la suivre. Elle se déplaçait aussi vite que lui sur ses jambes presque aussi longues que les siennes.

— Un peu, oui, avoua-t-il.

— C'est peut-être dangereux.

— Pourquoi?

— Parce qu'on va travailler ensemble.

— Je ne vois rien de dangereux là-dedans.

— C'est parce que tu ne sais pas encore ce qu'on va faire.

— C'est si tordu que ça?

Elle cessa de marcher, lui regarda de nouveau l'entrejambe et sourit.

— Ça te fait sourire que je sois encore bandé? lança effrontément Adam.

— C'est parfait, dit-elle avant de continuer à avancer.

Adam aurait voulu savoir parfait pour quoi, mais il se contenta de la suivre jusque dans le stationnement, derrière le Temple.

— Il y a un bar par ici? demanda-t-il naïvement.

Héléna sortit une bouteille de vodka de son sac en bandoulière.

— Il n'en reste pas beaucoup, mais j'en ai une autre chez moi.

Son érection palpita. Héléna laissait sous-entendre qu'elle l'invitait chez elle?

Elle fit une nouvelle pause. Elle cherchait quelque chose du regard et, tout à coup, elle pivota sur elle-même et fit quelques pas à reculons. Adam remarqua qu'elle zigzaguait un peu. Son corps dégageait quelque chose d'étrange et de fascinant. Il lui fallut un moment pour comprendre qu'Héléna avait déjà bu.

Elle recula encore sans cesser de le regarder. Adam trouvait ses yeux magnifiques. Pas bleus comme un ciel pâle d'été. Bleus comme une mer froide d'hiver. Et il aimait son grand corps fluet aux gestes qui se voulaient précis mais avaient un je-ne-sais-quoi de maladroit, peut-être à cause de l'alcool. Son visage trahissait la quarantaine, mais son corps avait l'allure de celui d'une adolescente qui aurait grandi trop vite.

Héléna pivota de nouveau sur elle-même et se dirigea droit devant, vers une entrée de garage qu'un lampadaire éclairait en partie. Adam la suivit, ignorant ses intentions, mais constatant que les siennes devenaient de plus en plus orientées vers son désir physique. Lorsqu'elle s'appuya contre la porte du garage, Adam resta debout devant elle. Elle ouvrit sa bouteille, en cala une gorgée et la lui passa. Il fit comme elle et lui rendit la bouteille. Il trouvait la situation étrange quoique loin d'être déplaisante.

— C'est ta profession, danseur ?

— Oui.

— Est-ce que tu danserais pour moi ?

Elle avait peut-être deviné en le voyant auditionner ou alors JMB le lui avait dit.

— Avec plaisir. Je travaille au Hard & On.

— C'est un bar de danseurs ?

— Oui, c'est là que tu peux venir me voir danser.

— Oh ! Ça ne m'intéresse pas. Je veux te voir danser tout de suite.

— Tout de suite ? Ici ?

— Oui.

Adam était bouche bée, mais le désir qu'il vit briller dans les yeux d'Héléna l'excita encore plus qu'il ne l'était déjà, si cela était possible. Il jeta un coup d'œil aux alentours. Ils étaient seuls mais, bien sûr, il y avait des chances pour qu'une voiture surgisse à tout moment. Si tel était le cas, ils n'auraient qu'à se camoufler rapidement dans la noirceur sur le côté du garage.

Adam sortit les écouteurs de la poche de son blouson. Il les inséra dans ses oreilles et sélectionna *If I had You* sur son iPod.

Puis, en regardant Héléna dans les yeux, il dansa juste pour elle.

RACHEL

La Lincoln était stationnée à l'arrière du Temple. Rachel attendait depuis déjà une trentaine de minutes. Elle pensait téléphoner à JMB pour vérifier s'il voulait qu'elle revienne le chercher plus tard, mais elle décida qu'entrer dans le Temple serait plus intéressant. Elle en avait vu l'intérieur qu'une seule fois pour rencontrer JMB et signer son contrat.

Elle descendit de sa voiture, tira sur sa jupe courte qui avait tendance à remonter sur ses cuisses et fit le tour de la bâtisse, car la porte qui donnait sur le stationnement, probablement la sortie d'urgence, ne s'ouvrait que de l'intérieur. Il fallait passer par l'entrée principale pour pénétrer dans le Temple.

Rachel traversa les grandes portes vitrées, le hall puis le long couloir qui débouchait sur la salle

principale. Cette fois-ci, contrairement au calme
plat qui y régnait à sa première venue, une chanson
jouait à tue-tête et un groupe de danseurs était en
pleine action sur scène. Puisque les auditions avaient
eu lieu la fin de semaine précédente, Rachel déduisit
que ceux qui se trouvaient là avaient dû être choisis
et pratiquaient déjà. Elle calcula qu'il restait seulement six semaines avant l'ouverture du Temple.
Elle ne connaissait pas l'univers des spectacles, mais
il devait être possible d'en monter un bon en si peu
de temps puisque son patron y croyait. JMB lui
avait promis un laissez-passer à son nom pour la
soirée. Rachel, dont le désir érotique était si facilement stimulé, avait hâte de découvrir le Temple
d'Éros.

Elle prit place dans un fauteuil du parterre, au
fond de la salle et, tout en savourant le fait de voir
bouger les corps sexy des danseurs et danseuses, elle
se demanda si Adam avait proposé sa candidature.
N'avait-il pas le profil idéal pour l'emploi ? Oui,
mais puisqu'il n'était pas sur scène, il était peu
probable qu'il ait été au courant de l'audition. Il
aurait sûrement été sélectionné. Rachel allait lui en
parler à leur prochaine rencontre. Elle pourrait même
glisser un mot à JMB en sa faveur, lui expliquer
qu'il était la star érotique du quartier gai et que sa
présence au Temple le soir de l'ouverture serait un
plus. Et, qui sait, JMB avait peut-être aussi le projet
d'embaucher des *gogo boys* dans son nouveau club
dédié au sexe.

Perdue dans ses pensées, Rachel ferma les yeux
un moment. Elle se dit qu'elle aimerait passer une
nuit dans son lit. Une longue nuit avec Adam, par

exemple. La veille, en faisant l'amour avec Fabio, elle avait pensé à Adam. Non pas que son amant italien ne fût pas à la hauteur, c'était simplement qu'elle pensait presque constamment à Converse Boy. Elle sourit en se rappelant son corps, si grand. Ses pieds devaient dépasser de tous les matelas standards. Dormait-il sur un matelas extra long ? Était-ce la raison pour laquelle il l'avait invitée chez lui ? Elle envisagea cette possibilité pour la prochaine fois. Ce n'était pas dans ses habitudes de jouir dans des draps, mais on devait parfois briser les habitudes pour en créer de meilleures. Du moins, c'est ce que disait son oncle Marcel. Rachel chercha dans sa mémoire à quand remontait la dernière fois où elle avait partagé un lit avec un de ses amants. Hum… Ça faisait si longtemps que ça ?

— Rachel !

Elle ouvrit les yeux et vit JMB venir vers elle dans l'allée entre les fauteuils. Il lui fallut un moment pour remarquer l'individu qui se tenait debout, près de la scène, et semblait attendre. Rachel se redressa dans son fauteuil et plissa les yeux. Ça ne pouvait tout de même pas…

— Rachel, ce n'est finalement pas moi que tu vas reconduire mais John, un gars de l'agence de sécurité, dit-il en désignant l'homme près de la scène.

C'était si inattendu qu'elle eut de la difficulté à le croire. Il n'y avait pourtant aucun doute. C'était bel et bien ce type qu'elle avait accidentellement renversé avec sa Lincoln, deux ans plus tôt. Celui-là même à qui elle avait pensé hier.

— Tu reviendras me chercher après, ajouta son patron.

Il descendit l'allée de son pas lourdaud mais dynamique. Elle le vit échanger quelques phrases avec l'homme de la sécurité puis s'en retourner vers son bureau.

Rachel observa « John » pendant une dizaine de secondes. Elle n'arrivait pas à bouger. Lui aussi restait immobile.

Elle laissa passer encore dix secondes puis se décida enfin. Elle se leva de son fauteuil et marcha vers lui en se demandant comment agir; devait-elle faire semblant qu'elle ne l'avait jamais vu ou le saluer comme une connaissance? Ne sachant pas à quoi s'attendre de cet homme étrange, elle opta pour une attitude professionnelle. Une fois dans la voiture, elle verrait bien comment les choses se dérouleraient.

— Bonsoir, John.

Il ne dit rien. Son visage était impassible.

— Ma voiture est à l'arrière. Je vous attends à l'entrée principale dans cinq minutes.

Rachel était devant l'entrée cinq minutes plus tard. John monta sur la banquette arrière, comme il l'avait fait la première fois, sauf que cette fois-ci il n'était pas en état de choc après s'être fait frapper. Elle aurait voulu savoir ce qu'il ressentait de l'avoir reconnue, elle.

La voiture prit la route.

— Je vous laisse à quelle adresse?

Elle l'observait dans son rétroviseur. Il n'avait pas changé d'un iota.

— 224 boulevard Saint-Joseph Est.

— Beaucoup moins loin que la dernière fois, osa-t-elle.

Il resta silencieux mais, de temps en temps, il la regardait aussi dans le rétroviseur et leurs yeux se croisaient.

Rachel se remémora la première nuit où John s'était assis dans sa voiture. En route, après une vingtaine de minutes, son passager avait commencé à montrer des signes de nervosité en se caressant les cuisses sans arrêt, en longs mouvements réguliers. Puis elle avait dit quelque chose de tout à fait banal et l'homme avait déplacé ses mains de ses cuisses à son entrejambe. Rachel avait ressenti une chaleur dans son bas-ventre. Elle n'avait soufflé mot lorsque l'homme avait défait la braguette de son pantalon pour exhiber son sexe en érection et commencer à se branler. Elle avait suivi le tout dans son rétroviseur, gardant l'équilibre entre se concentrer sur la route et jouir du spectacle. Elle n'avait pas su si « John » était conscient de l'étrangeté de la situation, car il ne regardait que ce qu'il faisait. Rachel s'était délectée du fait qu'un événement qui avait débuté de manière tragique s'était transformé en une expérience qui sortait de l'ordinaire. C'était troublant. Excitant. Et cela se déroulait dans sa voiture. Lorsque John avait éjaculé en dirigeant son sperme sur l'arrière du siège où elle était assise, elle avait garé la Lincoln sur l'accotement de l'autoroute, puis elle s'était tournée vers lui, en souriant, quelques kleenex à la main.

— Tu éjacules souvent partout, comme ça ?

— J'aime laisser ma trace.

Rachel se demanda si celui qu'elle pouvait maintenant appeler John aimait toujours laisser sa trace. Elle fut tentée de le lui demander, mais elle préféra attendre qu'il parle le premier. Elle espéra qu'il le ferait avant d'être rendu à destination.

L'endroit où il lui avait demandé de le conduire deux ans plus tôt s'était révélé tout aussi mystérieux que sa personnalité. Située en plein bois, la maison entourée d'une clôture grillagée avait l'allure d'un ancien chalet d'été converti en bungalow habitable à l'année. Deux fenêtres d'où filtraient de la lumière lui avaient laissé croire que quelqu'un se trouvait peut-être à l'intérieur. Rachel avait stationné la Lincoln devant la clôture en se questionnant sur son utilité. Pour empêcher certains animaux d'approcher trop près? Des ours, peut-être.

— *Vous n'entendrez plus jamais parler de moi une fois que vous m'aurez amené là où je veux aller*, lui avait affirmé John.

Rachel l'avait regardé marcher jusqu'à la porte de la maison. Elle avait alors aperçu une caméra de surveillance, fixée à la clôture, qui pointait dans la direction de la Lincoln. Elle n'avait pas l'habitude de s'inquiéter pour rien, mais un sentiment de malaise l'avait traversée et elle s'était dépêchée de quitter ce lieu qui dégageait une aura de paranoïa. Pourquoi une caméra à cet endroit? Qui pouvait bien venir se balader dans ce bled perdu? Certes, des ours... Et Rachel avait pensé que c'était ce que John lui aurait répondu si elle avait posé des questions.

John lui avait donc promis que leurs chemins ne se recroiseraient jamais plus. Et Rachel l'avait cru. Et probablement que lui aussi l'avait cru à ce moment-là. À l'évidence, le fait de se trouver dans sa Lincoln à ce moment-ci n'était qu'un pur hasard. Mais lorsqu'elle s'arrêta devant le 224 Saint-Joseph et que John sortit de sa voiture sans avoir prononcé une seule parole, elle se sentit déroutée.

Rachel resta stationnée devant l'immeuble un long moment, guettant la porte par laquelle John était entré. Prise d'un espoir naïf, elle imagina qu'il allait peut-être ressortir et lui demander de le conduire quelque part. N'importe où. Elle aurait aimé pouvoir retrouver l'étrange complicité qu'ils avaient vécue la première fois. Une dizaine de minutes plus tard, elle sourit et appuya sur l'accélérateur en songeant que la vie se déroulait rarement comme on le souhaitait.

HÉLÉNA

Le manque de courage l'avait incitée à boire. Comme dans le temps, à l'époque, avant Wouter. La peur d'elle-même et de ses désirs intenses, qu'elle tentait de refouler. Elle avait calé plusieurs verres de vodka avant la rencontre avec Adam et JMB.

— C'est grand chez toi.

Adam était debout au milieu de son loft. Il l'avait fait. Il avait dansé pour elle dans le stationnement à l'arrière du Temple. Il avait enlevé son t-shirt et baissé la braguette de son jean. Il avait fait glisser le tissu un peu plus bas sur ses cuisses, jusqu'où le fil qui reliait son iPod à ses écouteurs pouvait se rendre, dévoilant son boxer moulant dans lequel sa virilité était d'une certaine façon presque mise à nue. Il s'était caressé en la regardant dans les yeux. Il adorait se faire adorer, c'était clair. Et ce trait de sa personnalité, allié à son physique, avait stimulé l'esprit déviant d'Héléna. Elle ne l'avait pas touché et, au moment où sa main avait commencé à baisser le boxer...

— Ça suffit, avait-elle dit assez fort pour qu'il l'entende.

Adam n'avait pas eu l'air déçu. Plutôt étonné. Il avait souri, retiré les écouteurs de ses oreilles puis il s'était rhabillé lentement.

— Tu veux boire quelque chose ? demanda-t-elle.

Elle était debout derrière le comptoir de la cuisinette sur lequel elle venait de déposer la bouteille de Smirnoff qu'elle avait retirée de son sac.

— Rien, merci.

Elle vida la bouteille dans un verre. Elle en avait encore besoin, parce qu'elle désirait aller plus loin.

— J'aimerais ça savoir à quoi notre spectacle va ressembler, dit Adam.

Héléna aima l'entendre dire « notre » spectacle.

— Je ne le sais pas encore.

— Bien, moi, je pense que tu as déjà une idée en tête, dit-il en lui lançant un clin d'œil. J'aimerais ça que tu la partages avec moi, comme ça je pourrais y penser de mon côté.

Héléna vida son verre d'un trait et se tourna vers le congélateur, qu'elle ouvrit. Elle prit une nouvelle bouteille de vodka et la déposa sur le comptoir mais, plutôt que de la déboucher, elle se rendit devant le comptoir. Elle s'installa en face d'Adam. Ils se regardèrent un bon moment dans les yeux, sans parler. Puis le jeune homme se mit à rire.

— Pourquoi tu me regardes comme ça ?

— Je te regarde comment ?

— Pas comme les autres femmes, en tout cas.

— Et comment elles te regardent, les autres ?

— Avec désir.

— Tu crois que je ne te désire pas ?

Adam parut embarrassé par cette dernière question.

— Je ne sais pas. Tu me regardes avec... il y a quelque chose d'inquiétant dans ton regard.

— Tu dis ça parce que je t'ai laissé croire que notre spectacle serait dangereux.

— Oui, peut-être.

— Pourquoi tu es bandé, Adam ?

Il regarda en l'air puis de nouveau Héléna.

— Parce que tu m'excites.

— Qu'est-ce qui t'excite ?

— Un peu tout. Je ne sais pas trop.

Héléna pressa son corps contre celui d'Adam et elle l'embrassa sur la bouche. Il lui entoura la taille de ses mains et répondit à son baiser avec ardeur. Elle sentit son érection appuyée contre son bas-ventre. Elle recula un peu, juste assez pour éloigner leurs lèvres et leurs corps. Mais Adam la ramena contre lui.

— Encore ? demanda-t-elle.

Il l'embrassa de nouveau, plus intensément.

Elle tenta de se libérer, mais il l'en empêcha. Elle cessa cependant de l'embrasser.

— Encore ?

— Oui, encore, murmura-t-il dans son oreille avant de plaquer sa bouche contre la sienne et de reculer en la tenant dans ses bras.

Il s'arrêta au milieu du loft.

— Il est où ton lit ?

— Tu veux voir mon lit ?

— Je veux surtout l'essayer.

Héléna desserra les mains d'Adam autour de sa taille. Elle avança ensuite vers le rideau noir tendu sur une tringle en métal. Elle le poussa vers la gauche et elle passa derrière. Adam la suivit, mais il s'immobilisa après quelques pas parce qu'il était dans l'obscurité. Héléna alluma la lumière, une longue lampe en papier de riz qui se dressait dans le coin droit du renfoncement lui servant de chambre. Au milieu se trouvait un lit double, sans fioriture, avec des draps en coton noir. Puis sur la gauche, une cage, aux barreaux en fer noir, assez haute même pour lui et assez large pour contenir une personne ou deux à l'étroit. La porte était verrouillée par un cadenas. Adam se dirigea spontanément vers la cage, autour de laquelle il tourna lentement.

— Qu'est-ce que tu fais avec une cage dans ta chambre ?

— Ça dépend. Je m'enferme dedans, j'enferme quelqu'un ou je m'enferme dedans avec quelqu'un.

— C'est bizarre.

C'était effectivement bizarre, mais elle voulait savoir en quoi ça l'était particulièrement pour lui.

— Tu trouves ?

Adam glissa sa main droite sur les barreaux.

— Oui. En tout cas, je n'ai jamais rencontré quelqu'un qui aimait les cages de cette façon-là.

— Tu as rencontré des gens qui aimaient les cages d'une autre manière ?

Il rit.

— Bah, non. Juste pour mettre des animaux dedans.

Héléna était étonnée de la facilité avec laquelle se déroulait ce premier maillon de la chaîne. Adam n'avait pas de crainte réelle par rapport à l'objet de confinement. Il agrippa les barreaux et balança ses hanches de droite à gauche, le visage à moitié caché par sa mèche blonde aguichante.

— Tu veux que je danse dans la cage pour toi ?

— Oui, mais pas tout de suite.

— Et tu veux qu'on fasse quoi tout de suite ?

— Qu'on s'embrasse.

— Juste ça ? Vraiment ?

— Oui. Je vais t'enfermer dans la cage et on va s'embrasser.

Adam cessa d'onduler du bassin, mais Héléna constata qu'il était toujours bandé. Il fit le tour de la cage et la prit de nouveau par la taille.

— Tu n'aimes pas mieux qu'on s'embrasse sur ton lit ?

— Non.

— Et si je refuse que tu m'enfermes dans ta prison ?

— Il ne se passera rien de plus que ce qui se passe en ce moment.

Adam la pressa plus solidement contre lui.

— Et je dois te faire confiance ? demanda-t-il en la regardant dans les yeux.

— Absolument.

Il l'embrassa puis il s'éloigna d'elle. Ils s'observèrent pendant un moment.

— Tu veux que je me déshabille ?

— Non.

Héléna ouvrit le tiroir de la table de nuit pour prendre la clé du cadenas, qu'elle déverrouilla.

— Tu enfermes souvent des hommes dans ta cage pour les embrasser ?

— Aucun depuis deux ans.

— Je me sens flatté.

Héléna décrocha le cadenas et elle ouvrit la porte. Elle fit un geste de la main pour inviter Adam à pénétrer dans la cage.

Il eut un moment d'hésitation qu'elle comprit, mais il finit par entrer. Il resta debout entre les barreaux tandis qu'Héléna fermait la porte et qu'elle remettait le cadenas sur la serrure.

— Comment tu te sens ? demanda-t-elle.

— Je ne sais pas. J'imagine que je devrais avoir peur. Il n'y a pas grand-chose que je peux faire si tu décides de me garder prisonnier. À moins de te promettre toutes sortes de choses en échange de ma liberté.

Héléna approcha son visage de la cage. Elle sortit le bout de la langue et se mit à lécher lentement un des barreaux qui se trouvait à la hauteur du visage d'Adam. Il approcha son visage du même barreau et il se mit à le lécher. Il glissa une main hors de la prison et la lui plaqua sur une fesse. Elle colla son bassin contre la cage. Leurs langues glissant de chaque côté du barreau se touchaient et elles finirent par se joindre de nouveau pour un long baiser.

Héléna poussa son visage le plus loin que le permettait l'espace entre les barreaux. Adam lui agrippa la nuque et elle fut excitée qu'il la veuille encore plus près de lui. Elle le sentit pousser son bassin vers le sien et constata à quel point il était encore en état de désir.

Ce baiser était ce qu'Héléna avait vécu de plus érotique depuis fort longtemps. Mais elle se détacha d'Adam brusquement et s'éloigna de la cage.

— Je vais revenir, dit-elle sans le regarder.

— Ce n'est pas très gentil, murmura-t-il.

— Le sexe trop gentil n'est pas excitant.

Héléna avait besoin d'être seule quelques minutes. Elle marcha dans son loft au décor épuré, but une gorgée de vodka pour se donner le courage de continuer. Le processus était enclenché, et elle ne pouvait nier que c'était un désir viscéral. Continuer. Ou plutôt recommencer ce qui avait déjà été, mais d'une manière différente, d'un point de vue nouveau et avec quelqu'un d'autre. Le résultat ne pouvait en aucun cas être le même, mais elle acceptait de prendre le risque. Après tout, il n'existait aucune preuve que le résultat ne pouvait pas être encore mieux.

Elle retourna dans la chambre. Adam n'avait pas l'air troublé. Il la regarda avec un sourire moqueur lorsqu'elle approcha de la cage.

— Tu en veux encore? Tu ne peux déjà plus te passer de moi?

Décidément, Adam lui plaisait.

22 MAI

ADAM

Adam caressait les seins de Rachel. Assise sur lui, les mains agrippées au cuir de la banquette, elle descendait lentement sur son sexe érigé. Il retenait l'urgence de soulever le bassin pour la pénétrer au complet. Lorsqu'elle s'enfonça enfin elle-même jusqu'au fond, il lui serra les hanches et contrôla le mouvement de va-et-vient. Leurs lèvres s'unirent, mais c'étaient leurs langues qui désiraient s'entremêler. Rachel poussa cependant un long gémissement qui sépara leur bouche. Adam augmenta la rapidité de ses poussées. Rachel écrasa sa poitrine contre lui et elle exprima son excitation par quelques mots crus. Il prit un rythme endiablé, mais elle bougeait aussi et, quelques secondes plus tard, il déversait son fluide de plaisir à l'intérieur d'elle.

Ils restèrent imbriqués l'un dans l'autre, Adam caressant le dos de Rachel.

Le sexe était rudement bon avec elle.

La retenue sexuelle avait aussi ses côtés excitants, comme le lui avait démontré Héléna, la veille.

Enfermé dans la cage, il avait perdu la notion du temps, embrassant cette femme fascinante, son érection solide frottant contre les barreaux à travers son jean tendu à l'extrême. Elle l'avait laissé partir de chez elle sans rien lui donner de plus que d'autres baisers sur le pas de la porte, en précisant qu'il ne devait pas se toucher jusqu'à ce qu'elle lui en donne la permission.

Adam tenta de se déculpabiliser de ce qui venait de se passer avec Rachel en considérant qu'il ne s'était pas lui-même vraiment touché. Héléna n'avait pas dit que personne ne pouvait le toucher et elle ne lui avait pas dit qu'il ne pouvait pas jouir non plus. Évidemment, il avait peu d'espoir de s'en tirer avec cette explication, qu'il savait stupide et lâche, si jamais elle soupçonnait quelque chose.

Rachel se souleva, attrapa une serviette et un sac en plastique qu'elle avait mis sur le haut de la banquette avant le début de leurs ébats. Elle s'essuya tandis qu'Adam retirait le condom et le déposait dans le sac. Rachel lui donna la serviette et il se nettoya aussi en se disant qu'elle avait vraiment l'esprit pratique. Ou c'était l'habitude de baiser dans sa voiture. Probablement un mélange des deux.

Adam enfila son boxer, son jean et son t-shirt tandis que Rachel se rhabillait aussi.

— Es-tu au courant pour le Temple d'Éros? demanda-t-elle.

— Mets-en, je vais faire partie d'un des spectacles de la soirée d'inauguration. Tu vas y aller?

— Je suis la chauffeure privée du patron. Je vais avoir un laissez-passer pour la soirée. Comme ça tu vas danser?

— Ça ne sera pas juste une danse, plus un genre de spectacle érotique. Je ne connais pas encore les détails.

— Ça va faire changement de te voir performer ailleurs qu'au Hard & On.

— Mets-en. Et le style va être plus *dark*.

— Hum... J'ai hâte de voir ça.

Adam finit de lacer ses Converse. Il se pencha vers Rachel et l'embrassa sur la bouche.

— J'y vais, dit-il ensuite.

— Tu veux que je te reconduise chez toi ?

— Non, j'aime mieux marcher.

— À bientôt, Adam.

— Samedi prochain ?

— Peut-être avant.

— Ah oui ?

— Si tu me donnes ton numéro de cellulaire.

Adam sourit et le lui donna. Puis il descendit de la Lincoln.

Il se trouvait à mi-chemin entre chez lui et Héléna, dans un stationnement sombre quelconque près de la station de métro Sherbrooke, mais il n'eut aucune hésitation sur la direction à prendre.

Ça n'avait pas de sens de se pointer chez elle en pleine nuit, mais elle lui avait clairement dit qu'il pouvait revenir quand il en aurait besoin. Eh bien, il en avait besoin maintenant. Tout de suite.

Adam marcha donc rapidement vers Saint-Laurent.

Rachel était simple à suivre, prévisible dans ses désirs et avide de jouissance. Héléna était mystérieuse, imprévisible et son but ne semblait pas la jouissance des sens mais plutôt celle de l'esprit. Adam était ha-bitué à des femmes aux désirs concrets et semblables à ceux de Rachel, non pas à l'univers complexe d'Héléna. Mais les deux femmes lui plaisaient, chacune pour ce qu'elle était. Arrivé au coin de Saint-Laurent, il fut pris de remords. D'abord, il n'était plus certain qu'avoir donné son numéro de cellulaire à Rachel était une bonne idée. Ensuite, et encore plus, il aurait dû prendre une douche avant de se rendre chez Héléna. Persuadé qu'il devait vraiment se laver avant d'y aller, il héla le premier taxi qui passait. Mais, au moment où la voiture s'arrêtait près du trottoir, Adam changea d'idée. Il fit signe que non au chauffeur, qui haussa les épaules et poursuivit sa route.

Il aurait voulu retourner chez lui, se doucher et changer de vêtements, mais il avait réalisé que c'était pour lui plus important de voir Héléna sans attendre. Il y avait en lui un sentiment d'urgence qui l'étonna mais auquel il céda. Il prit donc Saint-Laurent vers le nord en marchant rapidement et de plus en plus vite en approchant de l'avenue des Pins. Il courut les derniers mètres et entra dans la bâtisse en coup de vent. Il attendit l'ascenseur cinq secondes en sautillant sur place puis, comme c'était trop long, il prit l'escalier et gravit les quatre étages deux marches à la fois.

Il ne se souvenait pas du numéro de la porte mais de l'emplacement du loft d'Héléna, oui : au bout du couloir, à droite, isolé dans un coin. Il s'y rendit en un clin d'œil. Le 404. Il prit une profonde inspiration, frappa trois coups sur la porte et attendit, le cœur battant la chamade.

La porte s'ouvrit quelques secondes plus tard sur Héléna, en jean et t-shirt.

— Salut. Je ne te dérange pas ?

Il se demanda si sa voix était normale. Est-ce que ça paraissait qu'il était si excité ?

— Non.

Il dansa un moment sur un pied et sur l'autre, puis il finit par lui poser la question qui le démangeait.

— Es-tu contente que je sois là ?

JOHN

Le stationnement à l'arrière du Temple était désert. John attendit à quatre heures quatre pour défaire sa braguette et se masturber contre la porte en métal sans poignée. Aucun système de caméra de surveillance pour le filmer. Si quelqu'un le surprenait, il pouvait inventer n'importe quoi. De toute façon, ce ne serait pas bien long avant qu'il éjacule.

Il pensait à Rachel.

Son sperme éclaboussa la porte une vingtaine de secondes plus tard.

Voilà, c'était fait. Le Code huit était respecté au complet. John avait laissé sa trace à l'intérieur et à l'extérieur de son prochain lieu de Travail. Deux traces.

Il essuya son pénis flasque avec deux papiers-mouchoirs qu'il jeta par terre puis il le replaça dans son sous-vêtement et remonta la braguette de son pantalon.

John avait trouvé le numéro de cellulaire de Rachel, l'unique chauffeure de Lincoln Continental à Montréal. Il se demandait encore pourquoi il n'avait pas pensé à la retrouver avant qu'elle ne réapparaisse dans sa vie par hasard. Parce qu'il se souvenait à quel point c'était une femme bien. Avait-elle changé pendant les deux dernières années ? Ça ne lui avait pas donné cette impression, mais il devait la revoir pour mieux l'évaluer.

Il sortit son cellulaire de la poche de son veston et composa le numéro.

— Allô !

— C'est John.

— Je te ramasse où ?

Elle ne posait pas de questions inutiles. Juste celles qu'il fallait.

Il lui dit où il se trouvait. Une dizaine de minutes plus tard, la Lincoln s'arrêtait devant lui et il montait à l'arrière. Rachel ne parla pas pendant les deux premières minutes, puis elle lui demanda où il voulait aller.

— Ça n'a pas d'importance.

L'important était qu'il était assis dans cette voiture et que Rachel conduisait.

— Quoi de neuf, John ?

La question le prit au dépourvu. Il la décortiqua. Quoi. De. Neuf. C'était une mauvaise question.

— Neuf. Ce n'est pas un bon nombre.

Elle éclata de rire. Il ne comprit pas pourquoi. Il était sérieux.

— D'accord, dit-elle. Quoi de huit, John ? C'est mieux ?

— Oui.

— Tu n'aimes pas les chiffres impairs ?

— Non.

— Pourquoi ?

John chercha la réponse dans sa tête. Il ne vit rien. Il regarda ses mains comme si la réponse s'y trouvait mais qu'il n'y avait pas accès.

— J'avais quelques manies de chiffres pairs quand j'étais jeune, poursuivit Rachel. Je sautais les marches deux par deux, je mangeais deux bonbons en même temps, j'avais deux oreillers dans mon lit et j'aimais regarder un film deux fois de suite. Je ne sais pas pourquoi.

Avait-il eu, lui aussi, ce genre d'attitude dans son enfance ?

— C'est disparu à un moment donné, continua-t-elle, mais j'ai gardé un faible pour les chiffres pairs.

John n'arrivait pas à se souvenir d'un événement de sa jeunesse ayant un lien avec les nombres pairs. Rachel avait découvert leur harmonie avant lui.

La voiture roula plusieurs kilomètres avant que la conversation reprenne.

— Est-ce que tu te masturbes au moins deux fois par jour ? demanda-t-elle.

— Plus que deux.

— Mais toujours un chiffre pair ?

John réfléchit. Fronça les sourcils. Il ne connaissait pas la réponse. Il pensa à la veille. Combien de fois l'avait-il fait dans la journée ? Trois, quatre ou cinq fois ? Comment avait-il pu négliger un détail aussi important de sa vie ?

— Combien de fois aujourd'hui ?

À cette question, il pouvait pourtant répondre.

— Une fois.

Le seul fait de prononcer un nombre impair le mit mal à l'aise.

— Ça t'arrive d'avoir des relations sexuelles avec quelqu'un?

— Non.

— Ça te dirait d'essayer avec moi?

— Non.

Rachel éclata de rire encore une fois. Ça faisait deux.

— Tu aimes ça que je me masturbe? demanda-t-il.

— Oui. J'aime tout ce qui a rapport au sexe. Alors je suis aussi voyeuse. Gêne-toi pas si tu en as encore besoin.

Rachel était une femme bien.

Depuis un moment, la Lincoln roulait lentement dans une zone industrielle éclairée par quelques lampadaires ici et là.

— Il faut que j'arrête deux minutes, dit Rachel en stationnant la voiture au bord de la rue.

Elle descendit et laissa sa portière ouverte.

John la vit s'éloigner puis s'arrêter près d'un mur en béton. Aucune lumière n'éclairait cet espace qui était tout de même exposé au regard de quiconque passerait par là et aux caméras de surveillance. Tournée vers lui, Rachel remonta sa jupe moulante sur ses cuisses nues. Elle fit glisser son slip en dentelle rouge vers ses talons hauts puis, les jambes écartées, elle commença à se donner du plaisir d'une main pendant qu'elle détachait sa blouse de l'autre.

John voyait une femme se masturber devant lui, et pour lui, pour la première fois. Au moment où Rachel fit déborder ses lourds seins du soutien-gorge, il baissa sa braguette et empoigna son pénis bandé impatient qu'on s'occupe de lui. Puis, mû par une nouvelle pulsion, il ouvrit la portière et sortit. Debout près de la voiture, vivifié par l'air frais de la nuit, John était fasciné par Rachel qui reflétait sa propre activité tandis que ses yeux affichaient une concupiscence complice.

Soudain, elle se pencha, releva son slip et baissa sa jupe sur ses cuisses bien rondes. John continua de se masturber tandis qu'elle avançait vers lui, ses seins blancs exposés à la lumière du lampadaire sous lequel elle passa mais qu'elle aurait pu éviter. La vision excita John, dont le poignet s'activa plus rapidement. Rachel s'arrêta devant lui. Perchée sur ses talons, les jambes collées l'une contre l'autre, elle empoigna ses seins, sur lesquels il fixa un regard troublé.

— Laisse ta trace sur moi, John.

Sa réaction fut instantanée. Il éjacula sur la jupe en satin noir tandis que Rachel mettait ses mains sur ses hanches pour bien tendre le tissu sur lequel se répandait le sperme.

Lorsqu'il eut terminé, Rachel lui prit les hanches et elle pressa sa jupe poisseuse contre son membre repu.

Ils restèrent dans cette position un long moment, protégés par l'absence d'éléments qui auraient pu troubler leur satisfaction.

Rachel était une femme bien. Très bien.

Héléna

— Oui, répondit Héléna. Ça me plaît que tu sois là. Elle laissa entrer Adam. Constata son urgence sexuelle. Son urgence à lui et son urgence à elle qui s'était réveillée quand elle avait ouvert la porte. Elle le regarda enlever ses chaussures, ses bas, son t-shirt et les laisser traîner par terre. Il avança jusqu'au milieu du loft et il attendit, debout, sans bouger. Elle l'observa. Malgré son excitation et sa nervosité, Adam dégageait une assurance surprenante pour son jeune âge. L'assurance des gens qui sont beaux et savent en tirer profit, sensiblement différente de celle des gens matures.

Héléna s'approcha d'Adam et glissa le bout de deux doigts sur sa joue bien rasée. Il resta immobile. Son sexe était déjà tendu. Et il sentait le sexe récent. La sueur mélangée à un parfum féminin. Quelle indécence.

— Tu reviens vite, dit-elle tout bas. Pourquoi?

— Parce que tu donnes de bons baisers.

— C'est tout?

— Je donne de bons baisers aussi, alors ça va bien ensemble.

— Et ça ne te dérange pas de le faire à travers les barreaux d'une cage?

— Je ne serais pas là si ça m'avait dérangé.

Héléna prit Adam par la main et elle l'amena derrière le rideau. Dans la chambre à l'éclairage tamisé, la cage était là, porte ouverte.

— Tu m'attendais, affirma-t-il en souriant.

Un brin de prétention. Mais oui, elle l'attendait. Savait qu'il allait revenir. Avait eu cette prétention, elle aussi. C'était elle qui était volontairement entrée dans la cage à l'époque de Wouter. Héléna avait vécu tout ce qu'elle allait proposer à Adam ou presque. À la condition qu'il veuille aller jusqu'au bout.

Elle ferma la porte et mit le cadenas.

Créer la dépendance. Tel était le but. La dépendance à la passion profonde, vraie et durable.

Wouter lui avait expliqué, comme elle allait l'expliquer à Adam au fil des jours, que la liberté et la plénitude amoureuse n'étaient pas incompatibles. La passion physique et relationnelle était perçue comme une entrave à la liberté parce qu'elle était la plupart du temps basée sur des fondations fragiles et instables. Wouter, lui, croyait que la liberté devait d'abord passer par la restriction, qui débouchait plus tard sur une autonomie plus grande et plus vraie. Accepter volontairement d'être dominé, contraint physiquement et psychologiquement, humilié et soumis, était un choix qui défiait l'une des plus grandes peurs de l'humain : faire totalement confiance à un autre humain. Mais, selon Wouter, c'était l'étape essentielle qui permettait de découvrir sa vraie nature profonde, sans aucune barrière, ce qui permettait de progresser vers l'acceptation totale de soi. Et, de cette acceptation, naissait l'acceptation totale de l'autre. Et uniquement de ce genre de révélation pouvait naître ce qu'on appelait « l'amour ». Héléna, ayant toujours trouvé insupportable la notion d'amour véhiculée par la société, s'était sentie interpellée par la définition que Wouter lui en avait faite. Introvertie et, à l'origine, rébarbative à la soumission sous toutes ses formes, elle avait cependant accepté de tenter l'expérience. Et l'expérience s'était avérée concluante. Il était peu probable qu'elle puisse se répéter dans toute sa vertu plusieurs fois dans une vie. Mais peut-être deux...

Perdue dans ses pensées, Héléna tournait autour de la cage sans croiser les yeux d'Adam.

— Est-ce que j'ai le droit de t'embrasser? s'informa-t-il.

— Est-ce que tu t'es touché?

Il hésita deux secondes.

— Non.

C'étaient les deux secondes de trop qui confirmaient son intuition. Héléna s'immobilisa devant la cage. Sa bouche se contracta en quelque chose qui n'était ni un sourire ni une grimace. Une simple ligne d'insatisfaction.

Adam fixait le plancher de la cage.

Il n'avait pas compris.

Elle prit la clé du cadenas qu'elle avait déposée sur la table de nuit. Elle ouvrit la porte de la cage et quitta la chambre. Elle se rendit droit à la bouteille de vodka qui traînait sur le comptoir et s'en versa un verre. Elle n'aimait pas boire autant, mais elle ne pouvait s'en empêcher. Du moins encore pour quelque temps. Probablement jusqu'au 3 juillet.

Adam écarta le rideau noir.

— Tu es fâchée?

Héléna emporta la bouteille et son verre sur le rebord d'une des fenêtres, où elle s'assit.

— Non.

Adam vint s'asseoir en face d'elle, le dos appuyé contre le montant. Leurs longues jambes se touchaient.

— Je suis déçue, dit-elle. Il va falloir recommencer au début.

— Ça veut dire quoi?

— La cage. Tu as pensé que c'était juste un jeu.

Il approuva d'un signe de tête.

— Est-ce que j'ai l'air de quelqu'un qui veut jouer?

— Je ne sais pas. Je ne te connais pas assez.

Héléna remplit de nouveau son verre et, parce qu'elle ne souriait pas, elle remarqua qu'Adam commençait à se sentir mal à l'aise dans son corps qui raidissait.

— Tu ne m'as presque rien expliqué alors je ne sais pas, moi, ajouta-t-il en repoussant sa mèche derrière l'oreille. Je pensais que tu aimais t'amuser d'une manière un peu spéciale et j'ai embarqué. Si c'est autre chose, il faut que tu me le dises.

Il était jeune. Tellement jeune dans sa chair et ses désirs.

— Je ne vais rien te dire de plus que ce que je t'ai dit hier. On ne peut pas aller plus loin. Il faut recommencer du début, c'est tout.

Adam trouva soudain le courage de la regarder dans les yeux.

— J'ai baisé avec une femme.

— Je le sais.

— Je pensais que tu croyais que je m'étais simplement touché.

— Si c'était ce que tu avais fait, tu me l'aurais avoué en souriant.

Il réfléchit avant de poursuivre.

— Oui, tu as raison. Et comment tu aurais réagi si je te l'avais dit en entrant?

— Je t'aurais renvoyé.

Il réfléchit encore avant de parler.

— Est-ce que tout ça a un rapport avec notre spectacle?

— Est-ce que c'est important que tu le saches?

— Non. OK, alors. On va recommencer.

Évidemment qu'il acceptait. Ça ne garantissait pas qu'il avait compris quelque chose. Seul le temps le confirmerait.

Héléna se pencha vers lui, prit son visage entre ses longues mains de musicienne. Adam n'osa pas bouger.

— Viens, dit-elle après l'avoir embrassé doucement sur la bouche.

Ils retournèrent dans la chambre, lui dans la cage et elle à l'extérieur.

Elle tourna autour de l'objet de restriction. L'excitation d'Adam se manifesta de nouveau dans son jean, ses yeux bleu vif et les mouvements souples de son corps. Elle appuya son visage entre deux barreaux.

— Adam, comprends-tu ce qui se passe?

— Non.

Normal. Logique. Elle non plus n'avait pas compris les premières fois avec Wouter. Mais elle s'était laissé guider par son instinct et elle lui avait fait confiance.

— Est-ce que tu me fais confiance?

— Oui, répondit-il sans hésiter.

27 MAI

RACHEL

John avait demandé à Rachel d'aller à l'endroit où elle l'avait conduit après l'accident, en 2008. La Lincoln roulait donc vers l'est, sur l'autoroute 20. De temps en temps, Rachel observait son passager dans le rétroviseur. La tête tournée vers la gauche, il donnait l'impression de regarder quelque chose au loin dans la nuit. Puis, comme s'il espérait voir encore plus loin, il appuya sur le bouton électrique qui fit baisser la vitre. L'air frais s'inséra dans la Lincoln. Rachel baissa aussi sa vitre. Elle continua de tenir le volant d'une main et, de l'autre, elle prit l'élastique entourant la danseuse hawaïenne du tableau de bord. Elle ramassa ses cheveux en une queue lâche pour ne pas les avoir dans le visage.

Ils parcoururent plusieurs kilomètres en silence, le souffle intense du vent empêchant toute conversation à moins de crier. Rachel conduisait à vive allure sur la route droite qui semblait sans fin, le visage fouetté par l'air vif. Un type, qui était plus qu'un simple client, était assis sur la banquette arrière de sa Lincoln, mais ça ne l'empêchait pas de se sentir aussi libre que si elle avait été seule.

Une heure plus tard, Rachel prit la sortie dont elle se souvenait. Elle remonta sa vitre et celle de John, qu'elle pouvait contrôler depuis son siège. Encore une dizaine de kilomètres de route avant d'atteindre leur destination.

— Tu travailles dans la sécurité ?

Dans son rétroviseur, elle vit John froncer légèrement les sourcils.

— D'une certaine manière.

D'accord. Il n'allait pas lui répondre avec précision sur ce sujet. Et, *d'une certaine manière*, c'était lui confirmer qu'il avait quelque chose à voir avec la sécurité, mais pas nécessairement de la façon simple et directe à laquelle on s'attend de quelqu'un qui travaille dans le domaine de la sécurité.

Elle ne posa plus de questions en espérant que John entamerait la conversation, mais il resta silencieux, fidèle à son habitude.

Elle engagea la voiture sur une route secondaire qu'il était facile de ne pas remarquer, surtout en pleine nuit.

— Excellente mémoire, dit-il.

Elle sourit. Puis, se fiant toujours à son excellente mémoire visuelle, elle surveilla la seconde intersection à emprunter, encore moins visible et plus étroite que la première. Une petite route de terre battue bordée de conifères qui, un kilomètre plus loin, s'ouvrait sur un vaste espace plat au milieu duquel se dressait la maison, à peine éclairée, derrière sa grille sur laquelle était fixée la caméra de surveillance. Rachel devinait que poser des questions n'était pas une bonne idée.

Elle avait pourtant besoin de savoir pourquoi John venait ici. Pourquoi cet endroit isolé et protégé ?

Elle stationna la Lincoln devant la clôture, exactement au même endroit que la nuit du 16 mai 2008. Puis elle se tourna vers son passager.

— Tu as des amis qui habitent ici ? demanda-t-elle.

— Des gens avec qui j'ai des points en commun.

Étonnée qu'il lui réponde si vite, elle osa une seconde question.

— Quel genre de points en commun ?

— M4, Vz. 58, M14, Tikka T3, déclama John.

Rachel prit quelques secondes pour analyser ce qu'elle venait d'entendre.

— Ce sont des codes ?

John la regardait, le visage sans aucune expression.

— AK-47, ajouta-t-il.

Elle avait beau ne rien connaître aux armes, elle avait déjà entendu parler des AK-47 utilisées comme armes de guerre. Elle en déduisit donc qu'un des points communs entre John et « ses amis » était les armes. C'était flou. Ils s'en servaient pour leur travail de sécurité ? Ils les collectionnaient ? les fabriquaient ? les vendaient ? Une chose était certaine, un agent de sécurité engagé pour surveiller la soirée d'inauguration d'un Temple érotique n'avait pas besoin d'un AK-47.

D'autres questions lui brûlaient la langue, qu'elle se garda cependant de poser. Peut-être même était-elle déjà allée trop loin. C'était surprenant que John ait répondu. Rachel sentait qu'il n'aurait pas dû lui dévoiler ces informations et elle se demandait pourquoi il l'avait fait.

— Eh bien, je crois que tu es rendu, dit-elle, l'incitant à descendre de la voiture.

Il lui tendit un billet cent dollars. Elle se demanda d'abord pourquoi et fut tentée de le lui rendre, parce qu'elle ne le considérait toujours pas comme un client normal, puis elle décida de le garder, exprimant ainsi que leur relation n'était que pratique. Enfin, elle ne savait pas de quelle manière la qualifier autrement. Elle se demanda s'il considérait leur lien comme ça, lui aussi.

— Merci, dit-elle en prenant l'argent.

John descendit de la voiture et Rachel apprécia quitter cet endroit singulier.

Elle baissa de nouveau sa vitre et laissa l'air de plus en plus frais la tenir éveillée. Elle mit Chuck Berry à tue-tête et chanta. Elle avait besoin de chasser John de ses pensées.

Le soleil allait se pointer dès qu'elle arriverait à Montréal en ce jeudi matin. Rachel planifia de passer chez elle, pour prendre une douche et dormir dans son lit. Elle avait oublié de suggérer à Adam qu'ils aillent dans le sien la dernière fois qu'ils s'étaient rencontrés. Cela ne lui avait même pas traversé l'esprit. Décidément fétichiste de ma Lincoln, pensa-t-elle.

Elle pensa aussi qu'il était plus sain de continuer à voir Adam que d'espérer quoi que ce soit de John.

28 MAI

ADAM

Allongé sur son lit, en boxer, les bras croisés derrière la tête, Adam réfléchissait dans le noir et le silence. Depuis le samedi, il n'avait revu ni Rachel ni Héléna. Il n'avait couché avec personne. Ce soir, en sortant du Hard & On, Saphira l'avait de nouveau harcelé sans même se soucier qu'un de ses admirateurs assidus, l'ombre chauve debout derrière elle, était témoin de la scène. Adam avait réagi comme la fois précédente : il avait semé la Diva en courant. Mais ça n'allait pas. Pas du tout. Adam ne voulait pas revivre cette situation.

Il n'avait pas revu Héléna, à sa demande. Ils avaient passé leur deuxième nuit ensemble à s'embrasser et à s'effleurer à travers les barreaux de la cage. Leurs baisers avaient été longs et passionnés. La tension érotique plus intense. Lorsqu'elle l'avait laissé sortir, Adam avait dû se contrôler pour ne pas la prendre sans son consentement tellement il était excité. Elle lui avait alors dit de partir et de ne revenir que le samedi suivant.

— Pourquoi ?

— Parce que c'est comme ça.

Il devait donc attendre au lendemain pour la revoir.

Il n'avait pas revu Rachel parce qu'elle n'était pas venue au Hard & On et qu'elle ne lui avait pas téléphoné. Mais dans un cas comme dans l'autre, c'était mieux ainsi. Rachel était superbe, mais il avait déjà eu deux relations avec elle et c'était le genre de situation qui pouvait devenir délicate. Elle était parfaite aussi côté baise, mais il ne ressentait rien de plus pour elle et il ne voulait pas créer de dépendance sexuelle ni chez lui ni chez elle. Rachel ne pouvait rien lui apporter de nouveau, rien qu'il ne connaisse déjà. Elle et lui étaient trop semblables dans leur liberté sexuelle.

C'était différent avec Héléna, de qui il se sentait à la fois près et loin. Il savait que grâce à son étrangeté, à son esprit créatif et pervers, elle pouvait lui faire découvrir des zones érotiques qu'il n'avait pas encore explorées. Et ça lui plaisait. Le stimulait. Il avait compris qu'en l'enfermant dans la cage, Héléna n'avait pas pour but de l'emprisonner mais de le soumettre à ses désirs, au scénario qu'elle avait soigneusement élaboré. Adam ne savait pas si toute cette mise en scène allait un jour aboutir à l'acte sexuel. Il l'espérait, mais il n'était pas pressé non plus. Il respecterait les règles de son amante. Parce que c'était comme ça qu'il pensait à elle depuis le samedi. S'il voulait vivre des expériences nouvelles avec Héléna, il devait s'investir au-delà de deux rencontres. De toute façon, ses deux premiers tête-à-tête avec elle n'avaient rien eu en commun avec les scénarios auxquels il était habitué avec ses conquêtes sexuelles.

Adam avait hâte de connaître le rôle qu'Héléna lui donnerait dans leur spectacle. Puisque c'était elle l'artiste *dark* avec expérience, il n'allait probablement pas pouvoir monter sa propre chorégraphie, mais il ne manquerait pas l'occasion de donner ses suggestions pour l'aspect danse.

Ses pensées, mêlées au souvenir de la cage et des baisers d'Héléna, avaient réveillé son désir. Sa main droite se déplaça vers son bas-ventre et glissa sous le tissu tendu pour caresser son érection. Oui, il accepterait les expériences auxquelles Héléna voulait le soumettre. Il était confiant de pouvoir s'ajuster et satisfaire ses exigences et désirs bizarres. Et, il devait bien se l'avouer, qu'une femme s'intéresse à lui pour plus qu'une bonne baise flattait son *ego*. Ça faisait différent d'avec les autres. D'avec toutes les autres.

RACHEL

Assise dans un Second Cup, Rachel buvait un café latté. Elle regardait la soucoupe dans laquelle traînaient les miettes du morceau de gâteau au chocolat qu'elle venait de manger. Il lui était resté sur le cœur. Un peu comme sa rencontre de la veille avec John.

Cet homme au comportement insolite ne la laissait pas indifférente. Elle ne le trouvait ni beau ni laid. Elle ignorait s'il était ultra intelligent ou anormal. Peut-être qu'il l'émouvait parce qu'elle avait failli le tuer et qu'il s'en était sorti indemne. Toutes les fois qu'elle pensait à l'accident, elle en déduisait que la réaction de fuite de John avait aussi joué en sa faveur à elle, étant donné l'état dans lequel elle se trouvait. Si quelqu'un avait vu et rapporté l'accident – mais tout s'était passé tellement vite et en pleine nuit –, il n'y avait pas eu de suivi. Même si elle n'avait pas consommé d'alcool et qu'elle n'avait aucun point d'inaptitude à son permis de conduire, elle aurait pu avoir des comptes à rendre à la justice pour avoir frappé un individu. John, en voulant quitter rapidement les lieux de l'accident, avait visiblement préféré ne pas avoir à s'exposer à la police. Pas même à l'hôpital. Rachel avait soupçonné qu'il n'était peut-être pas très en règle avec la loi, mais elle n'avait pas cherché à en savoir plus. Depuis la veille, elle devinait qu'elle avait vu juste. Et aujourd'hui, elle se demandait si John avait toujours eu un comportement insolite ou si ça lui était venu après l'accident. Autrement dit, si elle n'avait jamais recroisé John, elle ne se serait jamais posé la question, mais voilà qu'il était de nouveau dans sa vie et qu'elle s'interrogeait sur le désir qu'il avait de la revoir. N'y avait-il pas là quelque chose de malsain? Et pourquoi lui avait-il demandé de le conduire de nouveau à cette maison isolée? Pourquoi lui avoir avoué qu'il avait un lien avec des armes? Il était fou et inventait n'importe quoi ou il était sérieux? Rachel n'était pas certaine.

Elle n'était pas certaine de vouloir revoir John. Elle désirait rester libre, et fréquenter quelqu'un qui avait quoi que ce soit à voir avec des armes n'était pas un choix judicieux pour le rester. C'était dommage, parce que l'intimité érotique qui existait entre eux lui plaisait. Elle qui avait connu beaucoup d'hommes se découvrait fascinée par un individu encore plus complexe que tous les autres.

Et c'était pourquoi la rencontre de la veille lui était restée sur le cœur. La partie plus aventurière d'elle voulait revoir John et la partie prudente lui conseillait de l'éviter. Parce qu'il était devenu évident que John, s'il n'était pas fou, était mêlé à des activités dangereuses. Ce qui tracassait Rachel, c'était surtout le fait qu'il avait voulu lui révéler un brin de cette réalité. C'était peut-être une manière de lui dire qu'il lui faisait confiance. Mais quel était son but ?

Quelques minutes plus tard, elle sortait du Second Cup, un deuxième café en main. L'air frais l'aida à chasser John de ses pensées, mais ces dernières furent aussitôt occupées par Adam. Elle se rappela ses lèvres avides de baisers, ses fesses fermes, son sexe digne de travailler dans un endroit qui se nommait le Hard & On. Elle l'imagina, nu sur la banquette arrière… Et ce fut la tête pleine d'images où se mêlaient des baisers interminables, des mains adroites, beaucoup de peau lisse, de cuirette humide et de sueur enivrante qu'elle monta dans sa voiture.

Parce que tout son corps exprimait le désir d'avoir de nouveau le jeune danseur en elle, elle décida de tenter sa chance et de l'appeler. Elle n'en eut pas le temps. Son cellulaire sonna ; JMB avait besoin d'elle tout de suite.

Rachel lui dit qu'elle serait au Temple une dizaine de minutes plus tard. Elle sourit, puis elle avala une gorgée de café avant de se mettre en route. Elle pouvait bien patienter jusqu'au lendemain, au Hard & On, pour revoir Adam.

HÉLÉNA

Héléna était nue, la tête et les épaules inclinées vers l'avant, le dos, les avant-bras et la paume des mains appuyés contre le fer froid des barreaux. Se trouver dans sa cage et dans cette position lui était naturel. La cage, les photos et l'écharpe beige étaient les seuls objets reliés à Wouter qu'elle avait gardés. L'écharpe avait rejoint l'urne des cendres, le jour de l'enterrement. Elle allait peut-être un jour déchirer les photos en petits morceaux qu'elle laisserait s'éparpiller au vent. Le sort de la cage, lui, était incertain. Pour le moment, et au cours des semaines à venir, Héléna en avait encore besoin.

Elle avait vécu des moments de sa vie dans cette cage. Volontairement. Enfermée par Wouter, seule. Parfois avec lui. Il avait créé tout un monde autour de cet assemblage de barres de métal. Un monde de jeux, de contraintes, de sensualité, de désirs insoutenables, de folie passagère et de passion dangereuse. Ils avaient fait l'amour dans cet univers physiquement restreint de toutes les manières possibles, se sentant, chaque fois, de plus en plus liés l'un à l'autre. L'un dans l'autre. Ils étaient partenaires dans leur chair et leur univers imaginaire d'une manière impossible à communiquer à moins d'en faire partie. Et ils étaient seuls dans cet univers.

Au fil du temps, Héléna avait demandé de plus en plus souvent à Wouter de l'enfermer dans la cage. Entre les barreaux, elle réfléchissait mieux. Elle se sentait plus apte à prendre des décisions importantes qui nécessitaient réflexion. Dans la cage, elle trouvait aussi l'inspiration artistique. Le calme. Le bienêtre. Parfois, elle était traversée d'un émoi sexuel soudain, alors elle se masturbait contre les barreaux. Wouter venait alors rôder autour de la cage, les yeux fermés, et il interrogeait Héléna. Il lui posait des questions aléatoires et elle lui donnait des réponses spontanées et sans logique. Et, lorsqu'elle n'en pouvait plus, elle lui disait « regarde-moi ». Il ouvrait les yeux et alors elle pouvait aller plus loin, plus haut, simplement à travers le regard de celui qu'elle aimait. Il la sortait ensuite de la cage et l'amenait sur le lit, où ils poursuivaient leur exploration du plaisir selon leurs normes atypiques.

Après la mort de Wouter, Héléna s'était souvent enfermée dans la cage pour se protéger d'elle-même. Elle avait pleuré et crié dans cette prison temporaire. Chaque fois, elle avait vaincu son désir d'en finir avec la vie.

Héléna savait que c'était peine perdue de vouloir faire comprendre à quelqu'un qu'il est possible de se sentir libre dans une cage, voire plus libre que dehors. Il fallait le vivre, le ressentir, et peu d'individus avaient la capacité et l'ouverture d'esprit nécessaire à ce genre d'exploration. Adam démontrait un désir pour l'expérience, mais Héléna n'était pas encore certaine si ce n'était pas purement pour lui faire plaisir. Et si tel était le cas, tout cela n'irait nulle part. Elle était justement dans la cage pour réfléchir sur leur lien. Jusqu'où pouvait-elle se permettre d'aller avec Adam? Jusqu'à la nuit du spectacle ou plus loin? La différence d'âge la rendait hésitante à espérer du long terme pour des raisons purement logiques. Elle se posa la question: si, à vingt-deux ans, elle avait rencontré un Wouter de quarante-six ans, aurait-elle pu tout de même vivre ce qu'elle avait vécu avec lui? Oui, parce qu'il aurait été le même homme. Celui qu'elle avait aimé. Aurait-elle eu envie de connaître sexuellement d'autres hommes simplement parce qu'elle était jeune? Non. Mais cette constatation ne voulait rien dire de plus sinon qu'elle s'appliquait à elle-même. Et Héléna avait toujours été très lucide quant à son attitude peu normative en matière de relations humaines. De même qu'elle connaissait bien sa vulnérabilité à la passion sexuelle. Être en manque lui était bien plus désagréable à supporter que de se laisser aller avec quelqu'un qui lui inspirait confiance. Et Adam était un bon candidat pour lui inspirer cette confiance. Il s'agissait de voir de quelle manière il se comporterait et évoluerait. Et de savoir jusqu'où lui, désirerait aller.

Héléna sortit de la cage, vivifiée et stimulée. Elle s'habilla en pensant au 3 juillet. L'étincelle d'inspiration ne s'était pas encore manifestée, mais elle n'en ressentait aucune inquiétude. Cette étincelle viendrait en temps et lieu. Poursuivre ce qu'elle avait commencé avec Adam était ce qui importait.

JOHN

Figé devant la porte de la Casa Del Popolo, John se demandait s'il devait entrer ou pas, sans comprendre le pourquoi de cette hésitation. Ne voulait-il pas revoir Héléna ? Ne sachant pas si elle se trouvait dans le bar, il devait bien aller vérifier. Il n'eut pas le temps de se mettre en mouvement qu'un couple dans la trentaine passa devant lui. L'homme ouvrit la porte à sa compagne, libérant par le fait même une musique mielleuse qui inspirait des gestes lascifs. Instantanément, le cerveau de John fut traversé par un flash, une image de sa mère, nue, en train de danser dans le salon avec un inconnu. John ne pouvait pénétrer dans un lieu où l'on jouait le même genre de musique que dans ce souvenir. Il se détourna et s'éloigna rapidement du bar. Au coin de Saint-Joseph, son cerveau enregistra la lumière rouge, la voiture qui venait et ne s'arrêterait pas si John traversait Saint-Laurent. Et c'est exactement ce qu'il fit : il courut, défiant le code piétonnier, la logique et la voiture qui fonçait vers lui en klaxonnant. John se retrouva pourtant debout sur le trottoir. Alors il attendit que la lumière passe de nouveau au rouge et il recommença dans l'autre sens. Quatre fois. Puis, en sueur, il alla s'asseoir sur un banc du parc

Lahaie, au coin de la rue. Il enleva son veston et sentit la brise nocturne frôler sa nuque raide et moite. Ce n'était pas aussi efficace que la glace, mais la fraîcheur lui fit du bien.

John aurait voulu que Rachel passe dans sa Lincoln et le heurte de nouveau. Il aurait pu revivre la scène de l'accident en espérant que, cette fois, il comprendrait ce qui s'était réellement passé. Et aussi parce qu'être frappé deux fois était mieux qu'une seule. Parce que sa mère le frappait toujours une, trois ou cinq fois. Parce qu'il trouvait toujours un soulier appartenant à sa mère dans la salle de bain, sur le divan du salon ou une chaise de la cuisine. Il trouvait souvent le second, des jours plus tard, dans des endroits plus insolites comme le garage ou le cabanon dans la cour, incapable de comprendre comment deux objets identiques et devant être utilisés en même temps pouvaient être si loin l'un de l'autre. Lorsqu'elle faisait la lessive, sa mère lançait les vêtements propres de John sur son lit et, toujours, il manquait un bas qu'il finissait par retrouver par terre dans la maison, tout poussiéreux. Quand sa mère criait *fuck*, pour tout et pour rien, elle le criait toujours trois fois; la première tout bas pour elle-même, la seconde pour la personne près d'elle et la troisième en hurlant comme si elle s'adressait à la terre entière.

Les nombres impairs symbolisaient sa mère. De là lui venait son obsession des nombres pairs, qui l'apaisaient. John avait donc, lui aussi, compris leur beauté et leur équilibre dans son enfance. Rachel n'avait pas fait cette découverte avant lui. Ils l'avaient découvert en même temps.

Rachel était une femme très bien. Il n'en avait jamais rencontré une comme elle. Elle l'avait aidé à comprendre la source d'une de ses obsessions.

Héléna, elle, était une femme précise. Elle l'avait vu tel qu'il était, le lui avait dit et elle n'avait pas l'intention de le contrarier dans son Travail. Mais il n'avait pas besoin de se masturber devant Héléna. C'était devant Rachel qu'il aimait le faire. Elle l'avait encouragé à laisser sa trace sur elle.

La vérité lui apparut soudainement. John comprit, en partie, ce qui avait changé depuis l'accident. Il n'arrivait plus à respecter ses Codes. Il les révisa :

Le Code deux lui interdisait de créer des liens émotifs. John ne connaissait pas la nature de ses émotions envers Rachel et envers Héléna, mais puisqu'il les trouvait bien toutes les deux, il avait la certitude d'avoir enfreint le code deux.

Avec Rachel, il avait fait abstraction du Code quatre, qui interdisait le sexe avec partenaire, et avec Héléna, le Code six qui exigeait de ne pas révéler d'informations personnelles était tombé.

Seul le Code huit, qui obligeait John à laisser sa trace sur le lieu du Travail, continuait d'être en vigueur. Le seul code qui n'impliquait que lui.

Il passa une main sur sa nuque, froide et de nouveau souple. John remit son veston et quitta le parc en direction de chez lui.

Puisque c'était lui qui avait créé les Codes, il détenait le pouvoir de les détruire. Il décida donc qu'à partir de ce moment les Codes deux, quatre et six n'existaient plus. Seul le Code huit restait actif.

29 MAI

ADAM

Le Hard & On était plein à craquer. Dans le vestiaire, Adam prenait une douche tiède pour se réveiller; il avait été incapable de dormir dans la journée. Un de ses collègues venait de lui vanter les bienfaits d'un cocktail de substances illégales pour faire le plein d'énergie, mais Adam avait décliné. La drogue ne l'intéressait pas. Il voulait danser pour vrai.

— Fatigué? demanda Anthony en lui lançant une serviette.

Adam attrapa la serviette et se sécha rapidement.

— Ça va, répondit-il, penché et conscient de camoufler ses yeux cernés derrière la mèche blonde.

— Pas encore des problèmes avec la diva, j'espère?

— J'ai encore réussi à m'en tirer hier soir, mais je commence à en avoir plein mon casque.

— C'est compréhensible. En tout cas, elle n'est pas dans les parages pour le moment. Et on va surveiller à l'extérieur avant que tu sortes.

— Merci, boss.

Anthony quitta le vestiaire.

Adam s'assit sur un banc. Ce n'était évidemment pas Saphira qui l'avait empêché de trouver le sommeil. Il passa une main dans ses cheveux en se demandant comment il allait tenir debout sur scène. L'énergie transmise par la foule serait-elle suffisante pour le *booster*? Il avait besoin de quelque chose de différent.

Il enfila son jean, un t-shirt propre et ses Converse. Il avait volontairement omis son sous-vêtement. Il passa derrière le rideau noir pour jaser discrètement avec le DJ sans avoir à sortir dans la salle. Il lui demanda quelque chose qui fit sourciller l'autre, mais ce dernier sourit et répondit qu'il était prêt à relever le défi. Adam retourna vivement dans la salle des douches, où il se regarda dans le miroir plein pied. Sur scène, ça ne se verrait pas qu'il avait l'air fatigué. Il fit passer le t-shirt par-dessus sa tête, le lança dans son casier et inspira profondément.

Lorsque la chanson qui jouait prit fin et que le danseur fut descendu dans la salle pour aller bosser aux tables, *I Put A Spell On You* débuta et Adam sortit des coulisses en glissant vers la scène dans toute sa splendeur. Son apparition provoqua un choc dans le bar. On n'entendait jamais ce genre de chanson au Hard & On mais, surtout, on n'avait jamais vu Adam commencer une danse torse nu et se mouvoir sur une musique aussi lascive. Les spectateurs étaient médusés. Nina Simone commença à chanter. Adam s'imagina dans la cage d'Héléna et il se mit à onduler comme si les barreaux étaient autour de lui et l'incitaient à faire preuve d'imagination dans la restriction de ses mouvements. Il pensa à leurs baisers et il se sentit encore plus beau et désirable que d'habitude. Il offrait à son public des préliminaires d'un nouveau style. Plus sensuels et langoureux que sexy et dynamiques. Mais parce qu'il avait le sens du timing, et que le DJ avait accepté d'être complice dans cette expérience, il y eut soudain une voix masculine rauque et perverse qui remplaça celle de Nina Simone au milieu de la chanson, accompagnée d'une musique agressive et rythmée...

I love you, I love you
I love you, I love you

... puis Marilyn Manson cria *Yes, I do*! *I Put A Spell On You* se transforma alors en une version érotique brute et violente. La salle explosa en cris hystériques. Le popcorn vola partout. Converse Boy était là devant eux, plus *bad boy* que jamais après les avoir séduits tout doucement. Une primeur.

Adam était ivre de l'admiration qui déferlait sur lui. À un point tel qu'il commença à baisser sa braguette et, lorsque ses fans constatèrent qu'il ne portait pas de boxer, ils se mirent à scander « Go Converse Boy, Go Converse Boy » si fort qu'ils enterrèrent Manson. Plus la chanson avançait et plus Converse Boy agaçait la foule sans jamais dépasser les limites qu'il s'était toujours imposées. Mais la foule continuait à scander son nom en espérant qu'il aille jusqu'au bout.

Exalté par la musique, les cris, la chaleur des projecteurs, la sueur et l'odeur de son corps, Adam commença à glisser son jean sur ses cuisses. Mais le crescendo érotique n'aboutit pas à l'orgasme collectif tant désiré; les projecteurs s'éteignirent soudainement, avant même que la chanson finisse.

Une série de huées envahirent le bar tandis qu'Adam quittait la scène plongée dans le noir. Puis quelqu'un éclata de rire, applaudit et le geste se répercuta sur la salle entière. Converse Boy redevint la star du Hard & On. On lui pardonnait. On pardonnait tout aux stars.

À peine deux minutes plus tard, Adam était de nouveau sous la douche, vêtu de son jean et de ses chaussures, les bras tendus et appuyés contre les tuiles. La tête penchée vers l'avant.

Anthony l'observait.

— C'est moi qui ai éteint les spots, dit-il. Je me suis dit qu'il y avait quelque chose qui n'allait pas avec toi et que tu ne voulais pas vraiment te mettre le sexe à l'air. Prends le reste de ta soirée *off*, Adam.

— *Nice*. Merci.

Cinq minutes plus tard, Adam sortait du bar par la porte arrière qui donnait sur la ruelle. Il frissonna dans son jean et ses Converse détrempés. Il s'appuya contre un mur de brique.

Qu'est-ce qui l'avait poussé à aller aussi loin ce soir ? Si Anthony n'était pas intervenu en éteignant les projecteurs, serait-il allé jusqu'au bout ? Adam était soulagé que ce ne soit pas arrivé. Il n'avait jamais éprouvé le désir de s'exhiber au complet sur scène.

Il quitta la ruelle mais choisit d'aller vers le sud pour éviter la rue Sainte-Catherine, dans laquelle il risquait de croiser Saphira. Il faisait ainsi un détour pour se rendre chez Héléna, mais il s'en foutait.

C'était parce qu'il avait pensé à elle toute la journée qu'il n'avait pu trouver le sommeil.

Il marcha dans la nuit et atteignit l'avenue des Pins aussi vite que ses longues jambes le pouvaient.

Lorsque Héléna lui ouvrit la porte de son loft, il sourit et fit un petit mouvement de la tête qui envoya sa mèche sur le côté.

— Je suis là, dit-il.

— Je t'attendais.

RACHEL

Les chansons se succédaient, mais Converse Boy ne revenait pas sur scène. Rachel, assise à sa table réservée du samedi soir, était vaguement déçue. Elle aurait aimé voir Adam se dénuder jusqu'au bout. Juste une fois. Elle se demanda pourquoi il ne l'avait jamais fait. Certes, cette retenue entretenait le mystère, le suspense et donc le désir. À moins que la vedette du Hard & On ait vraiment un côté pudique ? Rachel se souvenait d'amants qui dégageaient une virilité agressive et dominante pour se révéler gentils, très doux et de type affectueux. Ou les autres, d'allure fragile et un peu efféminée, qui devenaient des bêtes sauvages sur la banquette de sa Lincoln. Adam, exhibitionniste pudique sur scène et très à l'aise nu dans l'intimité ? Ce n'était pas vraiment une contradiction, pensa Rachel, mais un peu étrange qu'il ne désire pas afficher son sexe, qui n'avait rien à envier à celui des autres danseurs qui exhibaient le leur avec fierté.

— Adam ne dansera plus ce soir.

Rachel leva les yeux sur celui qui lui adressait la parole. Elle reconnut le propriétaire du bar.

— C'est gentil de m'avertir.

— Est-ce que je peux t'offrir quelque chose à boire pour compenser?

Elle choisit un Pepsi. Il alla lui-même le chercher derrière le comptoir et revint déposer le verre sur sa table.

— Merci.

— Anthony, dit-il en tendant la main.

— Rachel, dit-elle en prenant la main dans la sienne.

Elle ajouta un clin d'œil et un sourire très invitant à sa poignée de main franche et douce. Pourquoi se priver de flirter quand la situation s'y prêtait?

Anthony eut l'air de vouloir engager la conversation, mais il s'excusa. Elle le vit rejoindre le videur, près de la porte d'entrée, et ils discutèrent en se jetant des regards complices. Une trentaine de secondes plus tard, Anthony disparut en coulisses tandis que le videur laissait entrer une jeune femme d'allure flamboyante. Il suffisait d'avoir mis les pieds dans un bar de Montréal pour avoir déjà croisé Diva Saphira. Ni chanteuse ni actrice, elle s'était elle-même donné le surnom de diva et elle s'en vantait dans les médias. Rachel savait qu'elle était à la vie nocturne montréalaise ce qu'Adam était au monde des danseurs dans le quartier gai. Mais Saphira était reconnue pour être une femme détestable et, après avoir constaté que toutes les tables étaient prises, elle vint s'asseoir à celle de Rachel, sans rien demander, comme si c'était « sa » table.

De près, Rachel lui trouva une forte ressemblance avec Paris Hilton, en version brune de cheveux et de peau, mais tout aussi plastifiée et botoxée. Il était cependant clair que certains hommes devaient être à ses pieds. Pourtant, Rachel n'aurait pas été surprise d'apprendre que Saphira, diva dominante en public, se transformait en poupée soumise dans l'intimité.

— Est-ce qu'Adam a déjà dansé? demanda-t-elle de but en blanc.

Une fraction de seconde, Rachel fut tentée de lui suggérer d'aller s'installer ailleurs, mais elle se ravisa. Pourquoi ne pas profiter de la situation pour s'amuser?

— Il a dansé une fois et c'était spécial.

Saphira la foudroya du regard.

— Comment ça, spécial?

Certains samedis soirs, Rachel se souvenait d'avoir surpris le regard de Saphira, brillant de désir lorsque Converse Boy était sur scène, qu'il dansait à la table de Rachel ou lorsqu'elle le faisait danser à la sienne. Certes, tout le monde avait ce genre de regard envers Adam, mais cette femme débordait de suffisance malsaine qui suintait le « je peux tout m'offrir et personne ne me résiste ».

Rachel se demandait si Adam avait résisté.

La serveuse vint demander à Saphira ce qu'elle voulait boire. Elle commanda un *sex on the beach*.

— Spécial comment? insista-t-elle dès que la serveuse se fut éloignée.

Rachel s'amusa bel et bien de la voir aussi tendue et en colère de ne pas avoir été témoin de quelque chose « de spécial » relatif à Converse Boy. Elle était indignée de ne pas avoir vu de ses propres yeux et de devoir se contenter d'écouter le résumé d'une autre cliente pour laquelle Adam dansait. Et, au fur et à mesure que Rachel prenait plaisir à lui raconter les détails de la presque « exhibition totale » de Converse Boy, elle vit le visage de Saphira s'empourprer puis se décomposer lentement en une grimace qui la rendit très laide. C'était d'un tel ridicule que Rachel se retint pour ne pas rire.

— Eh bien, j'espère qu'il va se décider à aller jusqu'au bout maintenant que je suis là, dit la diva, lèvres pincées.

— Ça m'étonnerait. Il est parti.

C'en était trop pour *l'ego* de la diva. Elle fut si insultée de cet affront qu'elle se leva et, sans dire un mot, elle lança un billet de vingt sur la table. Elle quitta le Hard & On plus vite qu'elle n'y était entrée.

Rachel souriait encore lorsque la serveuse lui demanda si elle devait rapporter le *sex on the beach*.

— Non, je vais le prendre, dit-elle en donnant l'argent et en faisant signe de garder la monnaie.

C'était vraiment une bonne occasion de boire un verre d'alcool.

Anthony vint s'asseoir à sa table une quinzaine de minutes plus tard tandis qu'elle sirotait son cocktail.

— On t'a offert un autre verre ?

— Pas d'aussi bon cœur que ton Pepsi.

Il rit. Il avait un air à la fois sérieux et espiègle qui plaisait à Rachel.

— Saphira ne fait rien avec cœur, dit-il, à part emmerder les gens.

Peu importe où il se trouvait dans le bar, il avait constaté que la diva importunait Rachel.

— Est-ce qu'elle a posé des questions sur Adam ?

— Elle voulait savoir s'il avait déjà dansé. Je lui ai raconté ce qui s'était passé et ça l'a contrariée. Elle est partie quand j'ai précisé qu'Adam ne danserait plus ce soir.

Anthony eut l'air soulagé.

— Elle harcèle Adam. Une vraie peste.

Rachel devinait à quel point se faire harceler par ce genre de femme devait être accablant.

— Son engouement pour Adam va finir par passer, dit-elle. C'est le genre de femme qui change d'intérêt pour un oui ou pour un non.

— J'espère, répondit Anthony. Parce que c'est une vraie mouche à merde et j'aime pas tellement ça qu'elle vienne dans mon bar.

Rachel imagina la réaction de la Diva Nocturne si on la traitait de mouche à merde. Sûrement une bonne gifle accompagnée d'une crise d'indignation hystérique et, qui sait, de menace de mort. Mais puisqu'elle était partie, le reste de la soirée se déroula sans problème. Rachel resta au Hard & On à siroter son *sex on the beach* et à manger du popcorn, entre deux conversations avec Anthony, tandis qu'elle jouissait du spectacle des autres danseurs qui, même s'ils ne lui faisaient pas autant d'effet qu'Adam, la stimulèrent assez pour lui donner le goût de texter à Fabio.

HÉLÉNA

C'est parfait, pensait Héléna. Mais, pour ce soir, Adam devrait se contenter du « je t'attendais ».

Elle l'invita à entrer et il alla spontanément se planter au beau milieu du loft, le corps tendu de désir. Héléna le rejoignit et mit ses mains sur ses hanches. Elle sourcilla légèrement.

— Oui, je sais, dit-il en regardant son pantalon mouillé. J'ai pris ma douche avec mon jean et mes chaussures.

— Ça t'arrive souvent ?

— Non.

— Pourquoi tu as fait ça ?

— Hum... C'est un peu compliqué. Je ne suis pas certain de le savoir moi-même.

Un silence de deux secondes permit à Héléna de décider de la suite des événements.

— Laisse tomber les explications et déshabille-toi, dit-elle en reculant juste assez pour lui permettre de bouger.

Il obéit promptement, enleva son t-shirt humide, ses Converse et son jean mouillés, qu'il laissa tomber sur le plancher de bois.

Héléna voyait Adam nu pour la première fois.

Elle se rappela sa première fois nue devant Wouter. Une nuit. L'été. La fenêtre du salon grande ouverte. Vulnérabilité. Peur. Incapable d'affronter le regard de l'homme qu'elle aimait dans une situation aussi humiliante, elle avait fermé les yeux. Wouter avait tourné autour d'elle comme un animal flairant sa proie. Le cœur d'Héléna avait alors battu au même tempo que la dernière pièce à laquelle elle travaillait.

Vivace. Sa peau s'était couverte de chair de poule. Qu'allait-il arriver si elle ne lui plaisait pas? Cette mise à nue du corps, mais encore plus de l'âme, lui avait semblé durer des heures. Puis Wouter, debout derrière elle, avait murmuré dans son oreille.

— J'aime ce que je vois.

Cette fois-là, elle avait pleuré. Elle avait laissé couler les larmes depuis si longtemps refoulées. Elle avait trente-trois ans.

Adam, lui, avait les yeux grands ouverts et il attendait avec toute l'assurance dont il semblait faire preuve en surface. Il était beau. Très beau, et très bandé. Héléna le désirait. Non pas comme elle-même avait désiré Wouter, mais de la manière dont Wouter l'avait désirée, elle. De manière possessive et totale.

Lorsqu'elle avait d'abord ressenti ce désir chez son nouvel amoureux, et qu'il lui avait confirmé son intuition, Héléna lui avait dit qu'elle avait besoin de prendre quelques jours pour réfléchir. Elle avait compris qu'il désirait vivre avec elle une relation amoureuse hors de l'ordinaire. Elle n'était pas contre, mais la notion de possession totale l'effrayait et Wouter n'avait pas voulu lui donner de détails.

— Tu dois fouiller en toi et vérifier si tu es prête à vivre ce genre d'expérience. Lis dans ton âme, Héléna.

Pendant une semaine, elle avait retourné toutes les possibilités dans sa tête. Wouter était-il fou? pervers? idéaliste? Allait-elle devoir subir une forme de jalousie extrême si elle parlait à un autre homme? Allait-il être violent? Allait-il la séquestrer? Était-il follement amoureux d'elle? Allait-elle périr dans cette relation? grandir?

— Est-ce que je te plais ? demanda soudain Adam.

— Oui. Et ce qui me plaît le plus, c'est ce que je ne vois pas.

Elle le vit froncer les sourcils.

— Je ne suis pas sûr de comprendre, mais ça a l'air correct avec toi.

La tentation était forte de redire les mots, ceux-là même que Wouter avaient prononcés pour elle lorsqu'elle était revenue chez lui pour lui dire qu'elle acceptait qu'il la possède, en émettant toutefois certaines conditions : il ne l'empêcherait jamais de pratiquer son art, de créer sa musique, elle devait pouvoir rester qui elle était à travers cette relation expérimentale et avoir la liberté d'en sortir en tout temps si elle ne s'y sentait pas à l'aise. Wouter l'avait embrassée tendrement sur la bouche puis il avait dit :

— Tu es mienne tant et aussi longtemps que tu le désires, que tu en retires satisfaction et que tu y prends plaisir.

La relation avait duré onze ans. Elle avait cessé parce que Wouter était mort.

Adam se tenait droit et il la regardait, patient. Elle pouvait lire en lui la satisfaction d'avoir passé le test de la nudité, comme elle l'avait passé avec Wouter en ressentant toutefois un soulagement plutôt qu'une fierté. Exhiber son corps faisait partie de la vie d'Adam. Il savait déjà l'effet qu'il produisait, mais il avait douté de son pouvoir d'attraction sur Héléna parce qu'elle n'était pas comme les autres femmes.

— Est-ce que tu veux aller plus loin ? demanda-t-elle.

Il lui sourit et ses yeux bleus brillaient du désir de relever tous les défis qu'elle lui proposerait. Il ne voulait pas la décevoir.

— Oui.

Elle avança vers lui.

— Ne bouge pas, ordonna-t-elle.

Elle ne voulait pas et ne pouvait pas imiter Wouter. Elle chercha donc sa propre voie. Héléna empoigna l'érection d'Adam, qui retint le son de surprise qui faillit sortir de sa gorge.

— Je n'ai pas dit que tu ne pouvais pas parler, précisa-t-elle en massant la chair ferme qu'elle tenait.

Adam émit un mélange de oh, de ah et de gémissements.

— C'est tout ce que tu as à dire ?

— Non, murmura-t-il, le regard ardent et la respiration plus rapide. J'aime ça.

— Tu veux que je continue.

Ce n'était pas une question.

— Oui.

Alors elle arrêta. Un éclair de désarroi traversa les yeux bleus d'Adam.

— Ce n'est pas ce qu'il fallait que je réponde ? demanda-t-il, un filet d'insécurité dans la voix.

— Non, tu as très bien répondu.

— Alors pourquoi tu arrêtes ?

— Pour mieux recommencer plus tard.

— Ah, dit-il simplement en repoussant la mèche de cheveux de son visage.

Conscient qu'il venait de bouger sans en avoir obtenu la permission, il sourit timidement.

— Désolé.

— Embrasse-moi.

Adam ne se fit pas prier. Il encercla la taille d'Héléna et l'attira contre lui.

Pour elle, c'était leur premier vrai baiser. Ceux dans la cage ne comptaient plus. Ils avaient eu leur rôle, leur importance, mais ils se fondaient dans celui-ci.

— Je ne me suis pas touché et je n'ai couché avec personne, murmura-t-il tandis qu'il déplaçait ses lèvres sur le cou d'Héléna.

C'était évident qu'Adam avait, cette fois-ci, respecté l'entente.

JOHN

John sortit de la douche. L'eau glacée était venue à bout de sa nuque tendue. Il se sécha minutieusement, enfila un pantalon de jogging, un chandail à manches courtes et il sortit de la salle de bain pieds nus.

Il retournait à la maison pour de courts séjours, surtout à cause des armes. Mais c'était bien, aussi, de revoir son ancien chez-lui et de passer du temps avec Andy. Il savait cependant que jamais il ne retournerait vivre si loin et isolé de tout, dépendant de son frère chaque fois qu'il voulait se rendre quelque part puisqu'il ne conduisait pas.

Il traversa un corridor silencieux et, au bout, il emprunta l'escalier qui menait au sous-sol. Il dut retraverser un autre couloir qui s'ouvrait devant lui en sens inverse jusqu'à ce qu'il arrive devant une porte en métal gris. Sur le mur, à gauche de la porte, des chiffres lumineux de zéro à neuf. John composa le code qui déverrouillait la serrure puis il tourna la poignée. Il entra dans la pièce où il appuya sur l'interrupteur. Un néon illumina un local de grandeur moyenne. Le mur de droite était tapissé de cabinets contenants des armes de poing et de précision de différents calibres. Contre le mur de gauche étaient appuyées deux tables en bois. Sur la première se trouvait une lampe au bras articulé, une série d'outils et deux étagères de compartiments contenant des petites boîtes bien empilées, des contenants en plastique opaque et quelques sacs bien rangés. La deuxième table, vide, servait à nettoyer les armes.

John alluma la lampe, éteignit le néon et alla s'asseoir à la table de travail. Dans un des compartiments, il prit un sac rempli de douilles en cuivre. Il en sortit vingt. Il gratta l'intérieur de chacune avec un burin. À l'aide d'un chargeur, il équipa chacune d'une amorce puis il aligna les douilles en deux rangées de dix. Il nettoya ensuite la presse avec un mouchoir propre, choisit la matrice appropriée aux douilles et l'inséra dans l'outil.

John fabriquait ses propres balles.

Dans un autre compartiment, il prit un contenant en plastique opaque sur lequel était écrit *Varget* et dévissa le couvercle. Il y plongea un petit objet, qui avait la forme d'une pipe, qu'il remplit d'une substance granuleuse faite de ce qui ressemblait à de minuscules morceaux de mine de crayon, certains pâles, d'autres foncés, tous de la même dimension. Il versa le contenu de son instrument à mesurer sur le plateau d'une balance et il vérifia le poids. Quarante grains exactement. John consulta les trois guides de recharge de balles à sa disposition afin de déterminer la quantité de grains dont il avait besoin pour performer avec le calibre de l'arme qu'il allait utiliser. Après avoir lu les différentes informations, il calcula une moyenne qui lui sembla la plus juste possible. Il opta pour quarante et un grains, même s'il aurait préféré que le nombre soit de quarante-deux. Il déposa donc une partie de poudre *Varget* dans une petite machine électrique qui déversa un soupçon de poussière dans le plateau de la balance qui atteignit tout de suite quarante et un grains.

L'extrême minutie. Chaque balle était unique. Et pour que toutes les balles d'un chargeur voyagent à la même vitesse, elles devaient contenir exactement le même nombre de grains.

John prit le plateau de la balance, de forme concave, et il fit glisser la poudre dans la première douille. Une fois la délicate opération terminée, il mit un projectile au bout de la douille, il installa le tout dans la presse et il poussa sur la manette qui enfonça le projectile dans le collet de la douille.

La première balle était terminée.

À la suite de l'accident, Andy avait suggéré que John s'arrête un moment avant de se remettre à l'ouvrage. Le Travail du 3 juillet serait donc son premier depuis deux ans. Il ne savait toujours pas qui il devait éliminer ce soir-là, mais il n'était pas nécessaire de le savoir longtemps d'avance puisqu'il n'y avait pas de filature du sujet à faire ou d'informations à considérer autre que son identification physique. Il avait pris connaissance des lieux et allait choisir l'arme appropriée. Le reste relevait d'Andy. John était l'exécutant.

Une seconde balle s'aligna près de la première. Il avait recommencé à tirer régulièrement depuis une dizaine de semaines. Manier des armes, les nettoyer avant, tirer, les nettoyer après, les ranger. Ces gestes simples et méticuleux lui appartenaient. Ils étaient lui. Son origine. Sa nature profonde de tireur d'élite. John ne connaissait rien de mieux que les armes. Six mètres. Deux cents. Mille. Plus. Chaque tir devait être d'une précision maniaque lorsqu'il Travaillait.

La porte étant restée ouverte, John prêta attention au bruissement qui venait du couloir et se rapprochait. On marchait pieds nus. Ce qu'il entendait, c'était le frottement du tissu d'un pantalon à chaque pas que l'individu faisait.

Andy entra dans la pièce.

John interrompit son geste pour lui jeter un coup d'œil.

Son frère, plus grand et plus baraqué que lui, tenait une valise en plastique noire de forme oblongue – assez longue pour transporter un fusil – qu'il mit par terre. Il enleva sa camisole, s'en servit pour s'essuyer le visage, la nuque et les aisselles en sueur. Il en glissa ensuite une partie dans la ceinture de son pantalon d'armée.

John se concentra de nouveau sur son travail. Il déposa la troisième balle sur la presse.

— Tu joues avec le feu, John.

Il savait à quoi Andy référait. Il avait vu la Lincoln dans la caméra de surveillance. La première fois, la nuit de l'accident, la situation avait été jugée acceptable ; John était en état de choc et il n'avait probablement pas tous ses esprits au moment de se faire conduire ici, à la maison. Mais la seconde fois, récemment, cette voiture n'aurait pas dû apparaître sur l'écran de surveillance.

— Es-tu certain pour le 3 juillet ? demanda Andy.

La troisième balle était prête.

Son frère restait là, debout derrière lui.

John prit une nouvelle douille.

— Qu'est-ce qui te fait croire que je pourrais échouer ?

— Si c'était elle que tu devais liquider ?

John laissa son dernier geste en suspens et se tourna vers Andy. Ce dernier se pencha vers sa valise et l'ouvrit. Il en retira un M16 qu'il plaça sur la table vide.

Tandis qu'il observait son frère commencer à démonter l'arme, John se posa la question : serait-il capable de tirer sur Rachel ?

Au bout de deux minutes, comme aucune réponse ne lui était venue, il se concentra de nouveau sur son ouvrage.

30 MAI

ADAM

Adam ouvrit les yeux, le temps de voir la cage près du lit, puis il les ferma en affichant un air satisfait ; Héléna l'avait laissé dormir dans son lit.

Il savait qu'elle n'était plus à ses côtés car des sons provenant de ses instruments électroniques résonnaient dans le loft. Rien qui ressemblait à une mélodie, du moins pour l'instant. On aurait dit des tests de son, des bruits de machines, des trames de basses fréquences, des boucles de claquement, des vibrations étranges...

Adam se tourna sur le ventre et repoussa le drap. Un courant d'air chatouilla sa peau.

Héléna était une artiste, mais il ne savait pas grand-chose d'autre sur son amante sinon qu'elle avait des goûts érotiques singuliers. Il se plut d'ailleurs à se remémorer les dernières heures. Certes, il s'était vu accorder le droit de dormir dans le lit mais seulement après avoir passé du temps dans la cage et, cette fois, flambant nu tandis qu'Héléna l'avait caressé et masturbé de ses longues mains aux doigts fins. On dirait les mains de la mort, avait-il pensé.

Héléna avait dormi en jean et camisole contre lui. Il s'était permis de caresser ses bras minces et musclés, son visage et sa nuque, luttant contre le désir d'aller plus loin. Elle aussi avait fait preuve de retenue dans ses baisers, moins longs, et ses mains qui refusaient de descendre plus bas que son ventre nu ou la chute de ses reins. Il avait aimé expérimenter de nouveau cet état de désir constant mais insatisfait avec elle, au point d'avoir mal. Il avait ressenti une forme de plaisir dans cette souffrance. Bien sûr, il aurait préféré dévêtir Héléna et caresser tout son corps, mais il avait su apprécier ce qu'elle avait bien voulu lui donner. Et sa bouche goûtait bon. Très bon. Un simple souvenir qui durcit son érection, douloureuse, qui semblait ne pas s'être totalement reposée même pendant les heures de sommeil dont il venait de profiter.

Adam se leva et s'étira. Il glissa sa mèche derrière l'oreille. Il vit ses vêtements par terre. Il n'avait pas envie de les mettre. Il poussa l'épais rideau noir qui séparait la chambre du reste du loft et il traversa de l'autre côté.

Les immenses fenêtres sans rideaux révélaient la nuit. L'une d'elles, entrouverte, laissait entrer l'air frais. Adam avait dormi toute la journée et il se demandait depuis quand Héléna était réveillée. Assise par terre au milieu du loft, entourée d'une multitude de boîtes à multiples boutons, glisseurs, pédales et claviers, elle était concentrée sur son équipement. Elle portait une longue tunique ample et zippée sur le devant, dont le grand capuchon pendait dans son dos en lui donnant une allure monastique moderne.

L'idée de passer devant elle pour lui montrer qu'il était encore excité traversa l'esprit d'Adam, mais il se dit qu'elle préférait sans doute ne pas être dérangée. Il passa donc derrière elle pour se rendre à la salle de bain, où il dut attendre quelques secondes avant de pouvoir uriner. Une fois soulagé, il alla à l'aire de la cuisine avec l'intention de boire un café. Il en restait dans la cafetière électrique. Il s'en versa une tasse mais, en y trempant les lèvres, il grimaça ; le café devait stagner là depuis des heures. Adam vida le pot dans l'évier. Tous les éléments nécessaires pour en préparer du frais se trouvaient près de la cafetière. Une fois l'infusion en cours, il ouvrit le réfrigérateur, surpris de constater qu'il ne contenait qu'une bouteille d'eau, un bouquet de persil mou et une assiette avec du beurre, qu'il sortit et déposa sur le comptoir. Dans le congélateur, il trouva deux bouteilles de vodka et un pain brun, dont il prit deux tranches qu'il glissa dans le grille-pain. Il se versa un verre d'eau tandis que le café continuait de couler. Il fouilla dans la pile de magazines de musique qui traînait sur le comptoir. Il en feuilleta deux, beaucoup trop techniques pour qu'il s'y intéresse. Sous la pile, il trouva un roman : *Crash*. Il souleva le livre et resta là, sans bouger, une longue minute. Il redéposa le livre sur le comptoir après avoir réalisé que le silence régnait depuis un moment.

Héléna venait vers lui. Adam la trouva magnifique. Elle était si différente des autres femmes qu'il avait connues. Si en contrôle d'elle-même sans pour autant avoir l'air crispé. Si intense par sa simple présence.

— J'ai senti l'odeur du café frais et du pain grillé, dit-elle.

Elle passa derrière le comptoir. Elle remplit deux tasses, lui en donna une et s'occupa de beurrer les toasts. Troublé par des émotions imprévues qui venaient de refaire surface, Adam sentit le besoin de parler.

— C'est bizarre que tu aies ce roman.

Elle suivit son regard vers *Crash*.

— Pourquoi?

— C'est à cause de lui que j'ai cassé avec la seule et unique blonde que j'ai eue dans ma vie jusqu'à maintenant.

Elle haussa un sourcil.

— Explique-moi.

— Tu veux vraiment le savoir?

— Oui.

Adam but une gorgée de café, puis il raconta.

— Ça faisait plusieurs jours que je ne l'avais pas vue. Quand je suis arrivé chez elle, elle lisait un roman, alors elle m'a demandé de patienter pendant qu'elle finissait son chapitre. J'ai trouvé ça plate parce que j'avais envie de faire l'amour avec elle. J'ai fini par en avoir assez d'attendre, alors j'ai pris son livre et je l'ai lancé. Ça paraît incroyable, mais il est passé par la fenêtre ouverte. J'ai trouvé ça drôle, mais pas elle. Alors elle m'a giflé et je suis parti parce que j'avais le goût de la gifler aussi et je ne voulais pas commettre un geste violent. Je n'ai plus jamais voulu la voir après ça.

— C'était quand?

— Il y a deux ans.

— Et c'était *Crash*.

Adam fit oui d'un signe de tête.

— Tu l'as lu ?

— Non. Je n'ai jamais lu de roman. Toi, tu l'as lu ?

— Au moins dix fois.

Adam se demanda ce qui pouvait bien motiver quelqu'un à relire un roman. Lui-même ne regardait jamais deux fois le même film.

— Pourquoi autant de fois ?

— Parce qu'il me parle et qu'il parle de moi.

Elle fit glisser l'assiette contenant les deux toasts entre lui et elle.

— J'avais seize ans la première fois que j'ai entendu la chanson *Warm Leatherette*. C'était aussi la première fois que je buvais de la bière. Deux. Mon père et un ami ont fait jouer la chanson en boucle. J'étais fascinée. Ça ne ressemblait à rien de ce que j'avais déjà entendu. Cette chanson a influencé la musique que j'allais créer. Des années plus tard, j'ai trouvé *Crash* dans la bibliothèque de mon père. Je lui ai demandé si c'était un bon roman. Il m'a répondu que ça pouvait m'intéresser parce qu'il avait influencé la création de *Warm Leatherette*, mais que c'était une œuvre difficile à lire. J'ai dévoré *Crash* en une journée et je l'ai relu chaque fois que j'en ai eu envie. En 1997, *Crash* est sorti au cinéma. Le film de David Cronenberg s'est révélé à la hauteur de l'œuvre de James Graham Ballard. J'ai aussi vu le film plusieurs fois. Cette œuvre, et ce qui l'entoure, parle de moi parce qu'elle a influencé qui je suis, ce que j'aime et mon œuvre artistique.

Adam avait écouté Héléna avec fascination. Elle n'avait jamais parlé aussi longtemps et, surtout, d'un sujet aussi personnel.

Ils burent et mangèrent en silence pendant quelques secondes.

— Si je lis *Crash*, est-ce que je vais mieux te comprendre ? demanda-t-il soudain.

— Puisque tu n'as pas l'habitude de lire, ce sera difficile. Peut-être que tu préférerais regarder le film. C'était pourtant le livre qui l'attirait. Comment se faisait-il qu'il n'ait jamais eu d'intérêt pour la lecture avant ?

— Est-ce que je pourrais entendre la chanson ?

Héléna sourit et Adam constata que ce sourire ne s'exprimait pas sur sa bouche mais bien dans ses yeux bleus qui lui inspiraient toujours une mer glacée.

Ils emportèrent leur tasse et s'installèrent sur le plancher devant le portable dont Héléna souleva le couvercle. Adam la regarda taper *Warm Leatherette* dans Google et, parmi les nombreuses versions de la chanson, sélectionner celle de The Normal.

John

La cible orange oscilla d'avant en arrière. John venait de la frapper, à deux cents mètres, pour la huitième fois consécutive. Il inséra une nouvelle balle dans le chargeur de la M14 et il se réinstalla en position de tir. Il visa une nouvelle cible, celle-là à quatre cents mètres. Rapidement, il ajusta le télescope de vingt-quatre clics. Puis il cessa de respirer et appuya doucement sur la détente.

La cible encaissa l'impact en se balançant.

John avait tiré son tout premier coup avec un CZ 75 9 mm, un pistolet tchèque semi-automatique. Son grand frère l'avait amené au champ de tir, un dimanche matin. Après lui avoir expliqué les règlements de sécurité, il lui avait montré comment charger l'arme. Il avait inséré les deux premières balles dans le chargeur et avait laissé John insérer les huit autres. Il avait dû pousser fort sur les balles pour remplir le chargeur.

De son premier coup, il se souvenait de la flammèche du côté droit de l'arme et de la sensation de choc qui avait parcouru son corps d'enfant de dix ans.

— Vise bien le milieu du cercle, John, lui avait dit Andy.

Et c'est ce qu'il avait fait. Il avait tiré toutes les balles en plein centre du rond noir de la cible en papier qui se trouvait à cinq mètres de lui. Une fois le chargeur vide, son frère avait appuyé sur le bouton qui permettait à la cible de glisser vers eux sur un câble. John avait alors constaté que tous les trous laissés par les balles se trouvaient dans le cercle noir.

Pendant huit ans, chaque dimanche matin, les frères étaient allés au champ de tir. À dix-huit ans, John savait utiliser toutes les armes d'Andy qui, lui, était dans l'armée.

Il frappait la cible à quatre cents mètres pour la huitième fois lorsqu'il sentit la présence de son frère dans son dos. Il déposa son arme sur la table.

— Tu es encore le meilleur de nous tous.

John se tourna vers lui.

— Le jour où je ne serai plus le meilleur, je ne serai plus utile.

Andy garda un visage impassible.

— Tu as de la visite. La Lincoln. Vaut mieux que tu ailles lui parler dehors. Je m'occupe de ton arme.

John pouvait lui faire confiance pour nettoyer et ranger la M14. Il se leva et marcha les quelques mètres qui séparaient le champ de tir extérieur de la maison, dans laquelle il entra. Il passa à la salle de bain, où il prit une douche froide rapide. Il n'eut pas envie de se masturber. Il se sécha encore plus rapidement qu'il ne s'était douché. Les hanches entourées de la serviette blanche, il se rendit à sa chambre, où il choisit un pantalon d'armée et une camisole noirs pour se fondre dans la nuit.

Il traversa la maison jusqu'à une pièce, près de l'entrée, où se trouvaient les écrans de surveillance. Il observa Rachel, sous quatre angles différents. Elle était appuyée sur sa voiture sans avoir l'air impatient. Elle attendait. Simplement. John réalisa qu'il avait hâte de lui parler même s'il ne savait pas de quoi.

Lorsqu'il sortit de la villa, Rachel était trop loin pour qu'il voie son expression faciale. John se hâta de combler la distance qui les séparait. Il traversa la clôture.

— Bonsoir, John, dit-elle en se redressant.

Il aurait dû lui dire qu'elle ne devait pas venir là sans y être invitée, mais il resta silencieux quelques secondes, debout devant elle avant qu'elle lui demande :

— Tu veux faire une balade ?

Il aurait dû lui dire que ce qu'elle lui demandait n'était pas convenable. À la place, il avança et monta à l'arrière de la Lincoln. Rachel monta à son tour, derrière le volant, fidèle à son poste.

La voiture quitta le terrain de la propriété privée. Onze kilomètres plus tard, elle roulait sur l'autoroute. Rachel baissa la vitre du côté de John et du sien. C'était la nuit. Il y avait du vent. John se sentait bien et son érection stimula son désir de se masturber. Il baissa la braguette de son pantalon et s'exécuta. Savoir que Rachel le regardait dans le rétroviseur l'excita doublement et lui permit de faire durer son plaisir plus longtemps que d'habitude. Lorsqu'il éjacula contre le dossier du siège sur lequel était assise Rachel, il fut surpris de l'intensité de son plaisir. Il resta avachi, le pénis à moitié mou à l'air, la tête renversée sur le dessus de la banquette. La Lincoln roula pendant une dizaine de minutes avant que John reprenne ses esprits. Son premier regard alla droit au rétroviseur, dans lequel il vit Rachel lui faire un clin d'œil.

— Une serviette humide? offrit-elle.

Déconcerté par la question, il ne sut quoi répondre. Il plaça son membre dans son sous-vêtement et remonta la braguette de son pantalon.

Une minute plus tard, la voiture quittait l'autoroute. Rachel roula environ deux kilomètres avant de tourner dans l'entrée d'un Couche-Tard. Elle gara son véhicule devant les larges baies vitrées du dépanneur et elle descendit. Elle ouvrit la portière arrière du côté de John et elle se pencha, la main munie d'une serviette humide avec laquelle elle nettoya le sperme séché sur le dossier du siège. John la regarda frotter vigoureusement. Ses seins frétillaient dans son décolleté profond. La bouche entrouverte, elle glissait sa langue sur ses lèvres pulpeuses luisantes de rouge à lèvres. Sa robe courte dévoilait le haut de ses genoux et une bonne partie de ses cuisses charnues. Sans comprendre ce qui le poussait à poser ce geste, John pencha le haut du corps vers Rachel et il toucha une de ses mèches blondes. Elle cessa de frotter et lui sourit.

Puis elle se releva rapidement, alla jeter la serviette dans une grosse poubelle et revint vers la voiture.

— Tu veux quelque chose? demanda-t-elle en se penchant vers lui.

— Café.

— Sucre? Lait? Crème?

— Noir.

Elle prit son sac à main sur le siège avant passager et elle s'éloigna. John remarqua ses fesses moulées par le tissu extensible de sa robe. Il remarqua à quel point elle savait se déplacer avec grâce sur ses talons hauts. Il en fut troublé. Rachel pénétra dans le dépanneur et il l'observa marcher jusqu'aux réfrigérateurs, en ouvrir un et prendre deux canettes, puis remplir deux verres en carton au comptoir à café. Il la vit déposer les canettes sur le comptoir de la caisse, puis retourner chercher les cafés pour les déposer devant le jeune homme qui lui adressa la parole probablement pour lui indiquer le montant de ses achats. Elle fouilla dans son sac à main, sortit un porte-monnaie et elle paya. Le jeune homme mit les canettes dans un sac en plastique. Puis John l'observa sortir du dépanneur, le sac au bras, le sac à main sur l'autre bras et un café dans chaque main.

Elle ne semblait pas mal à l'aise, en équilibre sur ses talons hauts, les bras et les mains remplis. Au contraire, elle souriait et donnait l'impression de s'amuser.

Elle déposa un des cafés sur le capot de la Lincoln et mit ensuite les sacs sur le siège passager. Elle prit de nouveau le café et se pencha vers John. Elle lui donna les deux verres.

— J'ai pensé que tu aimerais mieux deux cafés plutôt qu'un.

Il se retrouva avec un verre dans chaque main. Rachel monta sur son siège de conductrice. Elle sortit une canette de Red Bull du sac en plastique et la déboucha. Elle la vida en quatre gorgées.

John n'avait toujours pas bougé lorsque la voiture démarra.

Il regarda les verres. Il ne pouvait nier que ça lui plaisait que Rachel lui ait apporté deux cafés. Il en glissa un entre ses cuisses et commença à boire l'autre.

C'était de plus en plus la nuit. La vitre était toujours baissée. Rachel roulait plus vite. Le vent leur fouettait le visage. John se sentait bien.

— Tu vas me montrer à tirer? cria-t-elle soudain pour couvrir le hurlement du vent.

Dans le rétroviseur, il vit de grands yeux bleus fardés remplis d'une intensité qu'il remarquait pour la première fois.

Rachel était une femme très bien et elle avait quelque chose de plus.

Si c'était elle que tu devais liquider…

Il n'avait toujours pas de réponse pour Andy ou pour lui-même. Il était cependant certain qu'il n'initierait pas Rachel aux armes, et encore moins au tir. Elle l'avait aidé, en lui posant cette question, à réaliser qu'elle allait toujours vouloir pousser plus loin, en apprendre plus, et que ça deviendrait dangereux pour lui. Et pour elle. John ne pouvait pas changer de vie. C'était impossible.

Rachel remonta les vitres.

— Je ne pense pas que je serais douée pour le tir, même avec un bon professeur comme toi.

John voulut lui dire qu'il n'aurait jamais été son professeur de toute façon. À la place, il resta silencieux et comprit que cette balade avec Rachel devait être la dernière.

Héléna

Les dernières paroles de *Warm Leatherette* s'échappèrent des haut-parleurs haut de gamme. Genoux repliés vers lui, bras entourant ses jambes, Adam frissonnait. Héléna aussi, mais ses frissons étaient émotifs. Elle alla à la cuisine remplir leur tasse de café chaud tandis que son jeune amant disparaissait derrière le rideau noir. Elle marcha jusqu'à la fenêtre ouverte, la ferma, puis elle s'installa sur le large rebord, dos appuyé contre le bâti, genoux relevés. Une minute plus tard, Adam, en jean, prit la tasse qu'elle avait déposée sur le rebord de la fenêtre. Il s'assit ensuite en face d'elle et glissa ses longues jambes dans les plis du vêtement qu'elle portait. Elle sentit le contact de ses pieds froids contre ses cuisses.

— À seize ans, mon band fétiche était Atari Teenage Riot, commença-t-il. Je pense que la musique qu'on écoute quand on est jeune reste une référence toute notre vie. C'est sûr que j'ai écouté plein d'autres styles de musique depuis, mais ma base c'est ATR et j'aime surtout le digital *hardcore*, le *breakbeat*, le *hard techno*, le *hard style*...

— Et la danse, ça t'est venu naturellement ?

— Oui.

— Pourquoi *gogo boy* ?

Adam haussa les épaules et porta la tasse à ses lèvres.

— Je n'ai pas étudié longtemps, dit-il après avoir bu une gorgée. Il fallait que je gagne ma vie. C'était le choix le plus facile. J'aime danser, je suis plutôt bon et ça paye bien.

Il était beaucoup plus que « plutôt bon » et le savait, mais il ne voulait pas paraître prétentieux. Il ne voulait pas faire mauvaise impression. Héléna s'en amusa un peu. Elle dézippa le bas de son vêtement et déplia les jambes, qu'elle allongea sur celles d'Adam. Leurs yeux bleus se sourirent subtilement.

— Je ne sais jamais à quoi tu penses, dit-il.

— Je pense que tu es très érotique.

— Tu penses à ça tout le temps ?

— Assez souvent.

— Tu aimes les hommes très érotiques ?

— Pas nécessairement. J'aime que toi tu le sois.

Il mit sa tasse par terre et commença à caresser les jambes d'Héléna par-dessus les siennes.

— Je ne suis pas habitué à ce que les femmes attendent si longtemps avant de...

Elle prit plaisir à le voir chercher ses mots.

— ... de me vouloir en elles.

Encore plus à les entendre. Il avait fait très attention pour ne pas dire quelque chose de vulgaire. Pour ne pas lui déplaire.

— Moins de deux semaines, tu trouves ça long ?

Il rit et pencha la tête de côté pour libérer la partie de son visage camouflée par la mèche blonde.

— C'est plus long que deux minutes ou deux heures en tout cas.

Elle lui rendit son sourire et but une gorgée de café. Une bouffée de désir la traversa. Adam s'en aperçut, car son regard devint plus insistant de même que ses mains qu'il glissait sur sa peau en de lents mouvements vers le haut, vers le bas...

— Combien de temps je vais devoir attendre ?

— Aussi longtemps que ce sera nécessaire.

Il se déplaça lentement en continuant de la caresser.

— Je ne comprends pas ce que tu veux dire par nécessaire, ajouta-t-il.

Il l'avait doucement contrainte à écarter les jambes pour s'installer à genoux entre elles. Leur visage était à moins de dix centimètres l'un de l'autre.

— C'est nécessaire d'attendre le bon moment, murmura-t-elle.

Mais en s'entendant prononcer cette phrase, elle n'était déjà plus certaine de pouvoir la mettre en pratique.

— Quand est-ce que je vais savoir que c'est le bon moment, Héléna?

Leurs lèvres se frôlaient.

— Ce sera évident.

Adam manœuvra pour qu'elle soit pleinement consciente de son érection, puis il mit une main sur la nuque d'Héléna, mais il ne l'embrassa pas. Ils restèrent dans cette position, conscients seulement de leur corps en état de désir. L'intensité du silence était un événement en soi. Le temps avait cessé d'être une notion qui avait du sens. Jusqu'au moment où Adam se leva rapidement, rompant le charme dont Héléna savait qu'il ne pouvait s'éterniser.

— Viens, dit-il en tendant la main.

Elle se laissa guider jusqu'au long fauteuil en cuir noir sur lequel Adam lui fit signe de s'asseoir. C'était parfait. Elle aimait qu'il prenne l'initiative.

Elle l'observa s'accroupir devant le portable et taper sur le clavier. Au moment où une musique très rythmée débutait, Adam se leva avec empressement et vint s'installer les jambes de part et d'autre du fauteuil sur lequel Héléna était allongée. Une voix masculine chanta:

Push me
And then just touch me
Till I can get my satisfaction
Satisfaction, satisfaction, satisfaction, satisfaction

Elle avait droit à une version privée du genre de spectacle qu'Adam devait donner au Hard & On. Elle aurait menti de prétendre que ça ne lui plaisait pas, mais c'était probablement parce qu'il était seul avec elle. Et, lorsqu'il allait devoir s'exhiber sur scène la nuit du 3 juillet, ce serait différent aussi.

Pour l'instant, pendant qu'une voix féminine re-
prenait le même refrain, ce n'était plus la bouche
d'Adam qui frôlait la sienne mais l'érection com-
primée dans son jean qu'il pressait doucement contre
son visage. Elle lui agrippa les hanches.

— *Satisfaction, satisfaction, satisfaction, satisfaction*, chanta Adam en se caressant le torse puis
le ventre. Elle sentait l'odeur de son sexe à travers le tissu,
mais ce n'était pas assez. Elle en voulait plus. Elle
détacha le bouton et baissa lentement la fermeture
éclair. Elle s'enivra du parfum de sa toison pubienne
tandis que ses mains se contractaient sur la ceinture
du jean et que ses doigts s'inséraient sous le tissu...

— *And then just touch me, till I can get my satisfaction*, chanta encore Adam en encourageant Héléna
à baisser son jean.

Enfin, n'en pouvant plus de cette délicieuse souffrance, elle lui dénuda les fesses et lui, alors, dans un
geste rapide qui relevait de l'acrobatie, se retourna
pour les lui mettre en plein visage, la faisant ainsi
patienter encore pour le reste. Ses fesses étaient
fermes et lisses et invitantes à toutes sortes de désirs
qui traversaient l'esprit d'Héléna. Elle n'avait pas
exploré tous ses fantasmes avec Wouter, parce qu'il
ne les lui avait pas tous inspirés. Adam lui inspirait
franchement tout. Et au moment où elle pensait
qu'il allait enfin lui offrir le plaisir d'embrasser son
érection, la chanson se terminait, il remontait son
jean et la laissait là, pantelante.

Il s'éloigna du fauteuil, pivota sur lui-même,
poussa sa mèche derrière l'oreille et la regarda en
souriant.

— Est-ce que t'as aimé ça? demanda-t-il sur un ton espiègle.

— Tu oses poser la question?

Il rit et fit quelques pas de danse.

Héléna, stimulée par cette muse inestimable, se leva et alla s'installer devant son portable. Adam s'allongea par terre, près d'elle, et observa les machines qui l'entouraient tandis qu'elle pitonnait sur le clavier.

— Korg, Akai, Mackie, lut-il. Tu peux créer tous les sons que tu veux avec ces machines?

— Oui, répondit-elle, les yeux fixés sur son écran.

Adam s'intéressa à une petite boîte sur laquelle était écrit Boss Dr Rhythm DR-3.

— J'imagine que celle-là remplace une batterie?

— Dans le jargon, c'est une *drum machine* ou une *beat box*.

Héléna se tourna vers Adam et la *beat box*. Elle inséra deux câbles dans la machine, appuya sur quelques boutons pour choisir un programme qu'elle mit en marche. Un rythme de basse profonde résonna dans le loft. Elle joua sur un de ses claviers et, inspiré, Adam se leva et recommença à danser. Elle le regarda se mouvoir pendant de longues minutes, d'abord sur des rythmes faciles et sensuels, puis elle se sentit plus audacieuse et ajouta des rythmes brisés et dérangeants, mais elle savait qu'il allait pouvoir suivre à cause de son bagage musical qui puisait à la source du *breakbeat*. Elle s'amusa à changer de rythme plusieurs fois et toujours Adam s'ajustait en une fraction de seconde, son corps relevant harmonieusement tous les défis auxquels elle le soumettait.

Elle-même n'avait jamais été capable de danser. Son corps n'avait pas le laisser-aller nécessaire pour s'exprimer librement. Wouter non plus n'avait pas ce don pour bouger. Et c'était une des raisons pour lesquelles Adam était une révélation pour Héléna. Il apportait quelque chose de nouveau dans son quotidien. Le mouvement. La spontanéité. Elle avait besoin de lui pour s'explorer de nouveau, comprendre où elle en était dans sa vie et vers quoi elle voulait aller.

Elle laissa jouer ses machines programmées et se leva. Elle voulait réchauffer son café, mais Adam, qui passa près d'elle en virevoltant, ne lui en laissa pas le temps. Il lui enlaça la taille et l'incita à bouger avec lui. Elle voulait dire non et s'éloigner, mais il l'en empêcha et, au bout d'un moment, elle s'entendit rire et sentit que son corps désirait suivre mais n'y arrivait pas par manque de pratique. Sa maladresse ne sembla pas décourager pour autant son jeune amant et, habilement, il la guida vers la chambre où ils chavirèrent sur le lit en continuant de rire, jusqu'à ce qu'ils s'embrassent et qu'il n'y ait soudain plus rien de drôle mais une urgence de fusionner.

3 JUIN

RACHEL

Rachel avait dormi dans son lit, mais elle avait à peine eu le temps d'en profiter deux heures que JMB lui demandait de venir le chercher chez lui. Il devait être au Temple pour huit heures. Nouveau coup d'œil à son cellulaire, pour être certaine qu'elle avait bien lu : il était effectivement six heures trente du matin et non du soir. C'était la première fois qu'il avait besoin de ses services le matin.

Elle se réveilla un peu plus en trouvant un sac de café moulu dans le fond d'une armoire. Elle prépara la machine à café avant de passer sous la douche. Sous l'eau tiède, elle fut incapable de penser à quoi que ce soit de logique ou d'intéressant.

Le café se révéla imbuvable. Rachel chercha sur le sac une date d'expiration, n'en vit aucune mais redouta qu'il traînât là depuis des années. Elle vida sa tasse et le contenu de la cafetière dans l'évier.

Une heure plus tard, maquillée, cheveux ondulés, vêtue d'une robe moulante beige au décolleté affriolant et d'escarpins assortis, Rachel sortit de son habitation secondaire pour s'installer au volant de sa Lincoln, son vrai chez-elle.

Elle se promenait rarement à sept heures trente du matin sur la route. C'était le début du trafic de l'heure de pointe et de tous les travailleurs stressés de ne pas arriver en retard au travail. Le Tim Hortons où elle s'arrêta était rempli d'individus au regard éteint, solidaires dans leur manque de caféine et de sucre. Mais l'attente en file était minime. Tout allait très vite à cette heure-là et dans ce genre d'endroit. Rachel acheta un gros café et deux chocolatines. Deux chocolatines… Elle sourit en pensant que ça plairait à John.

Une semaine plus tôt, lorsqu'elle était allée le chercher, à l'improviste, dans ce lieu insolite qu'elle s'était permis d'atteindre en devinant qu'elle n'était pas la bienvenue sans invitation, ils avaient pratiqué le même scénario que les fois précédentes : une balade en voiture au cours de laquelle John s'était masturbé. Il ne s'était rien passé de plus. Au bout de deux heures, il lui avait demandé de le conduire à l'adresse du boulevard Saint-Joseph. Depuis, aucune nouvelle.

Rachel se demandait pourquoi elle avait changé d'idée par rapport à John. Elle s'était convaincue qu'il valait mieux ne pas côtoyer un homme qui pouvait être dangereux. Elle n'avait pourtant pu résister et, plutôt que de le revoir dans un contexte prudent, elle était allée directement au cœur du danger, sur les lieux suspects, et elle avait poussé l'audace jusqu'à montrer de l'intérêt pour les armes. Pourquoi avait-elle agi en parfaite contradiction avec sa décision ?

De nouveau assise dans sa voiture, Rachel avala une gorgée de café buvable pour ensuite mordre dans une chocolatine.

Et puis il y avait Adam, à qui elle pensait souvent avec désir. Mais occupée à transporter plusieurs individus presque toujours de soir ou de nuit pour le compte de JMB, Rachel n'avait pas eu le temps de retourner le voir danser sauf samedi, cette soirée ratée au cours de laquelle Diva Saphira avait imposé sa présence à sa table. Elle avait laissé un message sur la messagerie vocale d'Adam, mais il ne l'avait pas rappelée.

À sept heures quarante-cinq, elle stationnait la Lincoln devant la maison de JMB. Elle eut le temps de manger sa deuxième chocolatine avant qu'il ne sorte de chez lui vêtu d'un complet gris froissé, la cravate croche, un porte-documents sous le bras, un verre thermos probablement rempli de café dans une main et le cellulaire contre l'oreille dans l'autre. Il coinça ce dernier contre son épaule pour ouvrir la porte arrière et s'installa sur la banquette.

— Fais ça vite, ma belle, je suis pressé.

Elle ne dit rien, but une autre gorgée de café, reposa son verre dans le compartiment prévu à cet effet et appuya sur la pédale de l'accélérateur.

— Nous sommes le 3 juin! cria JMB. On ouvre dans un mois, alors débrouillez-vous pour me livrer le matériel demain matin au plus tard.

Rachel prêtait rarement attention aux conversations de son patron, mais cette fois-ci elle ne put s'empêcher de remarquer à quel point il était stressé. Il contactait ses collaborateurs, leur rappelait leurs promesses et obligations et il les menaçait de faire affaire avec leurs concurrents s'ils ne pouvaient pas respecter leur contrat. Recevoir ce genre d'appel si tôt, de vive voix ou sur la messagerie, devait être fort désagréable. Rachel était fière de ne pas avoir failli, surtout ce matin, à son professionnalisme. Lorsqu'elle stationna la Lincoln devant l'entrée principale du Temple, deux camionnettes bleu foncé y étaient déjà garées. JMB, toujours en grande conversation sur son cellulaire, mais plus calme, finit par dire à plus tard à son interlocuteur qui avait peut-être, lui aussi, respecté ses engagements.

— Viens me ramasser à sept heures, dit-il en même temps qu'il ouvrait la portière.

Elle n'eut pas le temps de confirmer à son patron qu'elle serait là, il était déjà descendu de la voiture et allait à la rencontre d'un homme qui était sorti d'une des camionnettes.

Prise d'une envie d'uriner qui ne pouvait attendre, Rachel décida d'aller se soulager dans les toilettes du Temple. Puisqu'il s'agissait d'entrer et de sortir de la bâtisse rapidement, elle ne prit pas le temps d'aller garer la Lincoln dans le stationnement arrière. Elle éteignit le moteur et descendit de son véhicule. Entre-temps, trois autres hommes étaient sortis des deux camionnettes et ils ne manquèrent pas de siffler en apercevant Rachel. Loin d'être offensée, elle leur envoya un sourire des plus invitants. Elle remarqua tout de suite celui des trois hommes avec lequel elle serait plus encline à satisfaire le désir sexuel qui venait de la surprendre. Celui aux grands yeux bruns. Elle lui fit un clin d'œil et avança vers la porte d'entrée principale du Temple, dont elle tira la poignée. La porte resta fermée. Mais à quoi pensait-elle ? JMB devait la déverrouiller avant que quiconque puisse entrer. Heureusement, ce dernier s'approcha, suivi des quatre gars, et il inséra la clé dans la serrure.

— Donnez-moi quelques secondes pour désactiver le système d'alarme, leur dit-il avant d'entrer.

Rachel attendit près de la porte, face aux hommes qui la dévisageaient de la tête aux pieds, sans aucune gêne.

— Tu fais quoi à part conduire le *char* du patron? demanda celui qui avait engagé une conversation avec JMB et qui devait être le responsable du groupe.

— Ce n'est pas la voiture du patron, c'est la mienne, répondit-elle toujours en souriant.

— Une maudite belle bagnole, répliqua celui aux yeux bruns d'un air admiratif. Quelle année?

— Quatre-vingt-sept.

La porte du Temple s'ouvrit de l'intérieur.

— C'est bon, vous pouvez entrer, leur dit JMB.

Tandis que le propriétaire de l'endroit allumait les lumières et expliquait au chef du groupe les tâches pour lesquelles ses employés avaient été engagés, Rachel se dirigea vers le fond de la salle où se trouvaient les toilettes. Elle avait la main sur la poignée de la porte lorsqu'elle entendit:

— As-tu besoin d'aide?

Elle se tourna. De grands yeux bruns la regardaient. Elle en fut ravie et elle n'eut pas besoin de lui expliquer quoi que ce soit. Du bout de l'index elle lui fit signe de la suivre.

— Tu as ce qu'il faut? demanda-t-elle alors qu'ils s'enfermaient dans une cabine des toilettes des femmes.

Il sourit, fouilla dans la poche de son pantalon et lui montra le bout d'un condom emballé.

Un *ever ready*, en déduisit-elle.

Elle lui dit qu'elle avait d'abord besoin d'uriner et, tandis qu'elle s'exécutait, il déboutonnait sa chemise sur un torse musclé d'adepte de gym.

Ils n'eurent pas besoin de se stimuler pour être excités et ce n'était pas non plus un cas de longs préliminaires. Rachel glissa le haut de sa robe sur ses épaules et, lorsqu'elle fit déborder ses seins de son soutien-gorge, yeux bruns resta bouche bée pendant un moment.

— Oh *man*, t'as des beaux seins, finit-il par articuler.

Il s'approcha et les prit à pleines mains. Rachel s'empressa de manœuvrer pour mettre son sexe déjà bien bandé à nu, en prenant soin de récupérer le condom dans la poche du pantalon. Elle le lui donna et, tandis qu'il le déballait et l'enfilait aussi vite que possible, elle se libéra de son slip. L'opération protection terminée, il remonta la robe de Rachel par-dessus ses fesses qu'il agrippa en jurant d'approbation. Il la souleva de ses puissants bras et elle enroula ses jambes autour de lui tandis qu'il la pénétrait, le regard rivé sur ses seins.

Cinq minutes plus tard, c'était terminé. Ils s'habillèrent, se remercièrent pour la bonne baise et sortirent des toilettes.

Son amant éclair alla rejoindre ses collègues.

Rachel traversa la salle à l'aise et souriante. Le sexe était toujours une agréable façon d'entreprendre la journée.

5 JUIN

ADAM

Adam sortit du club vers trois heures trente après avoir refusé la dizaine d'invitations à aller prendre un verre chez l'un ou chez l'une qui avaient tous la même intention en tête. Lui n'avait hâte que de retourner chez lui. Les mains enfoncées dans les poches de son kangourou, capuchon sur la tête pour se protéger de la fine pluie qui tombait, il fut tenté de changer de trajet pour celui du loft du boulevard Saint-Laurent.

Il résista.

Une semaine depuis qu'il avait enfin fait l'amour avec Héléna. Il ne l'avait pas revue, telle qu'elle le lui avait demandé. Et il allait devoir attendre une semaine de plus.

Leur première relation physique complète s'était déroulée de manière normale. Enfin... presque. Héléna avait fait preuve d'une grande pudeur en le laissant la dévêtir, comme si elle doutait que son corps puisse lui plaire. Dérouté, il avait pris son temps pour ne pas la brusquer. Et il avait compris pourquoi. Une fois nue, elle dégageait un troublant contraste de pouvoir et de fragilité qu'Adam n'avait jamais vu. Son long corps était légèrement musclé et non pas décharné comme celui d'une anorexique, une impression qu'Héléna pouvait donner parce qu'elle s'habillait toujours en noir, ce qui accentuait sa minceur. Des traces du passage du temps étaient inscrites sur sa peau, mais plutôt que de repousser Adam, elles l'avaient fasciné. Embrasser et lécher cette peau tendre et douce l'avaient électrisé. Elle goûtait la fraîcheur de l'eau glacée et un soupçon de menthe.

Habillée, Héléna affichait une attitude dominante et très contrôlée. Nue, elle devenait étonnamment vulnérable. Lorsque Adam en avait pris conscience, cela lui avait tellement plu que son érection s'était dressée de plus belle, impertinente de désir. L'idée que cette femme, elle précisément, puisse avoir le goût de s'abandonner à lui l'avait non seulement excité mais bouleversé. Jamais auparavant, en baisant avec n'importe qui, n'avait-il ressenti ce genre d'émotion. Pénétrer Héléna lui avait donné l'impression de visiter un précieux mystère dont il ne connaissait qu'une infime partie. Et il s'inquiétait un peu à l'idée qu'elle n'allait peut-être jamais lui redonner l'occasion de visiter ce temple secret. Il n'avait aucune raison de penser cela, elle ne lui avait rien dit qui laissât sous-entendre qu'elle n'avait pas le goût de recommencer et il serait chez elle le 13 juin, mais Héléna était difficile à saisir et il ne savait pas très bien à quoi s'attendre avec elle.

Il ne connaissait toujours pas son âge et il ne le lui avait pas demandé. Sûrement quarante ans. Peut-être plus, mais ça n'avait aucune importance. Il voulait la revoir. Elle lui manquait. Ce qu'elle lui avait donné, jusqu'à maintenant, était tellement plus gratifiant que ce qu'il recevait d'habitude.

Adam arriva chez lui lorsque la pluie commença à tomber plus fort. Il retira ses Converse et s'assit sur le divan du salon avec l'intention de regarder la télé. Il prit la télécommande, hésita deux secondes, puis la déposa sur la table basse devant lui sans l'avoir utilisée. À la place il prit *Crash*, juste à côté, qu'Héléna avait accepté de lui prêter après lui avoir pourtant suggéré de lire un roman plus simple. Adam ne voulait pas lire un roman plus simple, il voulait lire celui-là pour essayer de comprendre pourquoi il fascinait tant son amante.

Il rassembla deux coussins derrière lui, s'appuya confortablement et ouvrit le roman de Ballard.

Préface à l'édition française
Le mariage de la raison et du cauchemar qui a dominé tout le XXe siècle a enfanté un monde toujours plus ambigu. Les spectres de techno-logies sinistres errent dans le paysage des com-munications et peuplent les rêves qu'on achète.

Il dut relire ce premier paragraphe trois fois pour essayer d'en comprendre tout le sens. Héléna avait sans doute raison. Il aurait dû choisir plus simple comme première lecture. Mais peut-être qu'il pouvait passer la préface et aller tout de suite à l'histoire.

Vaughan est mort hier dans son dernier accident. Le temps que dura notre amitié, il avait répété sa mort en de multiples collisions, mais celle-là fut la seule vraie.

Le texte était plus concret, plus accessible. L'his-toire serait sûrement bizarre, d'après ces premières phrases, mais il ne s'étonnait pas qu'un des livres préférés d'Héléna le soit. Juste avec ces quelques lignes de *Crash*, Adam se demanda si son amante avait vécu un grave accident de voiture ou si elle avait perdu quelqu'un qu'elle aimait dans un accident de la route. Avait-elle tué quelqu'un au volant d'une voiture ? Ces questions traversèrent son esprit si rapidement qu'il en fut surpris. Il n'avait lu que deux phrases et il se mettait à faire des suppositions tragiques. Ce n'était pas son genre.

Qu'allait-il donc apprendre sur elle en lisant *Crash* ? Qu'avaient été ses paroles exactes lorsqu'il lui avait demandé pourquoi elle l'avait relu tant de fois ?

Parce qu'il me parle et qu'il parle de moi.

Le désir de lire son premier roman à vie lui revint, solide du fait qu'il lui en apprendrait plus sur la femme qu'il fréquentait. Il ne savait pas ce qu'elle en pensait, mais, du moins, c'est comme ça qu'il aima penser au lien qui les unissait. Ils se fréquentaient. Certes, il y avait l'aspect spectacle, mais ce dernier n'avait jamais eu la priorité depuis le début. Il était secondaire par rapport au lien d'intimité qui se développait entre Héléna et lui. Avant elle, Adam ne connaissait qu'une seule forme d'intimité limitée au sexe. Avec elle, il y avait plus. Beaucoup plus. Il ne s'agissait pas seulement de baiser. La bouche et la peau d'Héléna goûtaient bon parce qu'elles inspiraient une multitude de possibilités au-delà des simples plaisirs charnels.

Encore plus intrigué qu'il ne l'avait cru par *Crash*, Adam entreprit la lecture du roman avec grand intérêt.

10 JUIN

JOHN

Le jeudi 10 juin. Le nombre dix agaçait John. C'était un nombre pair au visuel imparfait. Le un l'emportait sur le zéro. Le onze, avec ses deux uns parallèles, était mieux. C'était un nombre impair acceptable dans certaines circonstances.

En cette soirée pluvieuse, la petite salle de la Casa Del Popolo sentait le vieux bois humide. Les deux performeurs en spectacle faisaient sortir de leurs machines des distorsions, des dissonances, des sons très aigus irritants sur des basses profondes comme des abysses. On pouvait croire entendre des hordes d'abeilles meurtrières, des effondrements d'édifices ou des usines remplies de machines fonctionnant à pleine capacité.

Debout près du bar, deux verres de *tonic water* près de lui, John laissait ce qu'il entendait le pénétrer. Une partie du son entrait en lui par ses oreilles, mais c'était surtout par ses pieds qu'il se sentait envahi. Le plancher vibrait de basses qui lui remontaient le long des jambes, croisaient ses organes génitaux et filaient jusqu'au plexus solaire, procurant des sensations singulières sur ses organes internes.

La pièce de *noise* cessa brusquement et sortit de leur envoûtement les spectateurs qui applaudirent avec engouement.

— Bonsoir, John.

Héléna, la grande femme mince vêtue de noir, se tenait devant lui, un verre à la main. Celle qui savait qu'il allait bientôt accomplir un Travail.

— C'est étrange, je me souviens de toi juste quand je te vois, dit-elle. Le reste du temps, je t'oublie comme si je voulais volontairement t'effacer de ma mémoire.

— Pourquoi voudrais-tu te souvenir de moi ?

Lui avait pourtant pensé à elle. Héléna, une femme précise.

— Parce que certains individus que je croise m'inspirent. La dernière fois que j'ai joué ici, j'ai improvisé des paroles en m'inspirant de toi.

Il s'en souvenait.

No matter what you think
You will bleed until you die
And I will look into your eyes
My hand on the knife
No matter what you feel
You will beg me to go on

— Il y a longtemps que je ne me sers plus d'un couteau pour éliminer.

— Mais tu n'hésiterais pas à le faire si c'était nécessaire.

Elle avait raison. Raisonnée. Précise.

— J'écoute Merzbow, dit-il.

Héléna sourit et les petites rides au coin de ses yeux trahirent son âge, pas très éloigné du sien.

— Est-ce que tu aimerais me regarder pendant que je me masturbe ? demanda-t-il.

— Non. Ça ne m'intéresse pas. C'est un geste qui m'allume seulement chez l'homme que j'aime.

— Tu aimes quelqu'un ?

— Oui.

— Est-ce qu'il me ressemble ?

— Non. Il est plus dangereux que toi.

— Pourquoi ?

— Parce que toi, tu peux me tuer d'une balle et je vais mourir sur le coup. Lui peut me faire souffrir longtemps en sortant de ma vie.

John vida son deuxième verre. Sur la scène, trois nouveaux artistes *noise* prenaient place.

— Est-ce que c'est ton tour bientôt ?

— Je ne joue pas ce soir.

— Alors je vais partir.

— Au revoir, John.

— Au revoir, Héléna.

Il s'empressa de sortir du bar. Il ne pleuvait plus, mais l'air était lourd d'humidité. John avait chaud et il voulait s'éloigner de celle qui venait de l'appeler par son prénom et de le tutoyer dans une sorte d'intimité complice. Il était bandé et il avait besoin de se soulager. Se rendre chez lui, pourtant si près, était trop loin. Il traversa le boulevard Saint-Joseph et marcha vivement dans le parc Lahaie, où un homme promenait son chien et deux femmes discutaient assises à une table. Il hésita une dizaine de secondes puis, debout près d'un arbre, il prit son cellulaire et composa le numéro de Rachel.

— Allô !

De sa main libre, il défit sa braguette et, caché sous son imperméable, il commença à se masturber.

— C'est John.

Un silence de six secondes passa. L'excita encore plus. Depuis quand trouvait-il le silence stimulant?

— Est-ce que tu te branles?

— Oui.

Elle savait.

— C'est dommage que je ne sois pas là pour voir le spectacle.

Ça lui sembla très étrange que quelqu'un pense à lui en train de se masturber comme à un spectacle. Mais Rachel était une femme bien et différente des autres.

— Où es-tu, John?

— Dans un parc.

— Tu veux que je vienne te chercher?

— Non.

— Pourquoi tu me téléphones?

Il ne répondit pas. Il avait eu besoin de lui téléphoner pour qu'elle sache qu'il était en train de se masturber et parce qu'il avait le goût d'entendre sa voix.

— Tu te branles toujours?

— Oui.

— Je peux raccrocher?

— Non.

— Veux-tu que je dise quelque chose?

Il était trop excité pour répondre et, de toute manière, il ne savait pas ce qu'elle pouvait dire pour l'aider à se soulager.

— Deux, quatre, six, huit, dix, douze… entendit-il soudain dans le récepteur.

Les nombres pairs continuèrent de défiler dans son oreille. Quelques secondes de cette mélodie suffirent pour qu'il repousse l'imper et laisse jaillir le sperme devant lui. Il dut se recouvrir rapidement, car un trio de jeunes traversait le parc dans sa direction. Mais ils passèrent devant lui en continuant leur conversation et sans lui prêter la moindre attention.

— Ça va? demanda Rachel après un second silence.

— Oui.

— Est-ce qu'on peut se voir bientôt?

— Non.

Il raccrocha. Replaça son cellulaire dans la poche de son imper et son pénis dans son pantalon.

Certes, John ne voulait plus voir Rachel, mais il se demanda s'il était acceptable de continuer à lui parler. Peut-être pas non plus. Depuis qu'il avait cessé de mettre en pratique les trois premiers Codes, ses décisions devenaient de plus en plus difficiles à prendre sans qu'il comprenne pourquoi.

Il sortit du parc satisfait d'y avoir laissé sa trace et pourtant perplexe d'avoir joui en écoutant la voix de Rachel tout en pensant à Héléna.

Rachel était une femme bien. Héléna lui plaisait. Il ne voulait plus voir la première, mais il allait revoir la seconde.

12 JUIN

HÉLÉNA

Héléna se passa une débarbouillette d'eau froide sur le visage. Elle resta un moment penchée vers l'évier, en redoutant un regard vers le miroir. Quand elle s'observa, elle ne fut pas étonnée de croiser un visage au teint blafard, aux yeux bouffis cernés de violet et aux lèvres sèches. Elle n'avait ni mangé ni dormi depuis des heures. Dans ses yeux bleus brillait cependant une lueur enfin de retour dans sa vie ; il y avait si longtemps qu'elle ne s'était pas consacrée à son art avec autant d'intensité et de passion.

Elle ôta ses vêtements, tenta de les mettre dans le panier à lessive qui débordait, y renonça et les laissa par terre. Elle fit couler l'eau du bain et alluma les chandelles installées partout dans la petite pièce. Elle avait envie d'un verre de vodka mais changea d'idée ; elle risquait de s'endormir si elle buvait de l'alcool.

Héléna entra dans le bain au tiers plein. Ses longues jambes ne lui permettaient pas de s'allonger de manière confortable et, habituellement, elle préférait prendre une douche mais, en ce moment, elle avait besoin de tremper dans l'eau chaude pour se relaxer plus longtemps. Elle ferma les yeux et appuya la tête contre les carreaux de céramique derrière elle. Ses pensées allèrent vers Adam. Il lui manquait. Elle aurait voulu qu'il soit là, avec elle, même s'ils auraient eu peine à partager la baignoire. Ils auraient pu se laver mutuellement. Héléna aurait aimé qu'Adam touche son corps car, depuis les trente dernières heures – et c'était peut-être même plus –, elle n'avait pas habité ce corps. Certes, ses mains avaient été occupées en permanence par le maniement des machines, mais c'était uniquement dans son cerveau qu'elle avait puisé toute son énergie. Pendant toutes ces heures à manipuler des objets clés de sa vie, son esprit avait baigné dans une félicité incomparable. Il y avait le Korg 700s authentique de 1974 que son père lui avait offert pour ses dix ans, le projecteur Super 8 Beaulieu 708EL, la crème des projecteurs Super 8, et le projecteur de diapositives Kodak carrousel 4600, tous deux des appareils cultes de sa famille. La pellicule et les diapositives, dont elle allait se servir pour le spectacle, avaient été prises à l'époque de Wouter qui, lui aussi, avait une passion pour les machines désormais considérées comme désuètes ou étiquetées vintage. Avec sa caméra Super 8, il avait filmé des kilomètres de route avec l'intention de les utiliser un jour. Avec sa Brownie, Héléna avait photographié des images avec la même intention. Wouter était mort avant qu'ils aient pu concrétiser ce projet artistique.

Adam faisait partie de sa nouvelle œuvre. Il était le lien présent entre le passé d'Héléna et son futur.

Il ne savait pas cela. Elle n'avait pas voulu influencer son esprit et son corps avec ce qu'elle-même vivait. Adam était Adam et elle était elle. Mais ils étaient connectés d'une manière intuitive, belle et créative, et Adam ne devait pas s'insérer dans son œuvre pour lui plaire mais y participer en tant que lui-même. Il était essentiel que la performance parte du vrai pour le transcender et devenir quelque chose de plus spectaculaire. Et elle savait qu'elle allait pouvoir compter sur Adam. Il était magnifique au naturel. Maquillage et costume seraient nécessaires le soir du spectacle, mais Héléna savait qu'aucun artifice n'avait le pouvoir de camoufler un manque de talent.

Elle avait sincèrement cru que l'objet central du spectacle serait la cage jusqu'à ce qu'une double réalité la frappe. Premièrement, la cage était un élément intime de sa vie privée. Deuxièmement, elle n'avait aucun rapport avec la thématique de l'œuvre. Elle avait servi à explorer Adam et, en quelque sorte, elle-même dans sa relation avec lui. En aucun cas cette cage ne devait être exposée aux yeux du public.

Le bain était rempli d'eau chaude. Héléna ferma les robinets. Elle observa son corps mince. Peut-être un peu trop ? Elle se demandait s'il plaisait à Adam. Il lui semblait qu'il devait préférer les corps aux belles courbes sensuelles. Les corps invitant aux plaisirs simples de la chair. Il avait eu beau démontrer une réelle passion envers son corps, cela n'avait pas été assez. Elle aurait eu besoin d'entendre Adam dire qu'il aimait son corps. Elle devait pourtant se rappeler qu'il n'était pas Wouter et que les gestes étaient parfois plus révélateurs que les mots.

Depuis qu'ils avaient fait l'amour, elle espérait qu'Adam ne soit pas juste de passage dans sa vie, c'est-à-dire le temps d'un spectacle. Elle n'était pas uniquement aveuglée par le désir sexuel qu'il avait réveillé en elle. Dès les premiers instants en sa compagnie, elle avait su que quelque chose en ce jeune homme venait la chercher. L'interpeller. Et l'intimité qui se développait entre lui et elle lui confirmait qu'elle avait vu juste. Du moins, de son propre point de vue.

Elle prit le pain de savon et le frotta vigoureusement sur son corps comme si elle voulait nettoyer ses espoirs envers Adam. Les effacer. Car, enfin, il allait très certainement disparaître de sa vie après le 3 juillet. Pourquoi voudrait-il rester?

Elle continua de se laver tandis que ses pensées bifurquaient vers John. Celui qui éliminait. Elle savait, sans pouvoir l'expliquer. Et il savait qu'elle savait, sans pour autant l'éviter. Quel étrange lien. Pourquoi lui avait-elle confié qu'elle avait un amant? Elle lui avait même avoué l'importance qu'Adam avait dans sa vie.

Héléna n'avait pas voulu se soucier de la présence de John au Temple, même si la possibilité qu'il planifiait de commettre un meurtre le soir de l'inauguration lui semblait réaliste. Elle n'en avait cependant aucune preuve. Alors elle avait décidé que ça ne la regardait pas. Il ne pouvait tout de même pas avoir l'intention de la tuer, elle.

En était-elle certaine?

Non.

C'était absurde. Qui voudrait la faire assassiner? Et pourquoi?

Héléna finit de se laver et retira le bouchon de la bonde en pensant qu'elle était décidément épuisée pour divaguer de la sorte.

RACHEL

C'était le début de la soirée et des ouvriers s'affairaient à poursuivre la transformation de l'intérieur du Temple en sûrement quelque chose d'extraordinaire qui, pour le moment, avait encore des allures de chantier de construction, avec échafaudages, bâches de plastique et beaucoup de poussière de plâtre. Entre la dernière fois où Rachel était venue et maintenant, tous les sièges du parterre avaient été retirés et le tapis arraché. On avait nivelé le plancher qui, à l'origine, était incliné en une légère pente. Il était désormais couvert de planches de bois qui attendaient d'être vernies. Ce serait un plancher de danse imposant pouvant accueillir au moins deux cents corps serrés les uns contre les autres. Elle s'imagina dansant le soir de l'inauguration, entre deux beaux hommes au torse nu ou avec une fille sexy comme elle. Elle se demanda ce qu'elle allait porter.

Assise les jambes croisées sur une des chaises installées sur la future piste de danse, elle attendait que JMB soit prêt à partir et, cette fois-ci, elle avait préféré attendre à l'intérieur du Temple plutôt que dans sa voiture.

À travers les bruits de marteau, de perceuse et autres sons non reconnaissables à l'oreille de Rachel, la musique jouait à tue-tête. Un groupe d'artistes et la chorégraphe étaient sur scène en pleine pratique. L'ambiance était chaotique, mais tout le monde semblait s'adapter.

Elle vit soudain Mélanie sortir du bureau de JMB et, une enveloppe à la main, se diriger vers elle.

— Salut, Rachel. Ça va ?

— Oui. Toi ?

— Ça va vite, répondit-elle en lui donnant l'enveloppe qui contenait une paye en argent comptant. Tu attends JMB ?

— Oui.

— Je crois qu'il n'est pas parti d'ici avant une bonne heure encore.

— Ça ne fait rien, je regarde les performeurs.

Mélanie se tourna vers la scène.

— C'est bon pour les yeux, hein ?

Elles se sourirent puis Mélanie s'éloigna vers un groupe d'artistes qui attendaient leur tour sur le côté de la scène.

Les trente minutes suivantes, Rachel eut droit à des démonstrations de cracheurs de feu, d'avaleurs de sabre, de contorsionnistes et autres performances relevant du cirque. De temps en temps, elle observait aussi le reste du Temple en métamorphose. On ne reconnaissait déjà plus l'ancienne salle de spectacle, sauf la scène qui subirait probablement des modifications à la dernière minute pour permettre aux artistes de pratiquer le plus longtemps possible.

Elle ne put faire autrement que remarquer l'homme qui entra et vers lequel Mélanie se précipita : grand

et baraqué comme un GI, regard de vautour et
gueule du méchant à éliminer dans un film policier.
Très mâle alpha. Ce qui ne l'empêchait pas d'être
terriblement sexy. Du moins, c'est ce que pensa
Rachel en ressentant le titillement de l'excitation la
chatouiller.

Mélanie et lui échangèrent quelques paroles et,
à voir la distance entre eux et leur manière d'inter-
agir, Rachel en déduisit qu'ils n'étaient pas liés outre
de manière professionnelle. Une impression qui lui
fut confirmée lorsqu'elle les vit avancer vers elle.

— Rachel, je te présente Andy, il va travailler à
la sécurité.

Rachel se leva et tendit la main. Andy la serra fermement tandis que son regard la pénétrait jusqu'aux
os.

— Enchantée, dit-elle.

— Je vous laisse, je dois retourner voir JMB, dit
Mélanie en disparaissant rapidement comme à son
habitude.

Rachel se rassit sur sa chaise et Andy s'assit sur
la chaise à côté d'elle. Il se pencha pour lui parler.

— Tu fais quoi ici, Rachel ?

— Je suis la chauffeure privée de JMB.

— C'est à toi, la Continental brune ?

— Oui.

— Belle voiture.

— Merci.

Plus il la regardait et plus elle se sentait devenir
molle de désir. Elle cherchait désespérément un sujet
de conversation pour se donner contenance. Une piste
lui traversa soudain l'esprit. Si Andy travaillait pour
la sécurité…

— Tu travailles avec John?

— Non. Il n'y a aucun John dans mon équipe.

Rachel fut troublée par sa réponse. Était-il possible que deux agences de sécurité différentes aient été engagées le soir de l'inauguration? Ça semblait peu probable. Elle allait poser une autre question, mais le GI ne lui en laissa pas le temps.

— Tu me donnes l'impression d'être *willing*, Rachel.

— Oui, s'entendit-elle répondre sans avoir eu le temps de réfléchir.

— Une bonne baise *hard* avec moi, ça te dirait?

Elle ouvrit la bouche, mais cette fois-ci, il n'en sortit qu'un « oh » muet. Elle avait croisé des types audacieux, mais jamais comme lui. Pire, maintenant qu'il l'avait mise dans l'embarras, il n'avait plus de regard que pour son décolleté.

— Viens me rejoindre dans le stationnement, dit-il avant de se lever et de quitter la salle.

Subjuguée par Andy, Rachel sortit du Temple une minute plus tard.

Elle se rendit au rendez-vous en courant sur ses talons hauts et le slip déjà mouillé tellement ce barbare contemporain lui inspirait un désir vif et violent. Elle n'en avait jamais eu dans ce genre de gabarit extrême et dégageant une sexualité aussi brute. Une partie obscure d'elle-même réagissait pourtant avec urgence. L'urgence d'explorer du nouveau.

Une fois dans le stationnement, Rachel chercha Andy du regard, mais ne le vit pas. Debout, elle pivota sur elle-même, angoissée. Il ne pouvait pas lui avoir posé un lapin.

Non, il ne lui en avait pas posé un. Il émergea de l'ombre d'une entrée de garage et l'invita à approcher du bout d'un doigt. Elle y alla d'un pas ferme, le cœur battant la chamade. La charge érotique que dégageait Andy agissait sur sa libido comme un aimant. Dès qu'elle fut près de lui, il la fit pivoter sur elle-même et la plaqua contre un mur de briques. Rachel n'eut pas le plaisir de sentir sa bouche contre la sienne. Son ténébreux GI se contenta de prendre un de ses seins à pleine main et de la baiser par-derrière sans même qu'elle eût le temps de savoir s'il avait enfilé un condom. Elle n'avait pas pu le lui demander car il avait plaqué son autre grosse main sur sa bouche.

13 JUIN

ADAM

Lorsque Héléna ouvrit la porte du loft, deux semaines après leur dernière rencontre, Adam crut qu'ils se jetteraient l'un sur l'autre afin d'assouvir leur désir trop longtemps retenu. La réalité s'avéra fort différente. Son amante avait un regard étrange, à la fois lointain et focalisé et, en jetant un œil derrière son épaule, Adam vit l'énorme objet qui avait été ajouté dans le loft devant le plus long des murs de brique. Stupéfait, il avança lentement vers les restes d'une voiture qui, visiblement, avait été non seulement accidentée mais modifiée. Le tiers du châssis soutenait encore la banquette arrière et le siège du conducteur. La moitié de la carrosserie et du tableau de bord avait été préservée, de même que le volant, la portière côté conducteur et le rétroviseur. Il n'y avait plus ni toit, ni pneus.

— Ça prend beaucoup de place comme nouveau décor, dit-il.

— C'est notre décor de scène.

— Ah ! Je croyais que ce serait peut-être la cage.

Il n'eut droit à aucune réaction mais ne s'en offusqua point. C'était elle la créatrice. L'esprit du spectacle. Si elle décidait qu'il aurait lieu dans une carcasse de voiture plutôt qu'une cage, il n'allait pas s'y opposer.

En la voyant s'asseoir par terre et s'affairer sur les nombreux instruments disposés devant le cadavre de la voiture comme si elle dirigeait une opération importante, Adam comprit qu'il l'avait interrompue dans son processus créatif. Il fut heureux qu'elle l'ait laissé entrer pour partager ce genre d'intimité avec lui et il devinait qu'il apprendrait enfin des détails sur le spectacle qu'ils allaient donner ensemble.

— Comment tu as réussi à faire entrer ce gros objet chez toi?

— La voiture traînait dans la cour d'un ami, expliqua-t-elle sans lever la tête. Il l'a fait livrer chez un de nos amis qui est sculpteur et à qui j'ai demandé de la modifier à mon goût. Il fallait aussi qu'elle soit facile à déplacer d'un endroit à l'autre. On peut la séparer en cinq parties.

Adam se demanda qui étaient les amis dont elle venait de mentionner l'existence. Il ne put s'empêcher de ressentir une pointe de jalousie. Il en savait si peu sur Héléna. Étaient-ils seulement des amis, elle et lui? Ou plus? D'anciens amoureux? Des amants occasionnels? Allait-il les rencontrer un jour? Étaient-ils jeunes comme lui? de son âge à elle?

Il remarqua, à travers les machines étalées sur le plancher, un carrousel de diapositives (il en avait déjà visionné chez son grand-père) et, tout près, un projecteur dans lequel étaient installées deux petites roulettes de pellicule à peine plus large que ses lacets de Converse.

Il approcha du décor de scène.

— Est-ce que je peux m'asseoir dedans?

— Oui.

Il s'installa derrière le volant qu'il agrippa et fit semblant de conduire sur une route imaginaire.

— Est-ce que tu crois que je vais avoir un accident?

Cette fois, Héléna leva la tête et le dévisagea. Adam remarqua à quel point elle avait l'air affectée par sa question.

Elle se leva brusquement et marcha droit vers la cuisinette. Adam la vit sortir une bouteille de vodka à moitié vide du congélateur puis retourner s'asseoir parmi son centre de contrôle.

Toujours assis derrière le volant, Adam comprenait qu'il avait abordé un sujet délicat. *Crash*, les voitures, la mort, les victimes et le spectacle dans le cœur d'une voiture accidentée... Il s'était posé bien des questions après avoir terminé la lecture du roman de Ballard, deux jours plus tôt. Il l'avait aimé malgré son étrangeté troublante et ses personnages à la limite de la folie. Sauf pour l'étrangeté, il n'avait encore pas saisi pourquoi son amante attachait autant d'importance à cette œuvre. Et cela l'agaçait un peu que sa première blonde ait aussi été tellement fascinée par *Crash*. Mais ayant expérimenté lui-même la lecture de cette histoire si inusitée, il comprenait l'attrait qu'elle pouvait avoir sur les lecteurs. Héléna avait cependant d'autres raisons, plus personnelles, d'être imprégnée de cette œuvre. Il se demanda s'ils étaient assez intimes pour qu'il se permette de poser une question indiscrète. Il décida d'oser mais en prenant un chemin détourné.

— J'ai oublié de rapporter *Crash*.

— Est-ce que tu l'as lu ?

Il aima qu'elle le lui demande.

— Oui, répondit-il, fier de pouvoir le confirmer.

Elle le regardait entre chacune des gorgées de vodka qu'elle buvait à même la bouteille. Il remarqua que son visage s'était détendu et il crut même y déceler de la joie, bien qu'il ne fût pas certain qu'Héléna puisse ressentir ce genre d'émotion naïve.

— Et qu'est-ce que tu en penses ?

Elle voulait vraiment connaître son opinion. C'était important pour elle. Il était flatté de son intérêt.

— Tu avais raison, ce n'est pas facile comme lecture. C'est dérangeant et provocant et comme je ne tripe ni sur les voitures ni sur la vitesse, les accidents ou l'instinct suicidaire… Les personnages étaient très loin de moi, tellement bizarres, intenses dans leur manière de penser et de vivre. En même temps, j'étais fasciné par leurs obsessions et leur désir de faire de leur mort une mise en scène contrôlée.

Adam ne sut ce qui incita Héléna à venir le rejoindre. Peut-être que sa franchise lui avait plu. Elle s'allongea sur la banquette, les jambes repliées et une main derrière la tête. Il quitta le siège conducteur pour s'agenouiller près d'elle et caresser son bras nu qui reposait sur son ventre.

— As-tu déjà aimé ? demanda-t-elle.

Étonné par la question, il s'interrogea : avait-il vraiment aimé sa seule et unique blonde ? Il ne s'était jamais intéressé à ce qu'elle faisait ou à la personne qu'elle était vraiment. Il l'avait désirée et il avait cru que c'était ce qu'on appelait l'amour.

— Non, finit-il par déduire. Toi ?

— Oui.

Bien sûr, il s'attendait à cette réponse. Héléna avait beaucoup plus d'expérience de vie que lui. Il était normal qu'elle ait déjà aimé.

— J'ai été profondément amoureuse une fois dans ma vie, continua-t-elle. Wouter et moi avons été ensemble onze ans.

Adam ne put retenir sa question.

— Pourquoi ça s'est terminé?

— Il est mort. Il était la deuxième moitié de Crushing Steel.

Il se rappela que JMB avait dit du partenaire de musique d'Héléna « qu'il n'était plus ». À ce moment-là, Adam n'avait pas déduit qu'il n'était plus de ce monde mais simplement qu'il n'était plus dans Crushing Steel. Maintenant, il comprenait pourquoi le patron du Temple n'avait pas insisté ou donné d'explication.

— Il est mort dans un accident de voiture, précisa-t-elle.

C'était donc cela. L'homme qu'elle avait aimé était mort dans un crash d'automobile. Adam ne sut quoi dire. Ce fut Héléna qui poursuivit la conversation.

— Les personnages de *Crash* oscillent constamment entre la vie et la mort, entre la chair et la technologie, en quête de leur vérité profonde. J'ai vécu comme ça la première année après la mort de Wouter, en me demandant si ma vérité était de continuer dans ce monde ou de passer de l'autre côté parce qu'il n'y avait plus rien qui m'intéressait de ce côté-ci.

— Tu as tenté de te suicider?

— Non. J'étais obsédée par l'idée, mais le désir de passer à l'acte ne s'est jamais manifesté. Et je savais que Wouter n'aurait pas apprécié.

— C'est la musique qui t'a aidée à passer à travers cette période ?

— Pas au début. J'ai été incapable de jouer pendant des mois, je préférais passer de longues heures assise sur le rebord de la fenêtre à regarder les voitures et les gens défiler. Je ne voyais personne. J'ai disparu de la scène musicale à laquelle j'appartenais. Je me suis graduellement débarrassée de mes possessions en pensant, pendant un moment, que la solution était de quitter Montréal pour aller vivre ailleurs. Jusqu'à ce que je comprenne que ça ne ferait que changer le mal de place. Je me suis alors mise à boire beaucoup trop de vodka, une mauvaise habitude. Ce n'est que depuis le printemps que j'ai recommencé à donner des spectacles. Mais ils n'ont rien à voir avec ceux de l'époque de Crushing Steel. Je me suis tournée vers le *noise*, qui est un déni de la musique. Ça me fait du bien mais ça ne paye pas beaucoup. J'ai grugé presque toutes mes économies jusqu'à ce que l'instinct de survie me rattrape. Alors je me suis souvenue que j'avais le talent de créer et que je n'avais aucune raison valable de ne plus l'utiliser. Je suis tombée sur l'annonce de JMB, sur son projet de Temple d'Éros, et je suis allée lui proposer un spectacle. Et puis il y a eu toi.

Elle cessa de parler et se tourna sur le côté, vers lui.

— Tu m'as fait me sentir vivante de nouveau et réaliser à quel point j'étais hantée de désir.

Héléna l'attira vers lui et l'embrassa. Adam aurait aimé lui dire qu'elle stimulait son désir d'une manière différente des autres femmes, mais il préféra fusionner et jouir avec elle sur la banquette de cuir de la voiture accidentée, histoire de s'imprégner, encore plus, de l'univers de *Crash* et de son amante.

15 JUIN

JOHN

John entra au salon avec deux cafés. Il regarda Andy assis en plein centre du vieux divan aux ressorts usés. Il déposa les deux tasses sur la table basse et retourna à la cuisine se chercher une chaise.

De retour au salon, il installa la chaise face à son frère et s'y assit.

— Qu'est-ce qui se passe entre Rachel et toi ? demanda Andy, tout de go.

John se pencha pour prendre sa tasse. Il se redressa, but une gorgée et soutint le regard de son interlocuteur.

— Rien. J'ai cessé de la voir.

— Depuis quand ?

— Depuis la fois où elle est venue me chercher à la maison.

Andy réfléchit.

— Ça fait deux semaines. Tu lui as parlé depuis ?

— Oui.

— Pourquoi ?

— Parce que j'avais besoin d'entendre sa voix pour me masturber.

— Ça a fonctionné ?

— Oui. Mais je pensais à une autre femme en même temps.

John vit Andy se laisser tomber contre le dossier du divan, puis se redresser, se pencher vers l'avant, les coudes appuyés sur les genoux.

— Quelle autre femme, John ?

— Héléna. Une femme bien, elle aussi. Très bien.

Andy prit sa tasse, but quelques gorgées et la redéposa sur la table.

— John, Rachel n'est pas une femme bien, dit-il en regardant son frère droit dans les yeux. C'est une salope.

Le mot pénétra dans la tête de John avec la même violence qu'une lame de couteau.

— J'étais au Temple il y a trois jours, continuait Andy. J'ai abordé Rachel. Quand je lui ai dit que je travaillais pour l'agence qui allait s'occuper de la sécurité le soir de l'ouverture, elle m'a demandé si je te connaissais. J'ai répondu non.

John enregistrait les informations qu'il entendait tandis que la lame continuait de le blesser.

— Elle sait déjà probablement que j'ai menti. C'est facile à prouver. J'avais besoin de nier parce que je voulais vérifier si elle était aussi salope que sa réputation l'affirme.

Rachel, une salope de réputation ?

— Si je lui avais dit que je te connaissais, elle ne m'aurait peut-être pas laissé la fourrer comme une pute dans le stationnement après que je lui ai parlé à peine une minute.

Le couteau plongea dans le corps de John et la lame se fraya un chemin vers son plexus solaire. Rage et haine explosèrent hors de lui. Il balaya d'un coup de pied la table et son contenu pour se ruer sur son frère. Mais l'altercation n'eut même pas le temps d'avoir lieu ; John se retrouva allongé et immobilisé sur le divan par la poigne de fer de la montagne de muscles qu'était Andy.

— John, Rachel est une pute, comme notre mère. Est-ce que tu comprends ?

Évidemment qu'il comprenait. Il n'était pas débile.

Andy relâcha John, qui se leva prestement. Il ramassa la chaise qui avait basculé sur la moquette et il se rassit exactement au même endroit, en regardant son frère dans les yeux.

— Je vais la tuer.

— Ce n'est pas nécessaire, John. Cesse juste de la voir et de lui parler. OK ?

Il réfléchit un moment. Andy avait raison. C'était mieux ainsi.

— D'accord.

Andy se leva. John l'imita.

— Je crois que tu devrais aussi laisser tomber tes espoirs avec Héléna.

— Ce n'est pas une salope.

— Je le sais, dit Andy en s'approchant de la porte. Mais c'est peut-être elle que tu vas devoir éliminer.

Son frère sortit du logement sans rien ajouter. John se laissa tomber sur la chaise. Éliminer Héléna ? En serait-il capable ?

19 JUIN

RACHEL

En entrant au Temple et en longeant le long corridor qui menait à la salle principale, Rachel fut étonnée de ne pas entendre de musique mais bien de percevoir l'écho d'interactions verbales agressives. Parvenue aux abords de la salle, elle vit JMB debout, face à un demi-cercle d'une dizaine d'individus. Ils gesticulaient et parlaient tous en même temps. Les échanges étaient acerbes et Rachel comprit qu'elle était témoin d'une engueulade solide. Certainement pas le moment idéal pour poser des questions au patron. Elle se glissa donc discrètement près d'un échafaudage dans la pénombre, décidée à patienter le temps que la tempête passe.

Rachel n'avait pas l'habitude des regrets, particulièrement en matière de sexe et, en général, elle tombait sur des complices qui appréciaient le plaisir de partager un bon moment à deux. Quelquefois, elle croisait des hommes aux agissements et désirs bizarres qui auraient pu manifester des tendances violentes à long terme, mais pas le temps d'un *one fuck time*. Ceux-là, Rachel ne les revoyait pas.

La semaine d'avant, avec Andy, elle s'était sentie comme une imbécile dont on abuse, et cette aventure désagréable lui trottait dans la tête depuis. Certes, le grand gaillard l'avait prise sans préliminaires et par-derrière, démontrant une absence totale de désir de relation si sexuelle fût-elle. Il était en tout cas évident qu'il n'avait pas eu comme objectif de donner du plaisir à sa partenaire. À lui-même ? Pouvait-on dire cela d'un homme qui se vidait en moins de deux minutes dans le corps d'une femme, remontait son pantalon et s'en allait sans rien dire ? Rachel était restée gelée et sans voix pendant quelques secondes, arrivant à peine à croire à ce qui venait de lui arriver. C'était dégueulasse, mais elle s'en serait remise ; des salauds qui détestaient les femmes et ne cherchaient qu'à les humilier, ça existait, et elle s'en voulait de s'être laissé bêtement séduire par un mâle de ce genre. C'était tant pis pour elle. Inutile d'en faire un cas. Ce qui la troublait n'était donc pas l'acte sexuel ignoble en lui-même, mais le fait d'être restée avec l'impression qu'Andy lui avait menti en prétendant ne pas connaître John.

Rachel, ce n'est finalement pas moi que tu vas reconduire mais John, un des gars de l'agence de sécurité.

JMB n'avait pas dit d'une des agences de sécurité, mais bien de l'agence de sécurité, ce qui laissait sous-entendre qu'il n'y en avait qu'une seule qui avait été engagée pour assurer la sécurité le soir de l'inauguration du Temple.

Le ton monta autour de JMB. Des insultes se mirent à pleuvoir et la plupart des individus impliqués prirent soudain la direction de la porte, de fort mauvaise humeur. Rachel jugea que c'était assez normal que des tensions montent et que des conflits éclatent à mesure que le grand jour approchait.

Mélanie et la chorégraphe étaient restées avec JMB. Ce dernier, les joues rouges et le front en sueur, déboutonnait son col de chemise. Rachel se demanda s'il n'allait pas s'effondrer. Les deux femmes durent penser la même chose, car elles prirent chacune le patron par le bras et le menèrent à son bureau.

Rachel attendit quelques secondes, puis elle quitta sa cachette pour aller frapper délicatement contre le cadre de la porte ouverte. Le patron du Temple était assis dans son fauteuil en cuir, un verre d'alcool ambré à la main. La chorégraphe discutait avec lui. Ce fut Mélanie qui réagit la première.

— Rachel?

— Salut, Mélanie.

— Tu te pointes juste au bon moment, dit JMB d'une voix moins tonitruante que d'habitude. Je vais rentrer chez moi dans quelques minutes.

Le patron reprit sa conversation avec la chorégraphe. Mélanie fit un signe de tête à Rachel, suggérant qu'elles se retirent.

Dans la salle, c'était le calme plat après la tempête. Mélanie se hissa sur le bord de la scène où elle s'assit, les jambes pendant dans le vide. Rachel resta debout. Elle observa la jeune femme – qui avait sûrement une décennie de moins qu'elle – fixer le fond de la salle, le regard vague.

— Tout le monde impliqué dans l'ouverture du Temple commence à être méga stressé, dit soudain Mélanie sans savoir si Rachel avait ou non été témoin de la dispute. C'est beaucoup de pression.

— C'est normal, mais ça va probablement se replacer le soir même et tout le monde va être heureux le lendemain.

Mélanie sourit.

— Oui, moi aussi je pense ça.

Rachel trouva soudain le moment propice à une petite enquête.

— Est-ce qu'un certain John, de la sécurité, ça te dit quelque chose ?

Mélanie plissa le front puis haussa les sourcils.

— Non. Je connais juste Andy, le gars que je t'ai présenté l'autre fois.

C'était contrariant.

— En fait je l'ai peut-être croisé sans le savoir, continua-t-elle. J'ai rencontré beaucoup de gens nouveaux depuis que je travaille pour JMB.

Ce qui avait du sens, devait admettre Rachel.

— Je vais aller voir comment va le patron.

Mélanie se laissa glisser sur le plancher et s'éloigna vers le bureau.

Rachel se dit qu'elle n'avait aucune raison de ne pas croire la jeune femme. Peut-être que John n'était venu qu'une fois au Temple et que JMB n'avait pas eu le temps ou avait oublié de le lui présenter.

Les minutes s'écoulèrent, silencieuses, sauf pour le murmure des voix qui provenaient du bureau. Puis JMB, l'air abattu, apparut dans la salle et annonça à Rachel qu'il partait.

Elle sortit du Temple. La Lincoln était stationnée devant. Rachel s'installa derrière le volant, démarra le moteur et baissa le pare-soleil dont le miroir s'éclaira. Elle fouilla dans son sac à main pour prendre sa trousse à cosmétiques. Elle appliqua une nouvelle couche de rouge sur ses lèvres, épaissit ses cils de mascara et ajouta un peu de fard sur ses joues. Pure coquetterie de pin-up et parce qu'elle savait qu'être attrayante faisait le bonheur des yeux de son patron, qui avait compris et respectait qu'elle ne soit pas une *dumb blonde*.

JMB ouvrit la porte et monta à l'arrière. Rachel passa une main dans ses boucles blondes avant de relever le pare-soleil, puis elle appuya sur l'accélérateur du bout de son escarpin.

Elle savait qu'il aurait été préférable de ne rien dire parce que son passager avait l'air vraiment mal en point, mais elle n'allait pas pouvoir retenir la question qui lui brûlait les lèvres. Elle attendit d'avoir roulé quelques minutes avant de la poser :

— Tu te souviens de m'avoir demandé de reconduire chez lui un gars de la sécurité qui s'appelle John ?

— Oui. Pourquoi ?

— Est-ce que l'autre gars de la sécurité, Andy, travaille pour la même agence ?

— J'ai engagé juste Lamarre Sécurité et ça devrait suffire. Je n'ai quand même pas invité Obama à la soirée d'ouverture.

JMB rit, fier de sa blague et parce qu'il était épuisé et que ça le détendait de laisser sortir la tension, comprit Rachel qui lui fit un clin d'œil dans le rétroviseur.

Voilà. Elle avait bel et bien la confirmation qu'Andy avait menti. Mais pourquoi la brute de GI avait-il nié connaître John ? Et pourquoi avait-il manœuvré pour séduire Rachel si rapidement, compte tenu de son désintérêt total pour l'acte sexuel ?

Avait-il eu un autre but derrière la tête ? John savait-il qu'Andy l'avait baisée ? Les deux hommes étaient-ils de mèche ? Si oui, pourquoi ?

Après avoir déposé JMB devant chez lui, Rachel ouvrit son cellulaire et tapa Lamarre Sécurité sur Google. Elle consulta le site web de l'entreprise qui offrait les services habituels d'une agence de sécurité. Aucun nom de propriétaire ou d'employé n'était mentionné.

Rachel décida qu'elle avait besoin de connaître la vérité.

La dernière fois qu'elle avait vu John remontait à presque trois semaines. Entre-temps, il lui avait téléphoné une fois pour se masturber sans toutefois émettre le désir de la revoir. Du moins, pas bientôt. Il n'avait pas dit jamais.

Rachel ne pouvait lui téléphoner. Son numéro était confidentiel. Mais elle se souvenait de l'adresse du boulevard Saint-Joseph, là où elle l'avait conduit à la demande de JMB.

Elle allait avoir une conversation avec John.

C'était à lui qu'elle devait poser des questions.

20 JUIN

HÉLÉNA

Héléna sortit de la salle de bain, vêtue d'un long peignoir bleu nuit, en se frottant les cheveux avec une serviette. Elle resta debout près de la porte à observer Adam danser sans musique autour et à l'intérieur de la carcasse automobile. Concentré, il répétait des gestes et des mouvements. Il travaillait son agilité à passer du siège avant à la banquette arrière avec à la fois du naturel et du style.

Adam lui avait fait part de son désir d'être créatif et de participer à la chorégraphie du spectacle, si elle était d'accord. Héléna ne demandait pas mieux.

Lorsqu'il s'aperçut qu'elle le regardait, il s'immobilisa debout sur la banquette. Et il parut un peu intimidé, une émotion qui le traversait rarement.

— C'était n'importe quoi, dit-il.

— C'est un bon début.

Ils étaient enfin prêts à pratiquer leur spectacle. Ils avaient une bonne compréhension mutuelle de qui ils étaient, d'où ils venaient et vers quoi ils tendaient. Adam était avide d'une forme de reconnaissance.

Il avait besoin de prouver qu'il était capable d'accomplir plus que ses prestations au Hard & On. Participer à ce spectacle allait lui permettre de progresser. Héléna, elle, élaborait sa transition finale entre son passé et son futur. Ce n'était pas le progrès qui l'intéressait. Elle ne se sentait pas le besoin de prouver quoi que ce soit. Même sans Wouter, elle pouvait créer. Héléna était prête à évoluer vers quelque chose d'autre.

Et puis il y avait leur intimité physique qui s'approfondissait graduellement et sur une bonne voie. Leurs expériences sexuelles étaient pourtant à l'opposé l'une de l'autre. Adam avait trouvé un réel plaisir à toutes ses nombreuses expériences (à quelques exceptions près). Héléna n'avait pas trouvé la vraie félicité sexuelle avant Wouter, mais Adam avait fait naître en elle un désir que jamais Wouter ne lui avait inspiré. Bien qu'elle n'eût jamais ressenti de désir pour les femmes, l'idée d'endosser un rôle masculin avec son jeune amant lui trottait dans la tête depuis le début et ce, bien avant qu'il lui eût confié qu'il avait eu des aventures homosexuelles.

— Quand est-ce qu'on commence à pratiquer? demanda-t-il en sautant de la banquette pour venir la rejoindre.

— Tout de suite, répondit-elle en accrochant sa serviette à la poignée de porte.

Adam eut l'air à la fois étonné et ravi, puis il suivit Héléna dans la chambre. Elle lui demanda de se déshabiller, ce qu'il fit rapidement, tandis qu'elle ouvrait le tiroir de la table de nuit pour y prendre deux bouteilles. Elle en déboucha une et, quand elle pressa sur celle-ci, un petit amas blanc atterrit dans le creux de sa main gauche. Elle se pencha devant son amant, assis sur le bord du lit, et elle lui couvrit les pieds et les jambes de poudre de bébé. Puis elle lui tapa doucement sur l'arrière d'un mollet. Il comprit le message et se leva tandis qu'elle remettait de la poudre dans ses mains. Elle lui frotta les cuisses et le sexe, bien bandé, sans passer un seul commentaire, et elle apprécia le silence d'Adam.

Une fois son torse et ses bras poudrés, elle l'embrassa mais sans s'attarder. Elle alla ensuite dans la garde-robe pour prendre des sacs en plastique qu'elle déposa sur le lit. Le premier qu'elle ouvrit contenait deux combinaisons en latex noir. Elle en donna une à Adam.

— Nos costumes de scène.

Adam prit la longue peau mince qui sentait fort le caoutchouc.

— Wow, dit-il, le regard allumé. Tu vas aussi mettre la tienne ?

Héléna ôta son peignoir et se couvrit rapidement le corps de talc, en s'entourant d'un fin voile qui flotta dans l'air.

— C'est assez résistant, mais il faut tout de même faire attention, dit-elle en commençant à insérer un pied dans la combinaison.

Adam prit son vêtement et imita Héléna.

— Sans le talc, expliqua-t-elle, c'est encore plus difficile à enfiler.

Il leur fallut une bonne douzaine de minutes pour couvrir entièrement leur peau avec la seconde. Héléna s'étonna de l'aisance avec laquelle son amant s'accommodait de cette forme de restriction inusitée. Du plaisir qu'il semblait en retirer puisqu'il n'avait pas cessé de bander.

La combinaison montait jusqu'au ras-du-cou. Ils remontèrent chacun la longue fermeture éclair de l'autre, située au dos du vêtement.

— Comment tu te sens ?

Adam fit quelques pas.

— C'est étrange comme impression mais plutôt excitant.

Elle prit la seconde bouteille, sur laquelle était écrit Black Beauty Latex Polish. Elle vaporisa sa combinaison, puis celle d'Adam. L'effet était un super-lustre instantané. Mais, comme si ce n'était pas assez, elle déposa la bouteille sur le lit et elle s'approcha d'Adam, qu'elle caressa de ses mains enduites du lubrifiant.

— Wow !

Héléna aussi pensait « wow » dans sa tête en glissant ses mains sur le corps de son amant. Et elle ne fut pas étonnée qu'il repousse doucement sa main après qu'elle eut caressé son membre archi-moulé dans le latex.

— Je vais jouir là-dedans si tu continues, dit-il.

— C'est lavable.

Elle s'éloigna de lui en souriant.

Dans la garde-robe, elle baissa la fermeture éclair d'une housse en tissu. Cette dernière contenait un habit d'homme noir, une chemise blanche et une cravate noire.

— Le reste de ton costume, dit-elle en lui donnant le cintre.

Adam le prit, sourcils froncés.

— Ça vient avant ou après la combinaison ?

— Par-dessus, répondit-elle en déposant une paire de chics souliers vernis près de lui.

— Il va faire chaud !

— Horriblement chaud sous les projecteurs.

Adam mit l'habit et, constatant qu'il était mal-adroit pour nouer la cravate, Héléna l'aida.

— Ça te va plutôt bien, constata-t-elle.

— Une cravate?

— Tout.

Adam avança vers le miroir près de la cage. Il s'examina sous tous les angles, l'air amusé et satis-fait.

— C'est tripant, on ne voit absolument pas ce que je porte en dessous.

Héléna fouillait de nouveau dans la garde-robe.

— Va dans la voiture, lui demanda-t-elle, je te rejoins dans quelques minutes.

Adam prit le temps de mettre les souliers puis il disparut derrière le rideau.

Le costume qu'Héléna sortit de la deuxième housse était semblable à celui d'Adam mais avec quelques accessoires en plus : une casquette de chauffeur, une perruque aux longs cheveux blonds bouclés, des gants de conduite en cuir et un gode-miché noir fixé à un slip en latex. Elle mit le tout et s'observa à son tour dans la glace mais avec un air à demi satisfait. Elle dut ajouter du rouge vif sur ses lèvres pour arriver à l'effet qu'elle recherchait. Enfin prête, elle alla rejoindre Adam.

Ce dernier était allongé sur la banquette arrière en train de se caresser l'entrejambe.

— Ton costume te plaît à ce point-là ?

Adam se redressa vivement et, se tournant vers elle, il écarquilla les yeux. Le silence régna cinq secondes. Héléna n'était pas certaine de ce qu'ex-primait le visage de son amant. Il lui sembla qu'il s'agissait d'une émotion plus complexe que l'étonnement pur et simple.

Elle approcha de la voiture avec l'intention de s'asseoir sur le siège conducteur, mais Adam fut plus rapide. Il se leva et vint se planter debout devant Héléna. Il la dévisagea avec un regard étrange rempli d'un désir qu'il n'avait pas encore exprimé et il finit par l'embrasser avec fougue en se pressant contre elle. Elle en fut agréablement étonnée et elle attendit la suite en espérant que son pressentiment se révélerait juste.

Il fallut un moment à Adam pour réaliser ce qu'elle cachait dans son pantalon.

— Oh, *nice,* dit-il en caressant le faux membre sous le tissu.

Rapidement Adam baissa la braguette pour libérer le gode. Héléna s'étonna de l'excitation qui traversait le corps et le regard de son amant, mais elle en fut elle-même stimulée. Lorsqu'il s'agenouilla devant elle pour enfoncer avec ferveur dans sa bouche cet appendice symbolique, elle constata qu'elle aimait cette mise en scène autant que lui. Elle prit la tête d'Adam pour l'encourager à continuer de la sucer dans sa version masculine.

21 JUIN

JOHN

La fenêtre du salon était ouverte au maximum. John, assis sur le divan, écoutait le roulement du trafic du boulevard Saint-Joseph. La peau moite. La nuque tendue. *Rachel une salope. Une salope de réputation.* Andy ne lui avait jamais menti. John n'arrivait pas à concevoir qu'il ait pu trouver cette femme bien. Même très bien parce qu'elle préférait les nombres pairs aux nombres impairs. Parce qu'elle aimait le regarder se masturber. Parce qu'elle lui avait acheté deux cafés et qu'elle s'était aussi masturbée devant lui. Avec lui. Mais Rachel était une salope. Elle s'était laissé souiller par Andy, un homme qu'elle ne connaissait pas.

La femme qui conduisait la Lincoln n'était pas bien. Elle ne l'intéressait plus.

Depuis qu'Andy lui avait révélé la vraie nature de cette femme, John ne bandait plus. Il se masturbait – il venait de le faire deux minutes plus tôt –, mais son pénis restait flasque. Il refusait de se dresser.

Impossible de jouir n'importe quand et n'importe où, comme il en avait besoin. Impossible de laisser sa trace. John avait eu l'idée de téléphoner à la femme de la Lincoln pour entendre sa voix et s'exciter, mais il n'avait pas été certain que cela aurait encore été efficace et, de toute façon, au moment de prendre son cellulaire pour la contacter, une intense nausée l'avait submergé. Il avait couru jusqu'à la salle de bain, où il s'était agenouillé devant la cuvette, en vain. Son estomac se portait bien, c'étaient ses pensées qui étaient malades. Mais il ne pouvait les vomir. Il ne pouvait évacuer de son système sa mère, une salope qui écartait les jambes ou les fesses pour tous les minables qui la payaient ou non, selon leur humeur. Et ils revenaient. Et elle se laissait souiller de nouveau. Et parfois il y avait de l'argent sur la table de la cuisine pour manger. Et parfois il n'y en avait pas.

Une femme ne pouvait être à la fois bien et salope. Elle était l'une ou l'autre.

John voulait ne pas se préoccuper de son membre mou, mais celui-ci le démangeait alors il le grattait tout en sachant que l'origine de l'irritation se trouvait dans son cerveau et non sur sa peau. Son pénis voulait se faire prendre fermement, durcir, se dresser fièrement et éjaculer plusieurs fois par jour. Quand cela était, tout allait bien. Il n'avait jamais eu besoin de penser à quoi que ce soit pour bander. C'était un événement quotidien naturel pour lui, comme celui de manger ou de dormir.

Récemment, John avait regardé des sites Internet pornographiques en espérant une forme de stimulation, mais les images ou les vidéos, peu importe les catégories, n'avaient rien provoqué en lui.

L'air frais qui pénétrait dans la pièce atténuait la raideur de sa nuque. John en profita aussi pour aérer l'intérieur de sa tête. Il avait besoin d'éliminer le contenu désagréable des dernières minutes.

Les secondes s'écoulèrent avant que ses pensées nettoyées soient remplacées par des images de la grande et mince Héléna aux cheveux noirs et aux yeux bleus. Se souvenir de leurs rencontres ne provoqua pas d'érection mais stimula le projet de la revoir. Elle lui avait dit qu'elle aimait un homme plus dangereux que lui, John. Elle devait donc vraiment l'aimer si elle continuait de le voir. C'était bien. Très bien. Elle n'était pas une salope. Les salopes n'aiment personne.

Pourquoi n'était-ce pas lui qu'Héléna aimait? Elle connaissait sa profession. Elle savait qu'il allait éliminer quelqu'un le 3 juillet. Elle n'avait démontré aucune intention de l'empêcher de faire son Travail ou de le dénoncer. Elle était pour ainsi dire déjà sa complice. C'était une femme précise. Elle serait sûrement capable d'apprendre à tirer. Il pourrait l'entraîner.

Que pouvait bien avoir de particulier cet homme dont Héléna était éprise et que lui n'avait pas? Il devait le savoir.

Il se redressa et souleva le couvercle de son portable installé sur la table basse devant lui. La première information qui l'intéressait était celle de la date du prochain spectacle de *noise* à la Casa Del Popolo. Aucun n'était au programme avant un mois. Il n'allait pas attendre tout ce temps.

La sonnette retentit. John ne s'en préoccupa pas. Quelqu'un avait appuyé sur le mauvais bouton.

Mais on sonna de nouveau. Et encore. Et John quitta le divan pour aller vérifier, debout en retrait près de la fenêtre du salon, qui finirait bien par sortir du vestibule.

La Lincoln brune était stationnée devant chez lui. John n'allait pas ouvrir à la femme qui conduisait cette voiture. Il n'avait rien à lui dire. Et il ne banda pas en pensant à elle. À sa voix. À son corps. Elle ne connaissait pas le numéro de son appartement, mais elle appuyait sur l'unique sonnette dont le nom du locataire n'apparaissait pas. Elle sonna une quatrième fois et se rendit enfin à l'évidence qu'elle n'aurait pas de réponse. Il la regarda quitter l'immeuble, contrainte dans sa jupe moulante et juchée sur ses talons hauts ridicules. Il la trouva laide et vulgaire. Comme sa mère. Il l'observa monter dans sa voiture et partir, enfin persuadé qu'il ne la reverrait jamais, comme il l'avait cru la nuit du 16 mai 2008. À moins que ce soit elle qu'il doive éliminer.

La nuque de plus en plus souple, John marcha jusqu'à la chambre. Il sortit l'uniforme d'agent de sécurité de la garde-robe. Il se débarrassa de ses vêtements et l'enfila pour s'assurer, encore une fois, que tout était parfait. Il s'observa dans la glace. Il avait bien l'allure d'un gardien de sécurité normal.

Il retira son uniforme et passa sous la douche. Il savonna son pénis, qui refusa de s'ériger. C'était contrariant.

Une serviette autour des hanches, John retourna au salon, à son ordinateur, avec le but précis de trouver des informations sur Héléna. Une très courte biographie lue sur le site de la Casa Del Popolo lui apprit qu'elle faisait partie depuis 1997 du duo Crushing Steel. L'autre membre était un dénommé Wouter, originaire d'Amsterdam. En tapant le nom du band, John eut accès à une multitude d'images et de vidéos du groupe. Il écouta quelques-unes de leurs pièces et fut étonné de la différence entre celles-ci (de la musique!) et la performance de *noise* qu'il avait entendu Héléna donner à la Casa. Visuellement, Crushing Steel reflétait parfaitement son nom. Son ambiance était froide et métallique comme de l'acier. Son site web n'avait pas été mis à jour depuis un peu plus de deux ans. En poursuivant ses recherches, John tomba sur un entrefilet dans un magazine de musique alternative:

Le band dark industriel Crushing Steel a perdu Wouter, un de ses deux membres fondateur, décédé le 10 mai 2008 dans un accident de voiture. L'unique commentaire qu'a accepté de nous donner Héléna, l'autre moitié du band et partenaire de Wouter, était que Crushing Steel allait cesser ses activités musicales pendant une période indéterminée.

Le 10 mai… Six jours avant la date de son accident à lui.

La première fois qu'il l'avait rencontrée, quelques semaines plus tôt, Héléna avait joué seule à la Casa Del Popolo et autre chose que de la musique. De l'anti-musique. Sans décor. Sans costume, maquillage ou coiffure extravagante. Aucune mise en scène. Elle était allée au plus simple. À l'essentiel. À la précision issue de son chaos intérieur. Une manière d'exorciser le mal. John comprenait. Il avait lui-même passé sa vie à tuer pour se libérer. En tuant, il allait au bout de sa mère. Au bout de ce qu'elle n'avait jamais été capable de faire : détruire concrètement son erreur. Tuer John, ce fils qu'elle n'avait jamais désiré. Héléna était une femme précise. Et elle était aussi intelligente.

L'homme qu'elle avait aimé était mort et elle prétendait en aimer un autre. *Lui peut me faire souffrir longtemps en sortant de ma vie.* La vérité était claire. Elle était dépendante de lui. C'était mauvais. John se demanda comment une femme aussi intelligente pouvait être ancrée dans l'erreur à ce point. Être atteinte de ce genre de faiblesse. Ne pas réaliser qu'elle n'aimait sûrement pas ce simple remplaçant. Et cet homme ne devait pas la considérer avec autant d'importance qu'elle lui en donnait si elle redoutait qu'il puisse sortir de sa vie.

John se sentit motivé par une mission importante. Il devait revoir Héléna pour lui faire comprendre qu'elle avait pris le mauvais chemin mais qu'il n'était pas trop tard pour cesser de voir cet homme sans intérêt et fréquenter quelqu'un de sérieux. Lui, John, était quelqu'un de sérieux. De précis et d'intelligent comme elle.

Il devait la revoir sans tarder.

22 JUIN

RACHEL

Assise sur une chaise pliante au parterre, Rachel constata que la grande salle n'était plus encombrée d'échafaudages. On commençait à avoir une bonne idée de l'apparence finale qu'elle arborerait le soir de l'ouverture. Sur scène, une chorégraphie sensuelle incluant trois danseurs donnait, elle aussi, un avant-goût de plus en plus précis des performances dont les spectateurs pourraient bientôt jouir.

Rachel regardait le spectacle d'un œil distrait, en se rappelant sa tentative de communiquer avec John le jour précédent. Elle était allée chez lui avec l'intention d'apprendre pourquoi il ne voulait plus la voir, s'il travaillait bien pour Lamarre Sécurité et pourquoi son collègue Andy niait son existence. Elle était restée avec l'impression qu'il était chez lui – la fenêtre était grande ouverte – mais avait décidé de ne pas lui ouvrir. Encore frustrée par cette histoire, elle avait cependant trouvé une seconde solution. Si John ne voulait pas lui répondre, elle allait poser les questions à Andy.

— Qu'est-ce que tu fais ici ?

Dérangée dans ses réflexions, Rachel sursauta, le temps de voir Diva Saphira s'asseoir près d'elle. Elle n'avait pas le goût de discuter avec cette chipie. Qu'est-ce que tu fais ici toi-même ? pensa-t-elle.

— Je travaille pour le patron. Et toi ?

— Je n'ai certainement pas besoin de travailler pour qui que ce soit, répondit la diva affichant une moue méprisante.

Rachel ne s'offusqua point de l'insulte. L'opinion de cette femme la laissait indifférente.

— Ils sont beaux les danseurs, pas vrai ?

Elle se demanda pourquoi Saphira lui demandait son avis.

— Oui, répondit-elle néanmoins, soudain curieuse de comprendre où la diva voulait en venir.

— Tu savais qu'Adam va faire partie du spectacle le soir de l'ouverture ?

Ah ! Adam, bien sûr.

— Oui, répondit de nouveau Rachel. Et toi, pourquoi es-tu ici si tu ne travailles pas pour le patron ? insista-t-elle.

Saphira la regarda, l'air hautain.

— Je suis une des principales actionnaires du Temple d'Éros.

Une fois sa position privilégiée énoncée, la diva se pencha, mouilla le bout d'un index pour frotter une petite tache sur son escarpin vertigineux, probablement un Gucci ou un Louboutin.

— Magnifiques chaussures, la complimenta sincèrement Rachel.

— Une petite fortune tellement agréable à porter.

Rachel la vit plisser le nez de dégoût en jetant un regard vers les escarpins de son interlocutrice, ceux-là non signés.

La diva se redressa et elle appuya sur ses gros seins siliconés pour les mettre bien en évidence dans son décolleté. Le geste, vulgaire, amusa Rachel, qui n'avait rien à lui envier en la matière.

— J'ai tellement hâte de voir le spectacle d'Adam! s'exclama Saphira avec un enthousiasme enfantin.

Une image de la chipie habillée de fanfreluche lui traversa l'esprit. Certainement une poupée soumise dans l'intimité.

— Tu fais quoi, toi, pour JMB?

— Chauffeure privée.

— Vraiment? dit-elle sur un ton redevenu désintéressé.

Elle se leva tout à coup et conclut:

— Je dois y aller. La limousine m'attend.

Puis, sans égard pour la « chauffeure », elle s'éloigna de la démarche déterminée et gracieuse de celles qui semblent être nées chaussées de talons hauts.

Notre seul point en commun, pensa Rachel.

Elle se demanda si Adam était au courant de l'importance de Saphira dans le Temple d'Éros. Il était clair que la prétentieuse diva (sans doute financièrement autonome grâce à de riches parents, ce qui en faisait une copie de plus en plus conforme à Paris Hilton) n'avait pas eu besoin d'insister auprès de JMB pour qu'il engage Adam; le jeune danseur était un phénomène. Mais il était peu risqué de parier qu'elle avait exigé sa participation à la soirée d'ouverture, ne serait-ce que pour son propre plaisir.

Rachel regarda l'heure sur son cellulaire. Il était temps de partir si elle voulait arriver à temps au rendez-vous.

Quelques minutes plus tard, Rachel stationnait sa Lincoln dans le Quartier latin, puis elle marcha jusqu'au Second Cup au coin de Berri et De Maisonneuve. Elle repéra tout de suite Andy, gigantesque sculpture de muscles et d'arrogance, assis dans un fauteuil près de la porte au fond du café. Il la regarda sans aucune expression et elle se sentit en colère contre elle-même ; comment avait-elle pu être attirée par ce genre d'homme ? Ça lui arrivait si rarement de se tromper dans le choix de ses partenaires sexuels.

Rachel paya le grand café et le morceau de gâteau au chocolat puis elle se dirigea vers Andy. Elle déposa sa tasse et sa soucoupe sur la table entre eux et s'assit dans le second fauteuil. Andy tenait sa tasse appuyée sur une cuisse en la toisant de son visage impassible. Elle soutint son regard aux yeux pâles vides de toute expression avec l'impression de se retrouver dans une scène de film western où les protagonistes se dévisagent avant de dégainer. Elle dégaina la première.

— Pourquoi tu m'as menti en prétendant que tu ne connaissais pas John ?

— John est mon frère.

Andy tirait le premier. Ça lui sembla tellement improbable que ce géant soit le frère de l'autre que Rachel crut qu'il lui mentait de nouveau.

— Je n'ai pas eu le choix de te baiser.

Deuxième tir. Elle n'avait pas eu le temps d'émettre le moindre mot.

— Quand tu as frappé John avec ta Lincoln, une partie de son cerveau s'est détraquée.

Troisième tir. Cette fois, elle réussit à lui renvoyer la balle :

— Il a refusé d'aller à l'urgence de l'hôpital où je l'ai conduit.

— Je le sais. Je ne t'accuse de rien. Mais mon frère était déjà quelqu'un de bizarre et il l'est devenu encore plus après l'accident.

— Qu'est-ce que tu veux dire ? Qu'est-ce qui a changé ?

— Il a commencé à ressentir des émotions.

Ç'aurait pu être une bonne nouvelle, pensa-t-elle.

— Je t'ai baisée parce que j'avais besoin de constater la réaction de John, pas parce que ça me tentait.

— Je m'en étais aperçue. Tu aurais pu prétendre que tu l'avais fait.

— Non, continua Andy sans broncher. John et moi sommes incapables de nous mentir. Nous sommes très connectés. Et maintenant qu'il sait que tu es une salope qui fourre avec n'importe qui, il ne veut plus te voir.

Quatrième tir. Rachel n'était pas encore morte de surprise, mais elle prit sa tasse et sa main tremblait de colère. Elle but une gorgée et redéposa la tasse sur la table avant de répondre.

— Il accepte pourtant de revoir son écœurant de frère.

Andy allongea le bras et lui agrippa le poignet droit. Elle se figea.

— Écoute-moi bien, la catin, tu te tiens le plus loin possible de John si tu veux être encore capable de conduire ta Lincoln. Est-ce qu'on se comprend bien ?

— Je comprends très bien la menace, dit-elle en tirant pour se dégager de la prise d'Andy.

Il se leva et sortit rapidement par la porte derrière lui.

Les mains encore tremblantes, elle piqua sa fourchette dans le morceau de gâteau. Elle aurait décidément dû écouter son instinct qui lui avait suggéré, en cours de route, que fréquenter John pouvait être dangereux.

23 JUIN

HÉLÉNA

Héléna tourna un des boutons sur le côté du projecteur. Le mécanisme de la machine s'activa, bruyant, et la lumière éblouit de nouveau Adam, debout près de la voiture décor. Les images n'apparaissaient pas lisses et leur couleur orangée était en partie due au mur de briques. On distinguait néanmoins une longue séquence qui avait été filmée sur la route depuis une voiture en mouvement et rappelait une scène de vieux film de l'époque où les effets spéciaux ne jouissaient pas encore de la perfection numérique. Héléna mit également le carrousel de diapositives en fonction. Elle réorienta la projection à droite de celle du film, légèrement en superposition sur celui-ci. Elle avait programmé le déclencheur automatique de l'appareil en synchronisation avec la chanson. Les images défilant en même temps que la pellicule étaient celles prises à l'époque de Wouter. Des images à la fois sensuelles et troublantes de peau lisse, humide, invitante et frémissante, puis blessée, bleue, coupée et sanglante.

La peau en émoi dans l'acte sexuel, puis transformée après un accident. Héléna avait mixé les différentes trames musicales de sa version de *Warm Leatherette*, d'une durée de vingt minutes, jouées sur son authentique Korg 700s. Elle allait chanter *live* le soir de l'inauguration du Temple.

Lorsqu'ils avaient commencé à pratiquer leur spectacle, trois jours plus tôt, Héléna avait d'abord demandé à Adam d'improviser en suivant la musique comme il savait si bien le faire.

— Sois toi-même, lui avait-elle simplement suggéré.

Inspirée par le talent d'Adam, elle avait été en mesure de le guider dans une chorégraphie non pas en termes de mouvements précis, mais dans l'intention des mouvements, dans la compréhension de la musique, des paroles et de l'effet que l'ensemble de l'œuvre devait créer.

Et il réussissait très bien.

Mais ce jour-là, après plusieurs pratiques de suite, ils étaient épuisés. À la fin de la chanson, Héléna avait la gorge sèche et Adam le visage couvert de sueur, sans parler de la sueur accumulée entre les corps et les combinaisons de latex.

— C'était comment? demanda-t-il en dégageant son visage de la mèche blonde humide.

— Mieux la fois d'avant. On a besoin d'une pause.

— Est-ce que je peux enlever mon costume?

— Si c'est juste pour t'exhiber, non, répondit-elle en souriant.

— On pourrait prendre une douche ensemble.

Adam lui montra son dos. Elle fit glisser la fermeture éclair et en était au tiers lorsqu'on frappa à la porte. Héléna n'attendait la visite de personne.

Elle alla néanmoins ouvrir et ne sut quoi penser en se trouvant face à face avec John.

— Bonsoir, Héléna.

— Bonsoir, John.

Ils restèrent un moment à se dévisager.

— Qu'est-ce que tu veux?

— Parler avec toi.

— Ce n'est pas le bon moment.

Le regard de John se projeta loin derrière elle. Héléna se détourna et vit Adam, debout, qui regardait dans leur direction.

— C'est lui que tu aimes? demanda John.

— Oui.

— Comment il s'appelle?

— Adam.

— Il est très jeune.

— En effet.

— Tu ne devrais pas le fréquenter.

— J'ai l'âge de prendre mes propres décisions. As-tu toujours le goût de me parler?

— Oui.

— Alors, reviens.

— Quand?

— Après le 3 juillet.

Héléna sentit une main sur son épaule droite. Adam s'était approché sans bruit.

— Ça va? murmura-t-il derrière elle.

John avait le regard rivé sur Adam. Héléna sentit passer les vibrations négatives entre les deux hommes.

— Il sera peut-être trop tard, dit John.

Puis avant qu'Héléna ait pu lui demander « trop tard pour quoi », il était parti. Elle referma la porte, car elle s'imaginait mal courir après lui dans le corridor pour avoir une explication sans provoquer une inquiétude inutile chez Adam. Ce dernier la prit dans ses bras, de dos.

— C'est qui ?

Il craignait sa réponse puisqu'il choisissait de ne pas la regarder dans les yeux en l'entendant. John n'était pourtant pas une menace par rapport au lien qui les unissait, Adam et elle, mais Héléna se demandait si elle devait lui expliquer qui était vraiment John ou du moins ce qu'elle croyait qu'il était.

Elle se tourna et l'embrassa rapidement avant de prendre la bouteille de vodka qui traînait sur le comptoir de la cuisinette. Elle alla ensuite s'asseoir sur le rebord de la fenêtre. Adam la rejoignit et ils s'assirent l'un en face de l'autre, leurs jambes en latex glissant les unes contre les autres. Héléna but une longue gorgée avant de passer la bouteille à son amant, qui l'imita et la lui redonna. Héléna glissa le contenant entre ses cuisses.

— John est un homme étrange, commença-t-elle. Je ne le connais pas, et pourtant je le connais bien. C'est difficile à expliquer. On croise parfois des êtres, dans notre vie, qu'on a l'impression de connaître, de comprendre, de saisir en quelques secondes à peine, juste en les observant, et cette intuition se concrétise après une courte conversation. C'est ce qui m'est arrivé avec lui.

Adam l'écoutait avec attention. Au fur et à mesure qu'elle racontait sa première rencontre avec John à la Casa Del Popolo, Héléna remarqua que son visage adoptait un air inquiet et que ses yeux affichaient de la perplexité.

— Il t'a dit qu'il tuait des gens et tu l'as cru ?

— Oui, et je le crois toujours.

— Je trouve ça vraiment *weird*.

— Que je rencontre un assassin ou que je croie qu'il en est un?

— Je ne sais pas.

La conversation s'interrompit le temps qu'ils se passent la bouteille.

— Dans les deux cas c'est dérangeant, poursuivit Adam. Si c'est un vrai tueur, il me semble qu'il ne s'en vanterait pas auprès d'une inconnue. Et si c'est juste un *fucké*, c'est troublant que tu croies qu'il est un vrai tueur.

Héléna sentait croître le malaise d'Adam.

— Tu lui avais donné ton adresse? demanda-t-il.

— Non. C'est facile de trouver l'adresse de n'importe qui.

— Pourquoi il est venu chez toi?

— Manifestement, il voulait me parler. Je ne sais pas de quoi.

— Pourquoi il a dit qu'il serait peut-être trop tard? Trop tard pour quoi?

— Je ne suis pas certaine d'avoir compris.

Héléna se demanda d'abord pourquoi elle lui avait suggéré de revenir après le 3 juillet. Parce qu'elle serait moins occupée après le spectacle? Était-ce la vraie raison? N'y en avait-il pas une autre, plus obscure, qu'elle ne saisissait pas très bien elle-même? Avait-elle envie qu'il revienne lui parler? Et puis pourquoi serait-il peut-être trop tard après le 3 juillet?

— J'ai aussi vu John au Temple, dit-elle soudain, comme si elle venait de se réveiller.

Adam plissa les sourcils.

— Qu'est-ce qu'il faisait là?

— Je crois qu'il préparait un meurtre qui aura lieu le soir de l'inauguration.

Ils se regardèrent droit dans les yeux.

— Tu n'as pas peur ? demanda Adam.

— Peur que ce soit moi qu'il planifie d'assassiner ?

— Ça n'a pas tellement de sens, mais comment peux-tu être certaine que ce n'est pas toi ? Il me donne l'impression d'être encore plus *fucké* que tu le penses s'il trouve ton adresse et débarque chez toi sans prévenir.

Agacée, Héléna fit un mouvement de tête négatif.

— Il n'a aucune raison de vouloir m'éliminer.

— Qui te dit qu'il a besoin d'une raison logique ?

Elle détestait qu'Adam lui mette la vérité en plein visage, néanmoins elle lui en était reconnaissante. John était peut-être effectivement dangereux dans un sens qu'elle n'avait pas prévu.

La bouteille de Smirnoff passa de nouveau de l'un à l'autre, puis Héléna la déposa par terre et s'approcha d'Adam sans aucune subtilité quant à ses intentions. La tension était trop lourde pour qu'ils continuent à élaborer sur le danger que représentait John. Ils avaient besoin de se rapprocher. Sexuellement. Elle glissa ses mains sur la seconde peau de son amant.

— Tu sais ce que je pense, Héléna ?

— Aucune idée, dit-elle en caressant son membre bandé.

— Si tu es pour bientôt te faire assassiner, il faut en profiter pour faire l'amour le plus souvent possible.

Elle ne s'offusqua pas de son commentaire pervers. Adam blaguait. La vodka aidant, il ne croyait probablement pas « vraiment » possible que son amante puisse être la cible d'un tueur. Ou, en tout cas, il ne voulait pas y croire.

Et elle non plus.

25 JUIN

ADAM

Appuyé contre son casier, Adam se permettait une pause entre deux danses. Les derniers jours avaient été épuisants. Il avait peu dormi entre les pratiques du spectacle et ses heures au Hard & On. Et puis il y avait le sexe avec Héléna. Il comprenait mieux ce qu'elle avait voulu dire au tout début en suggérant que travailler avec elle pouvait être dangereux. Elle avait secoué en lui toutes sortes d'instincts et de fantasmes, des désirs inavoués et des émotions troubles.

Adam se demanda s'il n'avait pas été spontanément attiré par elle à cause de son côté masculin. Elle n'avait certes par l'air d'un homme, mais elle dégageait une aura plus masculine que féminine. Lui-même s'était souvent fait dire qu'il dansait de manière plus féminine que la plupart des hommes en étant pourtant loin d'être efféminé. Et puis il avait eu des aventures avec des garçons, sans toutefois jamais aller aussi loin qu'il était allé avec Héléna. Elle l'avait littéralement sodomisé avec son godemiché à la manière d'un homme. Et Adam avait voulu recommencer. Il avait joui de se faire prendre par elle de cette manière. Et elle aussi.

Ça le troublait. Non pas physiquement – c'était un délice – mais dans ses émotions. Avait-elle vu tout cela en lui dès la première rencontre ? Comme elle avait vu en John le tueur ? Ou le pseudo-tueur ? Après tout, elle avait compris son côté « regarde-moi » en lui demandant de danser pour elle dans le stationnement derrière le Temple. Elle lui avait imposé la patience, dans sa cage avec des baisers avant qu'il puisse aller plus loin. Ça lui avait plu de devoir attendre avant de jouir. Elle l'avait tenu en état de désir, lui donnant ainsi le goût de la revoir plutôt que de le consommer comme les autres femmes l'avaient toujours fait avec lui. Il ne s'en était jamais plaint, c'était un échange dans les deux sens et cela lui avait convenu, mais avec Héléna le sexe était assurément plus excitant. Elle était de nature dominante sans toutefois verser dans une attitude extrême. Adam aimait se soumettre à elle, car il n'avait pas l'impression de se trouver dans une situation malsaine. Plutôt complice. Et il était prêt à explorer plus loin si elle le désirait. Il la suivrait si elle voulait de lui. Parce qu'il n'était pas certain que tout cela ne serait pas terminé après le soir du spectacle. Peut-être qu'elle ne voudrait plus le voir, que leur…

Anthony l'interrompit dans ses pensées.

— Adam, Rachel voudrait te parler, dit-il en se montrant à peine le bout du nez et en repartant d'où il venait.

— Je crois qu'elle s'ennuie de toi, dit un danseur en lui lançant un clin d'œil avant d'entrer sous la douche.

Adam n'avait pas envie de parler avec Rachel. Voulait-elle savoir pourquoi il ne l'avait pas rappelée? Était-elle vexée de son indifférence? Elle n'était pas venue au bar depuis presque un mois. Il sortit des coulisses et la repéra, debout au bar, en train de siroter autre chose que son habituel Coke. Il avança vers elle en pensant à Héléna, avec sa casquette de chauffeure, sa perruque blonde à boucles, son rouge à lèvres intense et ses talons hauts. Il se demanda de nouveau si elle s'était inspirée de Rachel. Il avait été sous le choc en la voyant pour la première fois dans son costume.

— Salut, dit-il sur un ton plus formel qu'à son habitude. Anthony m'a dit que tu voulais me parler.

D'abord elle ne sembla pas remarquer qu'il n'était pas dans une prédisposition pour flirter car elle s'approcha de lui, l'air aguichant.

Il recula d'un pas. Elle se figea et eut effectivement l'air vexé, mais elle garda contenance.

— J'ai appris que Saphira était en partie propriétaire du Temple d'Éros. Je sais qu'elle te harcèle...

— Elle a cessé depuis un moment, la coupa-t-il.

— Tant mieux, répliqua-t-elle sur un ton sec. Je voulais juste te dire qu'elle va être à la soirée d'inauguration.

Adam fronça les sourcils et il regarda nerveusement à gauche et à droite comme s'il redoutait que Saphira soit en train de les observer.

— Pourquoi tu me dis ça, Rachel? Tu penses qu'elle va me faire du trouble ce soir-là? Ce ne serait pas très intelligent pour l'ouverture de son Temple.

— L'intelligence serait une qualité de Saphira? Tu veux rire.

Rachel cala son verre et le déposa sur le comptoir. Adam ébaucha un sourire mi poli, mi désolé.

— Merci pour l'information.

— Il n'y a pas de quoi, répondit-elle avant de s'éloigner.

Il s'en voulut d'avoir été bête. Il n'avait rien contre elle. Il pensa la rattraper pour s'excuser, mais il devait retourner sur scène.

26 JUIN

JOHN

L'homme qu'Héléna croit aimer est un danseur nu.
John se répétait la phrase en boucle dans sa tête.
Ça l'avait répugné d'entrer au Hard & On, mais
il le fallait. Dissimulé dans un coin sombre du bar,
discret dans ses vêtements noirs et le visage ombragé
sous une casquette, John avait vu Adam danser et
dévoiler graduellement sa peau, sans toutefois exhiber
son pénis pourtant en érection. À voir la réaction dé-
chaînée et quasi hystérique des clients du bar pour
ce faux exhibitionniste, John s'était indigné. Il n'avait
aucune estime pour cet imposteur. Tandis que pleuvait
le popcorn sur sa casquette, le sentiment de répulsion
qu'il avait éprouvé pour Adam s'était infiltré dans
tout son être.
　Elle, la femme qu'il avait cru bien, était là aussi.
John l'avait repérée lorsqu'elle était entrée au bar,
tard en soirée. Fidèle à elle-même. L'air d'une salope. Sa vraie nature. Un homme qu'elle connaissait
lui avait payé un verre et, un peu plus tard, Adam
était venu lui parler. Elle le connaissait déjà, lui
aussi. Puisque cette femme ne se souciait de rien

d'autre que d'écarter les cuisses pour n'importe qui, elle l'avait sûrement fait pour le danseur, et il en avait profité. C'était normal. Logique. Et ils allaient recommencer. Leur brève conversation avait sans doute eu pour but de déterminer la date de leur prochain rendez-vous. John avait vu le long et solide membre dressé sous le boxer moulant d'Adam. Cette femme devait aimer se le faire enfoncer partout où c'était possible dans son corps.

John resta jusqu'à la fermeture. À trois heures et trois pile – parce que deux fois trois font six –, il se dépêcha de sortir quelques minutes avant que l'intérieur du Hard & On soit inondé de lumière pour inciter les clients à partir. À l'extérieur, il se demanda si les danseurs quittaient leur travail par la porte d'en avant ou celle d'en arrière. Il choisit de se poster sur le trottoir, de biais au bar, ce qui lui donnait une vision en angle, à la fois de la porte avant et de celle donnant sur la ruelle. Et il attendit, comme il savait si bien le faire. La patience. Une des principales qualités du tireur d'élite.

Une dizaine de minutes plus tard, Adam sortait seul du bar par la porte de devant.

John observa le jeune danseur, visage à moitié caché par sa mèche blonde, regarder à gauche, puis à droite. Il avait l'air indécis sur la destination à prendre. Il finit par se tourner vers l'ouest.

John traversa la rue et commença à le filer.

Adam se déplaçait rapidement sur ses longues jambes, mais sa taille le rendait visible de si loin qu'il était pratiquement impossible de le perdre de vue sauf s'il décidait de semer quelqu'un ou de s'enfuir. Ne se sachant pas suivi, il avançait dans Sainte-Catherine sans se retourner.

John se souvint de la première fois où il avait remarqué Adam, au Temple. Cette tête blonde qui dépassait parmi toutes celles des autres danseurs. Cette même tête qu'il avait revue chez Héléna. Au coin de Saint-Denis, Adam prit vers le nord. John le soupçonna de se rendre chez Héléna et, à cette idée, une vive haine envers le jeune homme le traversa.

No matter what you think
You will bleed until you die
And I will look into your eyes
My hand on the knife
No matter what you feel
You will beg me to go on

— *Beg me to go on*, murmura-t-il.

John pensa qu'en s'inspirant de lui pour improviser les paroles, Héléna lui avait en quelque sorte lancé un message dont elle n'était pas consciente. Elle ne savait probablement pas qu'Adam n'était pas quelqu'un de bien. Qu'il n'était pas l'homme qu'il lui fallait. John allait se faire un plaisir de l'éliminer.

Adam coupa par le parc du Carré Saint-Louis et, à l'étonnement de John, il s'assit sur un banc devant la fontaine. Pourquoi cette pause ? N'avait-il pas hâte d'aller retrouver Héléna ? Mais non, à la place, il se pencha et se prit la tête entre les mains comme un désespéré. Il devait ressasser des remords. John resta derrière une haie, à l'épier. Il se demanda de nouveau de quoi Adam s'était entretenu avec cette femme dans le bar. De leur dernière ou de leur prochaine rencontre intime ? Il s'était peut-être mépris sur les intentions du danseur. Il avait peut-être rendez-vous avec la salope. John jeta un œil autour du Carré Saint-Louis. Aucune Lincoln brune.

Soudain, Adam se leva et regarda, lui aussi, les alentours du parc. John le vit ôter son kangourou, fouiller dans la poche et sortir des mini-écouteurs qu'il inséra dans ses oreilles. Il laissa son vêtement sur le banc puis, sans attendre, il avança en deux enjambées jusqu'à la fontaine. Il sauta agilement sur le rebord de ciment et, pendant quelques secondes il resta là, offert à la nuit, les bras en croix. John fronça les sourcils. Il cherchait à comprendre ce que le jeune homme avait en tête. Ce dernier se mit à tourner ses poings fermés en mouvements saccadés. Ses longs bras suivirent, lui donnant une allure robotique. John comprit qu'il devait suivre la musique qu'il entendait. Lorsque son bassin se mit aussi à bouger, son étrange danse changea complètement d'allure, comme si son corps était divisé horizontalement au niveau du bassin, et que la partie du haut et celle du bas n'appartenaient pas au même corps. Ses pieds se soulevaient et glissaient dangereusement sur le rebord étroit, mais Adam semblait contrôler pleinement la situation. John le regarda danser, le long de la fontaine, tournant dans tous les sens et alternant les mouvements sensuels et saccadés de manière troublante, ce qui lui donnait une allure presque inhumaine. Lorsqu'il eut fait un tour complet de la fontaine il sauta, atterrit dans l'eau dans un éclaboussement spectaculaire et continua de danser en tourbillonnant. John ne pouvait détacher son regard d'Adam. De cet animal sauvage et libre. Il le haïssait de plus en plus.

Le jeune homme continua de danser dans la fontaine pendant une longue minute. Puis il sauta soudain de nouveau sur le rebord de ciment. John l'observa s'ébrouer comme un chien puis repousser sa longue mèche mouillée derrière l'oreille. Il sauta d'où il était en pirouettant sur lui-même, acrobatie digne d'un artiste de cirque. Il récupéra son kangourou sur le banc et, d'un geste gracieux, le balança derrière son épaule avant de s'éloigner vers la rue Prince-Arthur. John sortit de sa cachette et le suivit à une distance raisonnable.

Il était près de quatre heures trente et la rue était déserte sauf pour la silhouette du danseur qui y avançait en plein milieu à grandes enjambées vigoureuses. Sur le trottoir de droite, ombre discrète, John longeait les devantures de commerces fermés. Il haïssait Adam et il aurait été facile de l'éliminer à ce moment-là, les circonstances étant pleinement favorables à un tel acte. John savait cependant qu'il ne le ferait pas. Pas tout de suite. Il avait vu Héléna parler avec les techniciens au Temple. Elle préparait sûrement un spectacle pour le 3 juillet. Et si Adam se trouvait aussi au Temple, il allait probablement y danser le même soir. Qu'ils aient été ensemble, chez elle, laissait également sous-entendre qu'ils préparaient peut-être un spectacle en duo. Rien n'avait échappé au regard de John : les deux vêtus d'une combinaison moulante, les restes d'une voiture modifiée contre un mur, les machines de son et autres appareils étalés sur le plancher... Il n'allait pas éliminer Adam tout de suite. Héléna était attachée à ce danseur, et sa perte avant le soir de l'inauguration nuirait à sa performance. Et, de toute manière, si le meurtre d'un des artistes qui participaient à cette soirée avait lieu quelques jours avant l'événement, la police enquêterait et la date d'ouverture du Temple pourrait être reportée à plus tard, ce qui empêcherait John de faire son Travail. Adam allait donc vivre jusqu'au 3 juillet. Pour Héléna.

Lorsqu'il le vit tourner à gauche dans Saint-Laurent, John sut qu'il se rendait chez elle.

Une bouffée de haine l'envahit de nouveau. Un danseur nu ne pouvait mener qu'une existence de débauché. Adam trompait sûrement Héléna et, qui plus est, avec la salope parmi les autres. Cette situation était mauvaise, mais allait cesser bientôt.

ADAM

Adam courut les vingt derniers mètres qui le séparaient de l'immeuble où habitait Héléna non sans éprouver une impression de déjà-vu. Il pénétra à l'intérieur et, après un rapide coup d'œil à l'ascenseur poussif bloqué au quatrième étage, son sentiment d'urgence le propulsa dans les escaliers, qu'il gravit deux marches à la fois. Un second déjà-vu.

Essoufflé, il frappa trois coups sur la porte du 404 en murmurant Héléna, sachant très bien qu'elle ne pouvait l'entendre même si aucune musique ne résonnait dans le loft. Au bout de cinq secondes, impatient, il frappa de nouveau en répétant son nom mais plus fort, espérant cette fois signaler sa présence.

Lorsque la porte s'ouvrit enfin sur Héléna en robe de chambre, courts cheveux en bataille et traces de drap froissé sur la joue gauche, il comprit qu'il venait de la réveiller mais il s'en foutait. Il se demanda ce qu'il aurait fait si elle n'avait pas été chez elle. Il n'aurait même pas su où la chercher.

— Ça va? demanda-t-il, nerveux.

— Mais oui, répondit-elle, la voix rauque et les yeux à moitié ouverts.

Malgré tout, elle le regarda de la tête aux pieds et dut bien se rendre compte qu'il se présentait chez elle encore une fois tout mouillé.

— Et toi?

Adam ne sut quoi répondre. Allait-il bien? Il prit conscience qu'il grelottait.

Héléna le prit par le bras et le tira vers l'intérieur. Il laissa tomber son kangourou humide sur le plancher, fit valser son t-shirt mouillé au loin et se pencha pour enlever ses Converse et ses bas détrempés. Il enlaça ensuite son amante plus fort que toutes les autres fois, comme s'il crevait de peur de la perdre. Et tant mieux si elle s'en rendait compte. Blottie contre lui, elle manœuvra pour fermer la porte derrière eux. Ils restèrent dans les bras l'un de l'autre un long moment, sans bouger.

— Tu as encore oublié de te déshabiller avant de prendre ta douche? susurra-t-elle dans son oreille.

La réaction fut instantanée. Adam banda. C'était sa voix basse et ses paroles complices. Sentir son souffle dans son cou et son oreille... Il était bandé et il décida qu'il n'y avait aucune raison valable au monde pour ne pas la prendre là, sauvagement et tout de suite, comme il en avait envie. Il avait le goût que ce soit lui qui décide de la suite des événements. Rempli d'ardeur, il faillit se laisser aller à sa pulsion sexuelle intense mais une émotion plus forte l'en empêcha. Alors il repoussa doucement Héléna et il la prit par la taille. Il l'aida à reculer de dos jusqu'à ce qu'elle atteigne la banquette arrière de la carcasse de voiture et, alors, il appuya sur le dessus de ses épaules pour lui signifier qu'elle devait s'asseoir. Elle obéit sans aucune résistance.

Adam avait cessé de grelotter. Il regardait Héléna et il la connaissait maintenant assez pour deviner le désir subtil dans ses iris bleus. Il garda son jean, sachant à quel point elle aimait faire durer le plaisir. Elle le lui avait appris et il l'appréciait. Et il se rappelait aussi ce qu'elle lui avait dit le premier soir où elle l'avait invité dans son loft.

Le sexe trop gentil n'est pas excitant.

Cette notion était encore un peu floue pour lui, mais il se sentait prêt à l'explorer. À sa manière. Il voulait vérifier s'il avait réellement déchiffré ce qu'Héléna avait voulu lui faire comprendre.

Il ne dansa pas. C'était trop facile. Trop prévisible. Mais il dut retenir son corps de se mettre spontanément en mouvement. Adam voulait procéder différemment. Il laissa Héléna sur la banquette. Il éteignit le plafonnier près de la porte, même s'il éclairait à peine. Il alla récupérer les chandelles dans la salle de bain et installa les chandeliers autour de la voiture. Après avoir enflammé les mèches, il chercha une bouteille de vodka quelque part, sur le comptoir, dans le congélateur, dans la chambre, sur le rebord d'une fenêtre… Il n'en trouva aucune.

Étonné, il s'assit à califourchon sur le siège du conducteur, face à Héléna.

— Je ne trouve pas la vodka.

— J'ai vidé la dernière bouteille hier. Je n'ai pas l'intention d'en acheter une autre.

Elle aussi avait décidé de faire différent.

Adam la regarda, avachie inconfortablement sur la banquette. L'éclairage atténuait les cernes sous ses yeux. Transformait sa peau habituellement blanche et bleutée en une surface ambrée et chaude. Sa robe de chambre avait glissé, dénudant une épaule. Héléna n'avait pas bougé depuis qu'il lui avait imposé cette position assise. Elle semblait presque à l'aise même si c'était peu probable qu'elle le soit. Et ça plaisait à Adam qu'elle reste immobile. Ça lui plaisait beaucoup.

— Je ne veux pas que tu bouges, peu importe ce que je fais. Je vais te le dire si je veux que ça change.

Elle cligna des yeux très lentement. Il comprit qu'elle acceptait.

Il lui manquait un dernier élément pour créer l'ambiance qui convenait à ce qu'il avait planifié en dansant autour et dans la fontaine. Adam quitta la voiture et s'accroupit devant le portable sur lequel il trouva rapidement ce qu'il cherchait.

Il revint s'installer sur le siège du conducteur et il agrippa le volant. La musique débuta, à tue-tête, la basse à en faire vibrer le plancher et se réverbérer dans la voiture. Adam se concentra sur la route imaginaire qui défilait dans sa tête. Une autoroute droite sans fin. La nuit.

Warm… Leatherette, répéta quatre fois la voix synthétisée masculine.

Dans sa tête, il voyait aussi Héléna, affalée sur la banquette arrière. Et il pensait aussi à un scénario étrange qu'il n'aurait jamais cru être capable d'inventer. Il s'imagina qu'il était un pervers qui venait de kidnapper une femme choisie au hasard dans un bar, le classique « il l'a droguée et menée jusqu'à sa voiture ». Et là, il se déplaçait rapidement dans la nuit, emmenant sa victime quelque part afin de pouvoir abuser d'elle.

Feel the steering wheel…

Lorsqu'il crut enfin avoir atteint une route assez perdue en forêt pour ne pas être dérangé, il coupa le moteur. Il quitta son siège, bandé comme il ne l'avait jamais été. Il passa sur la banquette arrière et il y allongea Héléna, dans toute sa beauté de victime inerte. Il le fit avec une certaine rudesse passionnée, remarquant à quel point son cœur battait vite.

Warm…Leatherette

Il la déshabilla et elle resta cette grande poupée de chiffon molle qu'elle avait accepté d'être. Comme la musique syncopée, il se mit à toucher son corps avec des caresses soutenues étranges, totalement différentes de celles, très douces, qu'il savait maîtriser. Il sentit Héléna réagir sous ses mains nouvelles. Elle luttait pour ne pas bouger.

Warm Leathrette… melts on your burning flesh

Incapable de se contrôler plus longtemps, Adam se débarrassa de son jean et de son slip. Nu, il se força à continuer d'adorer sa victime encore quelques secondes avant de la pénétrer au moment où la voix scandait dans les haut-parleurs :

Quick… Let's make love… before you die… on warm leatherette.

Le plancher, les murs et la voiture devenue objet de leur fantasme commun vibraient et se transféraient dans leurs corps unis. Ils travaillaient en professionnels depuis des jours à ce spectacle, à cette musique, mais jamais ils ne s'en étaient imprégnés jusqu'au fond de leur âme. Adam pénétrait non seulement Héléna mais sa musique, son art, sa vie et tout ce qu'elle était. C'était un peu brutal mais non violent. Le but était d'être vrai et, oui, la vérité se voulait parfois brutale.

Adam bougeait les hanches au rythme de la chanson qu'il connaissait par cœur. Trente secondes avant la fin, il dit à Héléna :

— Regarde-moi.

Elle ouvrit les yeux. Des yeux plus reconnaissants et extasiés que tout ce qu'il aurait pu imaginer. Héléna s'agrippa à lui comme si sa vie, ou sa mort, ou les deux, en dépendait. Et ils jouirent.

Join… the carcrash set

La musique cessa brusquement. Les vibrations aussi. Leur peau moite collait sur la banquette. Leur souffle rapide était en harmonie. Ils s'embrassèrent. Puis Adam entendit murmurer dans son oreille :

— Je t'aime.

— Je t'aime aussi, laissa-t-il passer entre ses lèvres.

Il était soulagé et heureux que ce soit elle qui l'ait dit la première. Il aurait pu reporter cette vérité longtemps par crainte de ne pas se faire prendre au sérieux, à cause de son jeune âge. Héléna était une femme fantastique avec laquelle il partageait des moments inoubliables, et il s'en serait mal remis si elle n'avait pas partagé ses sentiments.

Adam était rassuré ; il ne serait pas le partenaire d'Héléna uniquement le temps d'un spectacle.

HÉLÉNA

Adam dormait lorsque Héléna sortit du loft. Elle traversa Saint-Laurent et marcha vers le sud jusqu'à l'InterMarché 4 Frères, où elle entra. Elle passa d'abord tout droit devant la pile de paniers puis revint rapidement sur ses pas ; acheter de la nourriture pour deux allait probablement nécessiter plus que ce que ses mains pouvaient tenir.

À l'époque où elle était « deux » avec Wouter, il ne la laissait même pas entrer à l'épicerie, car il savait à quel point elle n'était pas douée pour faire les bons choix. Cuisiner était une activité dont Héléna ignorait même les principes de base et qui ne l'avait jamais intéressée de toute façon. Adam ne s'était pas plaint de son réfrigérateur ou de ses armoires vides, mais il apportait souvent avec lui un sac de nourriture. C'était à son tour de faire un effort.

Je t'aime avait quitté sa bouche sans qu'elle y pense. Elle ne le regrettait pas. Les mots étaient sincères. Héléna savait qu'Adam aussi croyait en la réciprocité de ses sentiments pour elle. Elle se rappela à quel point on croit à beaucoup de choses lorsqu'on a vingt ans, et à beaucoup moins dans la quarantaine. Ou peut-être que l'on ne croit plus aux mêmes choses... pensa-t-elle. Sa relation avec Adam allait-elle durer des mois ? des années ? Ils étaient bien ensemble, compatibles et complices, ils se complétaient et leur sexualité était enrichissante. Malgré tout, cela ne garantissait rien. La mort de Wouter en était un exemple. La vie était imprévisible et Héléna l'acceptait.

Elle avait été impressionnée par le soin qu'Adam avait pris à créer une mise en scène pour elle. Il avait voulu la toucher au plus profond d'elle-même. La découvrir encore plus. Et il avait réussi. Adam non seulement avait lu *Crash*, il avait compris la part mystérieuse qui la rejoignait dans cette œuvre avec les quelques indices qu'elle lui avait donnés d'elle-même, de sa jeunesse et de sa vie avec Wouter. Il avait compris le spectacle qu'ils allaient donner ensemble au-delà de ce que le public allait voir.

Devant le comptoir réfrigéré, elle souleva un litre de lait. Au même moment, elle entendit derrière elle :

— Il n'est pas celui qu'il te faut.

Elle se tourna lentement et ne fut pas étonnée de faire face à John, qui la regardait, visage impassible. Avait-il passé les dernières heures à attendre qu'elle sorte de chez elle pour venir lui parler ? Ça lui sembla probable.

— C'est d'Adam que tu veux me parler ? demanda-t-elle en déposant le carton de lait dans son panier.

— Tu dois cesser de le voir.

— Pourquoi ?

— C'est un être débauché. Un danseur nu.

— C'est tout ce que tu as à me dire ?

— Il couche avec la femme qui conduit la Lincoln.

— Tu les as vus ensemble ?

— Oui. Cette femme…

Héléna fronça les sourcils.

— Tu veux dire Rachel ?

Le visage de John se crispa soudain, comme si entendre le prénom de « cette femme » lui était pénible.

— Cette femme est une salope, continua-t-il.

— Pourquoi tu la juges ainsi ?

— Elle se laisse pénétrer par n'importe qui.

Héléna n'avait aucun désir d'en savoir plus sur la vie privée de Rachel.

— As-tu autre chose à me dire ?

Il ne répondit pas tout de suite. Elle eut l'impression qu'il souffrait sans pouvoir expliquer comment et pourquoi.

— Vas-tu cesser de le voir ? demanda-t-il enfin.

— Non.

Et alors John recula lentement en la dévisageant, le visage plus impassible que jamais, mais le corps plus rigide. Crispé.

— C'est dommage, dit-il. Vraiment dommage. J'avais cru que tu étais une femme intelligente.

Il se retourna soudain et s'éloigna. Héléna le vit sortir de l'épicerie en courant comme si le feu y était pris.

John était décidément un type encore plus bizarre qu'elle ne l'avait cru. Adam avait vu juste en lui faisant prendre conscience qu'il pouvait être dangereux.

Héléna continua de remplir son panier puis elle passa à la caisse.

Même si elle ne croyait pas qu'Adam la trompait avec Rachel, elle allait avoir une discussion avec lui sur ce sujet. John avait-il inventé ces allégations ou contenaient-elles une part de vérité ? Peu importait de toute manière, car la véritable question était : pourquoi ce tueur, ou pseudo tueur, tenait-il tant à ce qu'elle cesse de fréquenter Adam ?

Héléna sortit des 4 Frères avec ses deux sacs. En marchant, elle se sentit un peu inquiète. John l'observait-il encore, caché quelque part ?

Rachel

— *Spero che troverai la felicità, mia bella !*

Jamais deux sans trois, pensa Rachel en souriant et en agitant la main en direction de Fabio. Elle fit reculer la Lincoln. La prochaine fois qu'elle allait revenir Chez Luigi, ce serait uniquement pour sa voiture ; Fabio lui avait annoncé qu'il partait vivre en Italie avec sa fiancée. Après l'avoir baisée une dernière fois.

Rachel prit la route, frustrée comme elle ne l'avait jamais été. Depuis la « passe » avec Andy, sa vie sexuelle était nulle. John, qui ne voulait plus la voir, ne semblait même plus vouloir lui parler. Adam n'avait visiblement plus le goût de la voir à en juger par la distance physique dont il avait eu besoin pendant leur dernière conversation. Et Fabio, qui s'était amusé une dernière fois avec elle, lui souhaitait de trouver le bonheur.

Rachel, qui avait toujours été à l'aise avec son mode de vie, remettait soudain en question certains de ses choix parce qu'un salaud avait déclaré qu'elle était une salope et que, depuis, elle avait l'impression que les hommes la considéraient ainsi. Pour Fabio, elle savait que ça allait se terminer dans ce style-là, un jour. Mais plutôt que de le lui dire en la voyant, il avait voulu profiter d'elle une dernière fois. Non pas qu'elle n'en avait pas profité elle-même, mais le manque d'honnêteté de son ancien amant lui restait sur le cœur. Pour Adam, c'était différent. S'il avait eu l'air distant, c'était peut-être parce qu'il appréhendait qu'elle lui suggère de partir avec lui. Puisqu'il n'avait jamais réagi au message qu'elle lui avait laissé sur son cellulaire, elle avait accepté qu'il ne tenait pas à la revoir dans un contexte intime. Rachel s'étonnait d'avoir cru que Saphira perdrait éventuellement son enthousiasme pour Adam, car elle réalisait que, finalement, c'était elle qui avait vu s'éteindre l'attrait pour le jeune danseur. Elle avait trouvé désagréable sa manière distante d'agir envers elle, mais elle ne lui aurait de toute manière pas demandé s'il voulait de nouveau prendre du bon temps en sa compagnie. Rachel n'avait plus ressenti de désir pour lui lorsqu'elle lui avait parlé au Hard & On. Et puis il y avait le cas de John. Beaucoup plus complexe.

Adam ne lui inspirait plus rien de sexuel, elle allait oublier Fabio et elle aurait voulu ne jamais avoir croisé Andy mais, avec John, Rachel se sentait en terrain de plus en plus inconnu. Elle avait beau essayer de rationaliser à quel point elle ne devait plus le voir parce qu'il était dangereux – et que son frère semblait l'être encore plus, au point de lui faire des menaces, floues mais assez précises en termes de dommage –, une motivation nébuleuse la poussait à vouloir le revoir. Était-ce un goût pour le danger ? un pur désir pervers ? un désir de défier l'interdiction d'Andy ? Y avait-il une autre raison ? Était-ce un mélange de tout cela ? Rachel n'arrivait pas à se l'expliquer clairement. Revoir John était un besoin qu'elle ressentait.

Lorsqu'elle gara sa voiture sur le belvédère du mont Royal, Montréal était déjà bien réveillée et le soleil imposait sa présence dans le ciel clair. Rachel descendit de la Lincoln et s'appuya sur le capot pour jouir du spectacle. Elle prit le temps de réfléchir aux raisons de sa frustration. S'était-elle déjà considérée comme une salope ? Non. Et maintenant ? Non. Elle se sentait toujours libre de disposer de son corps comme elle le voulait et avec qui elle le voulait. Ça ne faisait pas d'elle une catin, mais simplement une femme qui assumait qui elle était. Si elle était frustrée, c'était pour d'autres raisons. Elle avait fait le pire choix de sa vie en partant avec Andy. La seule fois où elle considérait avoir « fourré avec n'importe qui » dans le sens le plus vil. Et il y avait John qui lui restait collé à la peau. Celui avec qui elle n'avait jamais eu de relation sexuelle complète. C'était pourtant lui qu'elle désirait revoir.

C'était vrai que John avait déjà rompu le lien avant son aventure avec Andy, mais Rachel se demandait à quel point le fait d'avoir appris qu'elle avait baisé avec son frère était responsable de sa décision de ne plus la revoir. Bref, quelque chose n'était pas clair. Quelle était la raison pour laquelle John ne voulait plus la revoir « avant » et, en prétendant qu'il ne voulait plus la revoir depuis qu'il savait qu'elle était supposément une salope, en quoi cela était-il relié ou non à la raison précédente?

Il a commencé à ressentir des émotions.

Se pouvait-il que le but d'Andy soit d'éteindre des émotions que John éprouvait pour elle? Si oui, pourquoi? Il était bizarre, et alors? Est-ce que cela l'empêchait de prendre ses propres décisions? De quoi Andy se mêlait-il? Elle se demanda si ce n'était pas lui qui avait décidé que John ne devait plus la voir.

Rachel se sentit soudain habitée d'une détermination à toute épreuve. Elle devait revoir John pour lui poser la question et l'entendre répondre de son propre chef.

HÉLÉNA

Les vodkas furent déposées devant Héléna, au bar. Elle paya et retourna à la petite table carrée dans un coin sombre. Elle mit les verres sur la table et s'assit en face d'Adam. Ils sourirent, car ils ne pouvaient empêcher leurs longues jambes de s'entrecroiser sous la table.

Ils trinquèrent et ce fut Adam qui dit le « à nous » officialisant le début de ce quelque chose entre eux qu'on appelait dans le langage courant une relation.

— C'est dans ce bar que tu as rencontré John pour la première fois ? demanda-t-il.

— Oui. J'ai donné quelques spectacles de *noise* ici. La Casa Del Popolo est un endroit qui me plaît. J'aime son ambiance sombre. Et on y croise des gens de toutes les générations.

Elle vit Adam prendre un air sérieux, plisser les yeux et hausser un sourcil.

— J'espère qu'il n'y a pas trop de danseurs nus dans la vingtaine qui traînent ici.

Héléna jeta un regard à gauche et à droite.

— Non, je ne pense pas. C'est bien dommage, ajouta-t-elle, pince-sans-rire, avant de boire une gorgée.

— Est-ce que ça t'écœure si je te dis que ça me rendrait jaloux ?

— Non, ça me fait sourire.

— Tu ne me crois pas ?

— Oui, je te crois.

Adam avait accompli des actes qui dévoilaient sa sensibilité, son attention envers elle et son respect, des actes qui étaient éloignés de ceux des jeunes hommes, souvent égocentriques, de sa génération. Il démontrait une maturité amoureuse inusitée pour ses vingt-deux ans. Il était facile de comprendre qu'il était maintenant animé d'un désir d'exclusivité. Elle ne s'en vexait pas. Pour elle aussi l'exclusivité sexuelle était importante.

— Héléna, j'ai plein de choses à te dire mais je ne sais pas par où commencer.

— Commence par là où tu te sens le plus à l'aise et je vais te suivre.

Adam but une gorgée de vodka. Elle le sentait nerveux. Il fit rouler son verre entre ses mains.

— Tu connais mon boulot et tu sais que ça se passe dans un milieu qui n'a pas bonne réputation. Mais je veux que tu saches que je suis différent des autres *gogo boys*. Je t'ai déjà dit que je ne consommais pas de drogue et c'est vrai, pas plus que je ne suis porté sur l'alcool. Je me suis envoyé en l'air en masse avec beaucoup de femmes et pas mal d'hommes. Après avoir vécu une relation dans laquelle je ne pouvais pas être moi-même et qui s'est mal terminée, je m'étais dit que je ne voulais plus rien éprouver pour personne. Et, crois-moi, baiser avec n'importe qui n'a rien à voir avec des émotions.

Elle aurait voulu l'interrompre pour lui dire qu'elle avait vécu sa première relation sexuelle de manière froide et distante avec un inconnu qu'elle n'avait jamais revu, réalisant ainsi le fantasme d'initiation à l'acte sexuel de son adolescence, sans toutefois y trouver l'assouvissement recherché. Elle aurait voulu qu'il sache tout de suite qu'elle avait passé sa vingtaine à faire comme lui, à coucher avec n'importe qui pour éprouver des sensations physiques et vivre toutes les expériences possibles sans s'engager sur un autre plan. Il avait fallu qu'elle rencontre Wouter pour découvrir le sens et la réalité du mot aimer. Mais elle préféra continuer à l'écouter. Elle lui parlerait d'elle une autre fois.

— Et franchement, poursuivait-il, je serais menteur si je prétendais que je n'ai pas aimé ça. Mais je t'ai rencontrée et il s'est passé quelque chose. Je pense que je m'en suis rendu compte quand tu m'as demandé de recommencer depuis le début, dans la cage, juste avec les baisers. Après ça, je n'ai plus eu le goût de coucher avec personne. Juste de faire l'amour avec toi. Et là, eh bien, je me demande si toi tu as quelqu'un d'autre que moi dans ta vie. Un ou des amants dont tu ne m'as jamais parlé.

Elle apprécia qu'il pose cette question. Adam voulait vivre une relation sans mensonge. Elle se rappela le mot qu'il lui avait inspiré, quand elle l'avait vu pour la première fois. Honnêteté.

— Il n'y a eu personne dans ma vie depuis la mort de Wouter. Et maintenant, il y a toi, dit-elle en entourant de ses longues mains de musicienne celles d'Adam, toujours autour du verre.

Ils se regardèrent, confiants en leur complicité.

— Et toi, Adam, quel est ton lien avec Rachel ?

Il resta calme et sourit.

— Je me suis envoyé en l'air avec elle sur la banquette de sa Lincoln. Deux fois. Lorsque je suis revenu chez toi, sans m'être touché, c'était avec elle que j'avais couché.

Héléna ne put s'empêcher de sourire aussi.

— Mais je ne la fréquente plus dans ce sens-là, ajouta-t-il. D'ailleurs, on la voit de moins en moins souvent au Hard & On. Elle est passée samedi soir, mais c'était pour me parler de quelque chose qui me tracasse depuis. Rachel m'a appris que Saphira, l'espèce de folle qui vient souvent me voir danser, est une des propriétaires du Temple d'Éros. Elle est sûrement au courant de notre spectacle en duo. J'ai couché avec elle une fois avant de te connaître. Un mauvais souvenir. Un type est arrivé sans prévenir et j'ai mangé une volée. Depuis, Saphira est en colère et frustrée. Elle me harcèle parce que je repousse ses avances. Jusque-là ce n'est pas grave, mais avec ton idée que John planifie de commettre un meurtre le soir de l'inauguration du Temple, je me pose de sérieuses questions. Est-ce que Saphira pourrait être folle au point de te faire assassiner par jalousie? Il me semble que ça pourrait être son genre.

Héléna avala une longue gorgée de vodka.

— Si c'est vrai, dit-elle, ça voudrait dire que je n'ai peut-être pas rencontré John par hasard, la première fois, ici. Il pouvait être en train de me surveiller pour le compte de Saphira.

— Et pourtant, lorsqu'il est venu chez toi pour te parler, on aurait dit qu'il voulait te mettre en garde contre quelque chose.

— Je l'ai revu ce matin, à l'épicerie.

Elle résuma leur conversation.

— Depuis, continua-t-elle, j'essaie de faire un lien entre son insistance pour que je cesse de te fréquenter et la raison pour laquelle il m'a dit qu'il serait trop tard pour que lui et moi nous parlions après le 3 juillet. Et maintenant, avec ce que tu viens de me raconter, dans l'éventualité où Saphira lui aurait donné un contrat pour m'éliminer, peut-être que le fait qu'il me recommande de cesser de te voir était une manière de m'avertir que j'avais ainsi une chance d'éviter de me faire assassiner.

Adam vida le reste de son verre d'un trait. Il ne souriait plus.

— D'abord, si John a été engagé pour te tuer pourquoi voudrait-il t'en avertir?

— Bonne question. Je crois qu'il me trouve un brin sympathique et que ça l'agace que je doive mourir à cause de ma relation avec toi. Mais il faut aussi envisager une autre possibilité. Si Saphira ne peut pas t'avoir, c'est peut-être toi qu'elle veut éliminer. Et John essaie de me dire de ne pas trop tenir à toi.

Adam inspira profondément.

— *Wow!* Ça devient compliqué. Mais que ce soit toi ou moi que John ait pour mission d'éliminer, on ne peut tout de même pas aller voir la police et lui dire qu'on pense qu'un type bizarre va peut-être tirer sur un de nous deux le 3 juillet. On peut avertir JMB qu'on ne veut plus présenter notre spectacle, mais il va vouloir savoir pourquoi et si on lui dit qu'un tueur sera à son événement, je ne crois pas qu'il va aimer. De toute façon, ça ne réglerait rien, car John peut très bien nous tuer en dehors du Temple, n'importe quand.

— Justement, pourquoi attend-il le soir de l'inauguration? Il aurait même pu nous tuer tous les deux lorsqu'il est venu chez moi. Il a voulu m'avertir. C'est ça qui me donne l'impression qu'il éprouve un brin de sympathie pour moi. Et qui est troublant.

Adam regarda son verre qu'il tenait si serré qu'Héléna pensa qu'il allait lui éclater entre les mains.

— Qu'est-ce qu'on doit faire, Héléna?

Malgré son expérience de vie, elle ne savait quoi répondre. Jamais elle n'avait vécu une situation similaire.

— Peut-être que nous avons trop d'imagination, suggéra-t-elle.

— Et si on a raison?

— C'est ça, le problème. Comment vérifier?

Un silence s'installa entre eux pendant lequel ils se regardèrent dans le fond de l'âme, à travers leurs yeux pâles. Puis Héléna posa la question qui la préoccupait:

— Est-ce que tu veux toujours faire le spectacle, Adam?

— Oui, répondit-il sans hésiter.

— Et si toi ou moi, ou nous deux, devais mourir le soir du 3 juillet ?

— Toi et moi pouvons mourir dans une heure simplement en traversant la rue.

Adam était jeune. Brave. Et amoureux. Elle pouvait vivre avec ce risque. La mort ne l'effrayait pas. Et ils avaient peut-être, en effet, tous les deux trop d'imagination.

— Comment ça se fait que tu es arrivé chez moi encore une fois tout trempé dans la nuit de samedi ? demanda-t-elle, en souriant, pour les libérer de la tension.

La bouche d'Adam se décontracta et sa mèche, derrière l'oreille, lui retomba sur le visage.

— J'avais pataugé dans la fontaine du Carré Saint-Louis.

— Ta version de *Singing in the Rain* ?

Il éclata de rire, puis son regard exprima soudain un désir d'intimité et Héléna ressentit la même émotion.

— Je vais nous chercher deux autres vodkas ou en rentre chez toi ?

— On rentre.

— Je crois que je vais me servir de ta cage.

Héléna pencha légèrement la tête et haussa un sourcil.

— Je vais t'enfermer dedans, précisa Adam, et t'exciter comme tu me l'as fait.

— Alors dépêchons-nous de rentrer, dit-elle en se levant.

28 JUIN

RACHEL

Rachel était assise devant la scène du Temple avec la quinzaine d'invités, amis et investisseurs venus donner leur appréciation des spectacles qui allaient avoir lieu cinq jours plus tard. JMB avait fait rouler son fauteuil de bureau sur la piste de danse et il affichait un air confiant. Mélanie, debout à droite en bas de la scène, donnait des informations aux techniciens par son microphone. Enfin, assise dans un fauteuil rococo rose bonbon, régnait Diva Saphira. Rachel supposa qu'elle avait fait livrer ce meuble de mauvais goût pour sa personne. La chipie ne lui avait pas adressé la parole, mais s'était contentée de lui jeter un regard méprisant puisqu'elle n'était qu'une pauvre femme chaussée d'escarpins non signés.

Rachel était sensible à l'esthétisme des spectacles qu'elle voyait défiler. Ne se considérant pas comme la meilleure juge pour évaluer la qualité des performances, elle trouva néanmoins que, loin d'être vulgaires, les chorégraphies dégageaient un raffinement

et une créativité indubitable. Elles étaient dignes
de l'inauguration d'un temple dédié à la sensualité
et au sexe.

Le spectacle des performeurs de feu au torse nu
et des danseuses aux allures de prostituées babylo-
niennes prit fin. La salle fut graduellement éclairée.
Mélanie annonça qu'il y avait une pause de vingt
minutes, le temps d'installer un nouveau décor.
Rachel en profita pour aller aux toilettes. Deux
femmes la suivirent, mais heureusement pas Saphira,
dont la suffisance ne lui aurait pas paru divertissante
mais simplement ce qu'elle était, déplaisante.

Tandis que les femmes commentaient les spectacles avec enthousiasme, Rachel prit le temps de
retoucher son maquillage. Elle pensa à l'immense
salle du Temple et elle l'imagina bondée d'individus
célébrant Éros comme elle le serait bientôt. C'était
le genre d'événement où tout devait, en principe,
bien se dérouler. Mais que se passerait-il si quelque
chose tournait mal ? si des clients abusaient de drogue
ou d'alcool et devenaient agressifs avant qu'ils
puissent être maîtrisés ? si un des artistes du feu se
trouvait mal et que, dans un geste incontrôlé, sa
torche atterrissait dans la foule ? La salle devait être
munie de gicleurs automatiques et d'extincteurs, mais
il y aurait sûrement une panique. Et si un individu
décidait de pénétrer dans le Temple avec l'intention
de tuer quelqu'un ? Rachel se demanda si Lamarre
Sécurité…

Elle cessa de se poudrer le nez. Resta immobile.
Réalisa que ses pensées glissaient sur une pente
trouble. Entendre soudain les deux femmes rire
derrière elle l'agaça. Elle rangea le poudrier dans
son sac à main et sortit des toilettes.

Les spectacles n'avaient pas encore repris. Rachel resta tapie dans l'ombre, près du bureau de JMB, tandis que ses réflexions suivaient la même direction que les précédentes. Elle chercha à concevoir d'où un tueur pourrait procéder dans un endroit si ouvert à tous les regards. Il n'y avait aucune fenêtre, aucune porte vitrée, aucun puits de lumière qui permettrait d'opérer de l'extérieur. Il n'aurait pas le choix de se trouver à l'intérieur de la salle. Mais où ? Fondu parmi la foule afin de se rapprocher le plus possible de sa victime ? Il ne pouvait tout de même pas s'installer là où elle se trouvait et, au moment opportun, tirer pour ensuite s'enfuir par la porte de derrière ! Rachel porta son regard au loin. Installé au fond de la salle, le tueur aurait une vision de cent quatre-vingts degrés lui permettant de garder en tout temps un œil sur sa victime. Possible. Mais il fallait d'abord qu'il ait pu franchir l'entrée avec une arme cachée sur lui ou, alors, il devrait l'avoir cachée dans le Temple au préalable. Les agents de sécurité détenaient-ils un permis de port d'armes ? Si oui, seraient-ils armés ce soir-là ? Elle appréhendait la logique qui prenait forme dans son esprit.

Les vingt minutes étaient écoulées. Rachel eut le temps d'atteindre sa chaise avant que la salle soit de nouveau plongée dans la noirceur.

Quelques secondes plus tard, un film se mit à déferler sur l'écran au fond de la scène. Une route qui, filmée d'une voiture en mouvement, semblait se prolonger à l'infini. Rachel sourit. La légendaire route 66 ? La pellicule, délavée, semblait dater de plusieurs années, mais ce n'était peut-être que le résultat d'effets spéciaux. Une musique électronique débuta au moment même où des images apparaissaient superposées à une partie du film, des photos et extraits de vidéos : corps féminins et masculins, peau, courbes, lèvres entrouvertes, doigts humides, langues qui lèchent... Une douce lumière bleutée éclaira soudain un nuage de fumée, côté cour de la scène, en suggérant une nuit brumeuse et en révélant graduellement les restes de la carrosserie d'une voiture modifiée, noire, dont les sièges avaient été recouverts d'une texture très luisante qui, pensa Rachel, devait être du latex. Elle fut titillée de savoir que ce décor, tout à fait dans ses goûts, allait servir de spectacle érotique. Quelques secondes plus tard apparut une longue silhouette vêtue d'un costume pantalon masculin, mais chaussée d'escarpins à talons vertigineux. Les longues boucles blondes d'une perruque étaient coiffées d'une casquette rigide. Les yeux cachés sous des lunettes aux verres fumés. Lorsque la femme prit place derrière le volant, Rachel se sentit mal à l'aise ; elle eut l'impression de regarder une parodie d'elle-même. Elle s'efforça pourtant à effacer ce sentiment désagréable afin d'apprécier le spectacle. Un coup d'œil sur les invités qui l'entouraient, le regard brillant d'intérêt, lui permit de constater à quel point ils étaient déjà envoûtés par le personnage, qui dégageait un charisme érotique étonnant.

Et, lorsque la chauffeure se mit à chanter dans le micro minuscule, à peine visible, devant sa bouche...

Warm Leatherette... Warm Leatherette...

... Rachel fut bouche bée. Elle connaissait cette chanson, dans sa version *dance funky*, interprétée par Grace Jones au début des années quatre-vingt. Mais la version qu'elle entendait, et visualisait à la fois, se révélait beaucoup plus sombre. La voix de la mystérieuse chauffeure était basse, grave et froide. Métallique et plastifiée comme le décor qui l'entourait et, pourtant, étonnamment sensuelle. Rachel se demanda si elle était la seule à ressentir cette impression mais, lorsque la voix poursuivit...

See the breaking glass... in the underpass

... elle sentit le frisson d'excitation parcourir la salle.

C'est alors qu'Adam entra en scène. Et, un instant, elle en eut le souffle coupé, comme tous les gens autour d'elle. Vêtu, lui aussi, d'un costume classique, ses cheveux, coiffés vers l'arrière, dégageaient son visage aux traits harmonieux. Derrière des lunettes de style intellectuel, ses cils, allongés de mascara, et ses paupières inférieures soulignées de noir, mettaient en valeur l'intensité de ses yeux bleus. Il tenait une mallette en métal qui complétait son allure de jeune homme d'affaires semblant sortir tout droit d'une publicité du magazine *Vogue*.

Warm leatherette...

Adam s'assit sur la banquette arrière. La chauffeure agrippa le volant et mima un conducteur concentré sur la route qui défilait derrière, sur l'écran. Puis, graduellement, Adam semblait avoir chaud. Il desserrait le nœud de sa cravate, s'essuyait le front avec un mouchoir, détachait le dernier bouton de son col de chemise.

Hear the crushing steel...feel the steering wheel...

... chanta-t-elle, droite et imperturbable derrière son volant tandis qu'Adam commençait à se dévêtir pour lentement dévoiler non pas sa chair, mais une seconde peau, luisante et noire, de la même texture que la banquette.

Warm leatherette...

Lorsque le costume, les souliers et les lunettes eurent été enlevés, Adam se leva, debout sur la banquette et, avec tout l'art dont il savait faire preuve lorsqu'il s'agissait de bouger son corps, il commença à danser.

Warm leatherette...

Un courant électrique traversa la salle. La tension sexuelle était palpable. Personne ne pouvait rester indifférent à ce qui se passait sur scène, qui était à la fois un mélange d'exhibitionnisme et de retenue.

Adam se déplaçait à la verticale en exploitant toutes les possibilités qu'offrait la voiture, en glissant à l'horizontale, son corps en symbiose avec la banquette. Rachel pensa qu'il avait l'air d'un être liquide, fait de pétrole visqueux.

Warm leatherette melts on your burning flesh...

Adam vint se lover contre la femme qui, déconcentrée, donna un coup de volant sec tandis qu'au même moment, sur le film qui passait à l'écran, on avait l'impression que la voiture déviait de sa trajectoire pour ensuite revenir en ligne droite. Mais Adam continua de *teaser* celle qui conduisait. Il lui enleva sa casquette, qu'il lança à travers le contour de la fenêtre vide. Il arracha la perruque, mettant à nu sa courte crinière noire. Et, avant qu'il retire les lunettes, Rachel réalisa qu'il s'agissait d'Héléna, cette femme étrange qu'elle avait reconduite chez elle une fois au début de son contrat avec JMB. C'était donc une artiste, comme elle l'avait supposé.

La musique devint plus intense tandis que le *gogo boy* tout en latex bougeait de plus en plus lascivement. Héléna continuait de donner l'impression de se concentrer sur la route, mais on sentait son excitation. Adam, par-derrière, commença à la déshabiller. *You can see your reflection in the luminescent dash...* Lorsqu'il réussit à dégager son cou et ses épaules, la seconde peau noire, lisse et luisante, apparut. Sous son costume, Héléna devait porter la même combinaison que lui.

Warm leatherette... Puis Adam devint insistant et pressé et il s'activait sur Héléna pour la déshabiller complètement, de sorte qu'elle perdait le contrôle de la voiture. Un son extrêmement strident de crissement de pneus sur l'asphalte perça à travers la musique. La chauffeure luttait, tentait de reprendre le contrôle de son véhicule. Mais il était trop tard. Un tapage infernal de voiture qui heurtait quelque chose éclata dans le Temple. L'écran montrait la voiture se *crashant* contre un mur. Puis la scène fut plongée dans la noirceur et, pendant dix secondes, ce fut le silence total.

La salle retenait son souffle.

A tear of petrol is in your eye...
The handbrake penetrates your thigh...
... chanta soudain Héléna *a capella*. Puis la musique embarqua de nouveau. Sur l'écran apparurent des images de peau meurtrie et coupée, arrachée et blessée, qui défilaient si rapidement qu'on avait à peine le temps de réaliser ce qu'elles représentaient. Une lumière jaunâtre éclaira la voiture, le corps d'Adam avachi sur la banquette arrière, celui d'Héléna penché sur son volant. Il y avait des éclats de verre partout, du sang, un liquide sombre qui s'échappait d'un côté de la voiture et un filet de fumée qui flottait dans l'air.

Mais les protagonistes n'étaient pas morts. Ils se réveillaient, sales, meurtris, sanglants mais mus par une pulsion sexuelle intense, ils se retrouvaient sur la banquette arrière, glissaient l'un sur l'autre en s'embrassant sauvagement. Puis lentement, Adam enlevait le pantalon d'Héléna.

Rachel ne put s'empêcher de jeter un coup d'œil aux spectateurs. JMB, en sueur, était en train de dénouer sa cravate et son col de chemise. Les femmes tripotaient nerveusement une mèche de cheveux, la poignée de leur sac à main ou leur collier. Les hommes balançaient une jambe ou un pied, frottaient leur nuque moite. Mais ce fut en observant Saphira que Rachel comprit tout ce qui lui avait traversé la tête depuis le début de la soirée. Assise droite comme une statue de marbre, la Diva semblait observer l'ensemble du spectacle comme tous les autres, sauf que son visage était empli de haine.

La suite du spectacle devenait plus explicite, mais il était clair que personne n'allait s'en plaindre. Qui n'aimait pas regarder l'audace, même si elle risquait de crever les yeux? Même Rachel, qui n'avait aucune tendance pour le sexe pervers ou morbide, était excitée. Sans doute les acteurs du spectacle y étaient-ils pour beaucoup, sorte de grands fauves intenses et tout aussi charismatiques l'un que l'autre.

Ils devenaient d'ailleurs de plus en plus déchaînés dans leur mise en scène, la musique martelait violemment les spectateurs et la tension montait.

À l'écran, les images étaient devenues explicitement érotiques et sanglantes, dérangeant mélange d'horreur et de désirs dénaturés. La mèche d'Adam était rouge de sang.

Quick… let's make love…
Before you die… on warm leatherette
Rachel constata que, comme elle, les spectateurs étaient sidérés, eux aussi, à l'apogée de leur extase malgré probablement le trouble que provoquait ce qui se passait sur scène. Mais on ne pouvait empêcher la fascination érotique d'opérer.

Join… the car crash set.
La musique cessa brusquement. La scène et l'écran furent plongés dans l'obscurité. Après un moment de silence, les invités se levèrent dans un même élan admiratif pour applaudir avec sincérité. Certains sifflèrent. JMB jubilait. Même Saphira daigna applaudir de son trône ridicule.

— Fantastique ! cria le patron.

Debout avec les autres en train d'applaudir, Rachel n'avait cependant qu'une idée en tête. Et cette idée était urgente.

ADAM

— Pas pu me retenir, murmura Adam dans l'oreille d'Héléna.

— Ça doit être déplaisant de baigner dans son sperme, dit-elle avec un sourire narquois alors qu'elle détachait le harnais qui retenait le godemiché sur son sexe.

Adam voulait répondre quand il entendit JMB arriver en coulisses. Il se précipita vers leur petite loge pour se changer. Il entendit le patron s'exclamer :

— Hé, pourquoi il se pousse, le jeune ? Je veux le féliciter aussi pour...

Adam ferma la porte. Il ne doutait pas qu'Héléna saurait répondre à JMB avec son humour pince-sans-rire.

Tandis qu'il retirait sa combinaison trempée de sueur et poisseuse de sperme, Adam songea à quel point il était heureux que cette démonstration de leur spectacle soit terminée. C'était, après tout, la première fois qu'il le montrait en public, si petit soit-il mais, plus important, c'était la première fois que JMB le voyait, alors qu'on était si près de l'inauguration. Le patron avait eu une confiance à toute épreuve en Héléna, et manifestement il n'était pas déçu.

Adam avait eu le trac pour la première fois de sa vie. Il y avait tout un monde entre danser seul en improvisant et monter sur scène pour participer à un spectacle avec une partenaire. Il n'y avait plus beaucoup d'espace pour l'improvisation, tout devant être *timé* en fonction de la musique, du film et des images. C'était un défi exigeant et Adam était satisfait de l'avoir relevé avec succès, du moins s'il en jugeait par la réaction de l'assistance. Mais il voulait d'abord connaître l'opinion d'Héléna afin d'en être certain.

Il se nettoya le mieux qu'il put avec des lingettes humides, en attendant de prendre une douche, puis il enfila son jean, son t-shirt et ses Converse. Il se regarda dans le miroir, les yeux beurrés de noir, cheveux, bouche et joues rouges. Il réussit à faire partir le faux sang, mais il allait avoir besoin d'un produit spécial pour les yeux.

Héléna entra dans la loge cinq minutes plus tard. Il lui trouva un air agacé.

— Lourd, toutes ces félicitations, dit-elle.

Il éclata de rire.

— J'aurais dû rester dans le couloir à ta place pour les recevoir. J'aurais aimé ça plus que toi.

— Sans doute, dit-elle en commençant à retirer sa combinaison.

Adam observa cette femme incroyable qui était sa partenaire dans tous les sens du terme et il en fut ému. Il avait besoin de savoir s'il avait été à la hauteur de ses attentes pendant le spectacle. Il n'avait pas l'habitude de douter de lui, mais il n'était pas, comme elle, un artiste d'expérience.

— Est-ce que j'étais bien ?

Elle s'était assise sur une chaise et cessa son geste pour le regarder.

— Tu étais fantastique, Adam. Tu aurais été parfait si tu n'avais pas joui.

Il sourit, rassuré.

— Ah, si c'est juste ça. Je crois que je vais pouvoir y arriver le soir du spectacle.

Un coup fut frappé sur la porte de leur loge. Héléna finissait d'enlever son vêtement. Adam demanda qui c'était.

— C'est Rachel.

— Oh merde, dit-il tout bas.

— Va voir ce qu'elle veut, dit Héléna sur un ton neutre tandis qu'elle s'habillait.

Peu enthousiaste, Adam sortit de la loge. Rachel était là, le visage un peu blême, et c'était la première fois qu'elle lui paraissait si nerveuse.

— Splendide, votre spectacle.

— Merci.

Elle jeta un regard, à gauche, puis à droite, puis s'avança un peu pour dire à voix basse et rapidement, comme si elle redoutait que quelqu'un d'autre l'entende :

— Est-ce que je peux vous ramener chez vous, Héléna et toi ? Ça me donnerait l'occasion de vous parler discrètement de quelque chose d'important.

Adam, étonné que Rachel veuille inclure Héléna dans la conversation, en fut toutefois rassuré ; elle ne voulait sûrement pas leur parler de sexe sur la banquette arrière de sa voiture.

— Heu… oui, pourquoi pas ? Je vais voir si Héléna est prête.

Il retourna à l'intérieur de la loge. Héléna finissait de passer son t-shirt sur sa tête.

— Rachel voudrait nous donner un *lift* et en profiter pour nous parler de quelque chose.

— Je suis prête dans deux minutes, dit-elle.

Elle non plus n'avait pas enlevé tout le maquillage de son visage. Visiblement, elle s'en foutait et pouvait attendre chez elle. Adam l'aida à ranger les costumes dans leur housse et les accessoires dans les sacs. Il allait falloir tout nettoyer avant de s'en servir de nouveau pour le vrai spectacle.

Héléna et lui quittèrent la loge dix minutes plus tard, encombrés de valises et de sacs. Rachel proposa de les aider et Héléna lui donna deux sacs à porter.

— On va passer par l'arrière, dit Rachel.

Adam regarda Héléna, qui haussa les épaules en semblant vouloir dire qu'on pouvait bien passer par l'arrière plutôt que par en avant.

Ils sortirent donc par la porte de derrière, qui donnait directement sur le stationnement où la Lincoln les attendait. Rachel ouvrit le coffre, elle y déposa deux valises, mais Héléna et Adam voulurent garder les sacs avec eux sur la banquette arrière. La voiture démarra avec à son bord l'étrange trio. Adam se sentait vaguement gêné parce qu'Héléna savait qu'il avait baisé avec Rachel dans cette voiture. Héléna ne semblait pourtant nullement troublée par ce fait. Elle lui prit même la main, discrètement. Elle avait peut-être senti son malaise et cherchait à le réconforter, ou peut-être qu'elle voulait lui rappeler qu'ils étaient complices au-delà du spectacle.

Personne ne parla jusqu'à ce que Rachel gare la voiture dans une rue plutôt déserte. Elle éteignit le moteur puis elle se mit à genoux sur son banc afin de converser avec eux.

— Ce que j'ai à vous dire est un peu compliqué et pas très clair, commença-t-elle. Je connais un type un peu bizarre qui se nomme John…

Adam échangea un bref regard avec Héléna, regard qui n'échappa pas à Rachel.

— Je vois que ça vous dit quelque chose.

— Oui, mais on va d'abord te laisser continuer, dit Héléna.

Rachel se racla la gorge.

— OK. John, donc… Ce serait long à vous expliquer, mais pour résumer, j'ai des raisons de croire qu'il est dangereux. En tout cas, je sais qu'il a accès à des armes. Il travaille, avec son frère Andy, pour Lamarre Sécurité, et ce sont eux et d'autres membres de cette compagnie qui vont assurer la sécurité du Temple le 3 juillet.

— Oh ! ne put s'empêcher de prononcer Adam.

— Et puis il y a Saphira, poursuivait Rachel. Encore elle. Je l'ai observée tout à l'heure pendant qu'elle regardait votre spectacle. Son corps exprimait une haine féroce. Et tout ça mis ensemble m'a troublée.

Rachel fit une pause. Elle semblait ne plus savoir de quelle manière continuer. Héléna l'aida :

— Et tu crois que Saphira aurait engagé John pour tuer quelqu'un le soir de l'inauguration ?

— Enfin... peut-être. Je n'ai évidemment pas de preuve, mais...

Adam constata qu'elle avait l'air mal à l'aise, tout d'un coup.

— ... mais tu penses, comme nous, compléta Héléna, que cette pimbêche pourrait vouloir me faire éliminer ou éliminer Adam en utilisant John.

Rachel haussa les sourcils.

— Vous avez donc déjà pensé à cette possibilité vous aussi ?

— Je connais un peu John, précisa Héléna, et je ne serais pas étonnée qu'il soit tueur, comme tu le penses toi-même. Mais, comme toi, nous n'avons aucune preuve de quoi que ce soit.

Il y eut un silence pendant lequel Adam se demandait ce qu'ils pouvaient bien faire pour... pour quoi, au juste ? pour se protéger ? empêcher qu'un meurtre soit commis ?

— Enfin, je ne sais pas quoi vous dire de plus, ajouta Rachel. Je me suis sentie responsable et j'ai voulu partager ma crainte puisque la menace vous concerne.

— Est-ce qu'on ne pourrait pas tenter quelque chose pour empêcher John de tirer sur quelqu'un ?

demanda Adam. Je n'ai aucune solution, mais peut-être qu'à trois…

— Amène-nous dans un café pour qu'on discute de tout ça, suggéra Héléna à Rachel.

Cette dernière se retourna, tira sur sa jupe courte et redémarra le moteur de la Lincoln.

Quelques minutes plus tard, ils étaient assis tous les trois dans un Second Cup, où ils échangèrent tout ce qu'ils savaient sur John, Andy et Saphira. Rachel avoua son lien pervers et émotif avec John depuis la nuit de l'accident, son aventure avec Andy et ses menaces si elle ne cessait de voir John. Héléna relata, surtout pour Rachel mais aussi pour Adam, les détails de ses conversations étranges avec John. Adam, qui avait vu John une seule fois chez Héléna, leur rappela son aventure désastreuse avec Saphira et ce qu'il savait sur les fréquentations malsaines de la Diva.

Héléna et Adam émirent ensuite la liste des possibilités auxquelles ils avaient déjà pensé (avertir la police, avertir JMB, annuler leur spectacle…) et, comme eux, Rachel ne fut enthousiasmée par aucune.

Ils réfléchirent en silence pendant quelques secondes puis Héléna prit la parole :

— C'est normal que nous soyons indécis dans notre décision. John ne nous laisse pas indifférents. Toi, Rachel, tu sembles éprouver des sentiments pour lui. Moi, c'est une certaine fascination que je ressens pour lui. Adam, tu es concerné par cet homme que tu ne connais pas et qui t'en veut pour des motifs obscurs qui ne semblent avoir du sens que pour lui.

Elle regarda Rachel dans les yeux avant de poursuivre :

— Si tu n'approches plus John, je crois que tu
n'auras plus de problème avec Andy. Pour ce qui
est d'Adam et moi, c'est plus compliqué. Même en
annulant le spectacle, si John veut descendre l'un de
nous deux, voire les deux, il peut le faire n'importe
quand.

— Il aurait pu déjà le faire, non? demanda Rachel.

— Oui, répondit Adam. On se demande pourquoi
la date du 3 juillet est si importante.

— Un caprice de Saphira? proposa Rachel. Peut-
être qu'elle veut voir l'un de vous mourir sur scène
pour son plus grand plaisir. Il me semble que ce serait
son genre.

Chacun pensa à cette explication, puis Adam
ajouta:

— Nous avons aussi inclus dans nos réflexions le
fait que nous puissions nous tromper et que personne
ne soit tué ce soir-là.

Rachel haussa les épaules.

— Oui, peut-être qu'on s'énerve pour rien, qu'on
se trompe complètement.

Plusieurs secondes s'égrenèrent sans que personne
ne relance la conversation, qui avait atteint un cul-
de-sac. Adam se sentit obligé de dire quelque chose:

— Merci, Rachel, d'avoir partagé tes impressions
avec nous.

— J'espère avoir été utile, peu importe votre
décision. En attendant, je peux quand même vous
reconduire chez vous.

Le trio se leva en même temps et commença à
marcher en direction de la sortie. Mais Héléna s'arrêta
soudain un peu avant la porte.

— J'ai une idée, dit-elle.

29 JUIN

JOHN

Assis dans un fauteuil de jardin sur la terrasse à l'arrière de la maison, John sirotait une deuxième tasse de café. La soirée fraîche détendait sa nuque.

Il avait passé une partie de l'après-midi, avec quatre autres membres de Lamarre Sécurité, à écouter le briefing d'Andy concernant le 3 juillet. Ces hommes, John les connaissait depuis longtemps. Ils étaient de la même trempe que son frère, des amis, anciens militaires devenus de redoutables mercenaires qui avaient choisi de travailler – du moins le temps de quelques années et pour diverses raisons – dans une branche d'envergure plus modeste que leurs compétences. Parmi eux, c'était lui, John, le meilleur tireur.

Andy fit glisser la porte-fenêtre coulissante et vint s'asseoir sur la chaise à la droite de John.

— Tu veux que j'aille te reconduire à Montréal ce soir?

— Non, je vais dormir ici.

Il n'avait plus été question de la chauffeure de Lincoln depuis que son frère lui avait appris que c'était une salope. Et John n'en voulait pas à Andy. Il avait bien fait de lui dire la vérité.

— Es-tu prêt à connaître les précisions sur ton Travail ?

En entendant la question, John ressentit une excitation dans son bas-ventre. Il tourna la tête vers son frère. Ce dernier le dévisagea. Sans hostilité. Sans affection. Simplement comme des hommes qui effectuent le même Travail et vont se transmettre des informations importantes, pensa John.

Andy parla sans discontinuer pendant un peu plus d'une minute, expliquant à John qui il devait éliminer et pourquoi. Il l'écouta attentivement sans l'interrompre.

— Tu te sens OK avec ça ?

— Oui.

— Bien. Bonne nuit, John.

Andy se leva et rentra.

De nouveau seul, John déposa sa tasse de café sur la table. Il glissa une main dans son pantalon de jogging et il empoigna son pénis enfin dressé. Il l'exhiba et commença à se masturber avec frénésie. Il aurait voulu que l'expérience dure plus longtemps que quelques secondes, mais après presque deux semaines de retenue, ce fut impossible.

Éjaculer lui fit mal, mais savoir qu'il allait pouvoir enfin de nouveau recommencer était un soulagement encore plus important que l'acte en soi.

30 JUIN

ADAM

Depuis quelques soirs, la clientèle était différente au Hard & On. Une partie de la population montréalaise ayant quitté la ville pour les vacances, le bar était surtout occupé par des touristes et quelques clients réguliers. Le jeune chauve était assis au bar et Adam poussa un soupir en pensant que, pour la première fois, il espérait, lui aussi, que Saphira finirait par se pointer. Grâce à ses nombreux contacts et à de précieux intermédiaires, Anthony s'était organisé pour que la Diva nocturne soit mise au courant que le Hard & On était rempli de beaux Européens riches et pas tous gais, avait-il bien précisé. Il avait pris soin de mentionner qu'Adam, le danseur préféré de Saphira, serait du spectacle ce soir-là.

La soirée était encore jeune et les spectateurs, hommes et femmes, étaient un peu coincés, remarqua Adam après sa deuxième danse. Il espéra qu'après quelques verres ils seraient plus enthousiastes et l'inviteraient à danser à leur table.

Assis sur un banc dans le vestiaire, il s'appuya contre le mur et but quelques gorgées d'eau. Il repensa à l'idée d'Héléna, intelligente, mais qui le rebutait. C'était pourtant une solution logique pour essayer de contrecarrer le supposé plan de Saphira. À la condition qu'il soit bon acteur.

Anthony entra dans le vestiaire et s'assit près d'Adam.

— Elle va venir, dit-il. J'ai eu la confirmation qu'elle est à Montréal.

— Elle passe peut-être la soirée dans un autre bar.

Son patron lui tapa amicalement la cuisse.

— Fais-moi confiance, elle va finir sa soirée ici.

Il se leva et retourna dans le bar.

Le reste de la soirée se déroula normalement. Les touristes devinrent effectivement moins gênés après quelques consommations et Adam dansa aux tables sans arrêt entre ses prestations sur scène. Préoccupé, il réussissait à donner de bons spectacles même s'il n'était pas à son meilleur. Derrière sa longue mèche, il gardait un œil sur la porte d'entrée de manière discrète.

À deux heures trente, alors qu'il avait abandonné tout espoir de pouvoir parler à Saphira, elle fit soudain irruption dans le bar, en attirant tous les regards vers elle. Plusieurs touristes furent tout remués de la venue de cette déesse vêtue d'une courte robe dorée dont le tissu n'était guère plus large que long. Adam se dit qu'ils devaient mentalement calculer s'il leur restait assez de fric dans leur portefeuille pour se payer une telle poule de luxe. Il devait agir rapidement avant qu'un de ces touristes s'intéresse de trop près à la Diva.

Il termina sa danse pour un trio de New-Yorkaises, à qui il souhaita bonne soirée, et il se dépêcha d'aller à la table où Saphira était assise entre deux touristes européens déjà pas mal éméchés. Lorsqu'elle le vit, Adam lui offrit son plus beau sourire qu'il accompagna d'un clin d'œil. Puis il passa à côté de la table sans rien dire. Tapi dans un coin du bar d'où elle ne pouvait le voir, il l'observa. Saphira souriait aux deux hommes, mais elle regardait à gauche et à droite, distraite. Il constata avec plaisir que la première étape de son plan avait fonctionné.

Adam laissa passer une danse, pendant laquelle il cala un verre de cognac, gracieuseté d'Anthony, puis il retourna à la table de Saphira. Il s'installa en face d'elle et, en la regardant droit dans les yeux, il commença à bouger tandis que Kate Perry se mettait à chanter *If You Can Afford Me*. Les touristes se mirent à rire, sans comprendre que le *gogo boy* était une réelle menace à leurs projets de finir la nuit avec la déesse en doré. Adam, lui, savait qu'il avait remporté la seconde étape du plan. Le regard de Saphira exprimait l'ivresse qu'elle ressentait devant son *ego* ainsi flatté.

Une fois sa danse terminée, Adam alla planter un baiser humide sur la joue de Saphira, comme si c'était le geste le plus naturel du monde.

— Ça va bien, princesse ? lui demanda-t-il en prenant soin qu'elle sente son haleine d'alcool.

Adam remarqua que les prétendants s'inquiétaient un peu.

— Je peux t'offrir un verre ? lui demanda Saphira, le regard allumé.

— Avec plaisir.

Et, sans rien demander, il s'assit à la table, créant,
cette fois, un mécontentement visible sur le visage
des deux touristes.

Une serveuse passa et Adam commanda un
cognac. Saphira lui mit une main sur l'avant-bras.

— Depuis quand bois-tu du cognac ?

— Ça fait un moment. Et j'aime ça.

Puis il se rapprocha de son oreille et dit, assez
fort pour qu'elle comprenne :

— J'aime bien m'envoyer une petite ligne ou deux
aussi de temps en temps.

Elle le regarda, à la fois étonnée et fascinée. Adam
eut peur qu'elle se questionne sur ce changement
mais, au contraire, elle se mit à sourire de toutes
ses dents.

— Enfin, tu as compris ce qu'était la vraie vie.

— C'est comme tu le dis.

Exaspérés de cette intimité entre leur proie et le
gogo boy, les hommes saluèrent Saphira, qui leur
répondit à peine, et quittèrent la table. Adam reçut
son cognac, tandis que la Diva sirotait son *sex on
the beach*.

— C'est ta blonde qui t'a initié aux bonnes choses ?

— Voyons, Saphira, depuis quand est-ce que j'ai
une blonde ?

— Je croyais que tu baisais avec Rachel, la fille
qui conduit des voitures.

— J'ai baisé avec elle deux fois, mais c'est du
passé.

— Et la vieille, avec qui tu fais le spectacle ?

Adam éclata de rire.

— Héléna ? Ce n'est sûrement pas ma blonde.
C'est juste ma partenaire le temps du spectacle. On
n'a jamais baisé ensemble.

Saphira plissa des yeux. Adam cala son verre, se concentrant pour demeurer dans son rôle.

— Écoute... tu n'aurais pas un peu de poudre avec toi ? On pourrait aller chez moi et s'amuser un peu.

Saphira lui caressa l'avant-bras.

— Enfin, Adam, tu te réveilles.

— Je suis en effet très réveillé, dit-il en s'efforçant de simuler le désir dans ses yeux.

Converse Boy et Diva Saphira quittèrent le bar quelques minutes plus tard. Sur le bord de la porte, Anthony fit un clin d'œil à Adam.

Adam espéra que tout le reste se déroulerait comme prévu et, surtout, qu'il serait capable d'aller jusqu'où il fallait pour avoir l'air convaincant.

1er JUILLET

HÉLÉNA

Héléna avait donné rendez-vous à Rachel au Second Cup où ils s'étaient concertés, quatre jours plus tôt. Adam et elle y étaient déjà installés avec un café.

— Je n'arrive pas encore à croire que j'ai fait ça, dit Adam en évitant le regard de son amante.

— Qu'est-ce qui te rend si mal à l'aise ?

— Avoir menti de A à Z.

— Même si c'était envers une femme qui a peut-être l'intention de te ou de me tuer ?

— Non, Héléna, répondit Adam en levant les yeux vers elle, je comprends cette partie, mais ça m'a tout de même répugné d'agir comme ça. Je ne veux plus jamais avoir à recommencer un truc pareil.

— Je ne le souhaite pas non plus. On a juste fait notre possible pour essayer d'éviter un meurtre.

La veille, après avoir réussi à mettre Saphira à la porte de chez lui, le plus gentiment possible et avec la promesse de recommencer ce qui venait de se passer, Adam s'était effondré sur le lit. Héléna était sortie de la garde-robe aux portes légèrement entrouvertes et elle était venue le rejoindre. En le serrant dans ses bras, elle avait ressenti son sentiment de culpabilité par rapport à ce qui venait de se passer. Il avait réussi à souffler sur la coke plutôt que de la sniffer sans que Saphira s'en rende compte. Mais il avait dû l'embrasser sur la bouche pour qu'elle y croie aussi. Elle avait voulu plus et c'était évidemment prévu. Cachée dans la garde-robe avec son appareil photo numérique, Héléna avait donc assisté aux ébats sexuels d'Adam et Saphira.

Contrairement à Adam, ça ne l'avait pas gênée. Elle était cependant pleinement consciente à quel point commettre cet acte l'avait troublé.

— Adam, dit-elle en lui prenant une main, je comprends comment tu te sens. La première fois que je t'ai vu, la première impression que j'ai eue de toi, c'était que tu dégageais de la sincérité.

Il lui sourit, mais elle décela de la tristesse dans ses yeux. Il vivait une expérience en contradiction avec sa nature. Elle voulut dire autre chose, mais Rachel venait vers leur table avec un café et un morceau de gâteau au chocolat. Elle s'assit avec eux. Ils se saluèrent et Héléna embarqua dans le vif du sujet.

— Tout s'est passé comme prévu, dit-elle en poussant une enveloppe brune cachetée vers Rachel.

Cette dernière jeta un bref regard vers Adam, puis elle s'adressa à Héléna.

— Je vais aller la porter tout de suite en sortant d'ici.

— Le plus tôt sera effectivement le mieux, dit Adam.

Il se passa une main dans les cheveux et ajouta sur un ton amer :

— En espérant que ça fonctionne et que je n'ai pas fait ça pour rien.

Héléna voyait s'ajouter l'angoisse dans le regard de son amant. Elle devait l'aider à retrouver son équilibre avant le spectacle.

La cage allait encore servir.

RACHEL

L'enveloppe contenait des clichés d'Adam et de Saphira en pleine action. Rachel savait que c'était Héléna qui, cachée dans l'appartement d'Adam, avait pris les photos. Elle était peut-être voyeuse ? Peu importait, pensa-t-elle. Ni Héléna, ni Adam, ni elle ne savaient si leur stratégie allait fonctionner. Ils s'étaient simplement mis d'accord pour agir en espérant empêcher une possible tentative de meurtre.

Les mains de Rachel étaient moites sur le volant. Le stress, sans doute. Elle stationna la Lincoln à quelques rues de chez John. Il était préférable qu'il ne voie pas sa voiture.

Elle était passée chez lui à plusieurs reprises au cours des derniers jours en gardant espoir qu'il lui ouvrirait et qu'elle pourrait enfin lui poser ses questions de vive voix. Mais la porte était restée fermée. Il n'avait pas non plus répondu à ses appels et, puisqu'il n'avait pas de messagerie vocale, elle n'avait pas pu lui laisser un message. Elle allait devoir attendre le soir de l'inauguration pour le revoir et essayer de lui parler. Et encore... Où serait-il, exactement, ce soir-là? En train de viser sa cible? Peut-être pas si leur plan fonctionnait.

Elle descendit de la voiture et marcha jusqu'au parc Lahaie, tout près de chez John. Elle s'assit sur un banc et attendit de repérer la personne dont elle avait besoin pour effectuer la mission.

Dix minutes passèrent sans succès, puis un jeune homme souriant, un sac sur le dos, marcha en direction du banc où Rachel était assise. Elle sut tout de suite qu'il ferait l'affaire.

— Bonjour, dit-elle en se levant juste avant qu'il ne passe devant elle.

Il s'arrêta et la regarda, l'air d'abord étonné, puis amusé.

— Bonjour, dit-il. Qu'est-ce que je peux faire pour toi, jolie demoiselle?

— Justement, j'ai besoin de quelqu'un pour me rendre un petit service.

— Quel genre de service? demanda-t-il, intrigué.

Rachel agita l'enveloppe.

— Elle doit se retrouver dans la boîte à lettres de quelqu'un qui habite tout près d'ici.

Il rit.

— Et pourquoi moi?

— Parce que tu as l'air d'un bon gars qui a le goût de se faire vingt dollars rapidement pour rendre ce service tout simple.

Il hésita un bref moment avant de répondre :

— Ça ne me causera pas d'ennuis ?

— Non, répondit-elle en souriant. C'est juste que, s'il me voit, ce ne sera plus une surprise.

Le jeune homme rit encore.

— Ah, une surprise ! C'est tripant. Je vais te rendre service avec plaisir.

Quelques minutes plus tard, l'enveloppe se trouvait dans la boîte aux lettres du 224, boulevard Saint-Joseph Est.

Rachel retourna à la Lincoln en croisant les doigts pour que John prenne connaissance du contenu de l'enveloppe rapidement. Elle aurait pu demander au messager improvisé de sonner, mais il y avait peu de chances que John ouvre à un inconnu.

Elle composa le numéro d'Adam sur son cellulaire.

— Mission accomplie, dit-elle dès qu'il décrocha.

2 JUILLET

JOHN

La chaleur accablait John. Après avoir fini de repasser la chemise de son costume de gardien de sécurité, il alla à la cuisine chercher un glaçon qu'il appuya sur sa nuque. Il avala deux grands verres d'eau froide et ses pieds nus contre le carrelage frais l'aidèrent aussi à se détendre.

De retour au salon quelques minutes plus tard, il s'assit sur le divan et regarda les quatre photos étalées sur la table basse devant lui, en deux rangées de deux. Des photos répugnantes d'Adam et de cette femme avec laquelle il s'adonnait à des actes sexuels. Il prit la lettre, qui accompagnait les photos de l'enveloppe brune qu'on avait déposée dans sa boîte à lettres, et il la lut de nouveau.

Cher John,
Tu avais raison, Adam n'est pas pour moi.
Mais loin de moi l'idée de lui en vouloir.
Nous devons donner notre spectacle ensemble,
à l'inauguration du Temple, car c'est important.

Nous y avons mis beaucoup de temps et d'efforts. De notre talent et de notre âme. Mais Adam et moi avons convenu de ne plus nous revoir ensuite. Il a fait ses choix et moi les miens.

Je croyais l'aimer, mais je réalise que je ne souffre pas de savoir que nos chemins se sépareront sous peu. Il n'a été qu'une flamme sexuelle et un excellent partenaire de travail. Il m'a donc fait du bien. En aucun cas je ne lui veux du mal.

J'aimerais te revoir dans quelques jours afin que nous puissions parler comme tu me l'as demandé. Je ne crois pas qu'il sera trop tard, n'est-ce pas?

Héléna

John déposa la feuille à côté des photos. Il n'y avait aucun doute : si Héléna ne lui avait pas écrit ce mot, il n'aurait pas hésité à éliminer Adam. Mais elle avouait que lui, John, avait vu juste et que ce jeune débauché n'était pas pour elle. Elle reconnaissait qu'elle ne l'avait jamais aimé et qu'il ne lui causait aucune souffrance. Et elle voulait le revoir, lui, John, pour parler. C'était bien. Très bien. Héléna était une femme intelligente.

La nuque rafraîchie et détendue, il essuya sa main mouillée sur la cuisse de son pantalon puis il se rendit de nouveau dans la cuisine. Il ramassa une pile de journaux et une boîte sous l'évier. Il apporta le tout au salon et s'assit par terre. Il déplia les pages de papier, y déposa ses souliers noirs d'agent de sécurité, puis il ouvrit la boîte qui contenait le matériel à cirer.

La sonnette retentit. Trois fois. Pause. Deux fois. John se leva et alla appuyer sur le bouton qui permettait de déverrouiller la porte d'entrée de l'immeuble. Il ouvrit ensuite la porte de son logement à Andy.

Son frère entra. La sueur perlait sur son front. Sa camisole collait sur son torse. Il se dirigea vers la salle de bain et John l'entendit ouvrir le robinet du lavabo, sans doute pour se rafraîchir.

Il se rassit par terre et commença à cirer le soulier gauche.

Andy revint au salon, une bouteille d'eau en main. Ses courts cheveux mouillés, il s'installa sur le divan et se cala contre le dossier.

— Comment ça va, John?

— Je vais bien.

— Tu crois que tu y arriveras?

Il arrêta son geste, leva la tête et regarda son frère.

— Je ne sais pas.

Ils se regardèrent un long moment, en silence. Puis John recommença à frotter son soulier enduit de cire.

Les minutes passèrent. Calmes. Puis les ressorts du divan grincèrent et John jeta un œil en direction de son frère, qui s'était redressé et prêtait attention à ce qui se trouvait sur la table. Il le vit prendre une des photos et l'examiner. Puis la deuxième. La troisième. La quatrième.

Andy jura. Il était en colère.

— Qu'est-ce que tu fais avec ces photos?

Sa voix restait pourtant calme.

— C'est écrit dans la lettre.

Andy prit une minute pour la lire. Puis il s'adressa de nouveau à son frère.

— Est-ce que tu connais la femme sur les photos ?

John déposa le soulier gauche sur le papier journal.

— Non.

— Elle n'a aucun lien avec toi ?

— Non.

Andy se leva. John sentait la colère grandir et émaner de lui. Il ne comprenait pas pourquoi.

— À demain, John.

Après que son frère fut parti, John resta un long moment sans bouger.

Il prit ensuite le soulier droit et il continua ce qu'il faisait pour se préparer au Travail.

3 JUILLET 2010

ILS VOIENT

RACHEL

À quatre heures du matin, seul dans son bureau, JMB conversait sur son cellulaire. Profitant que le Temple était désert, Rachel poussa sur la porte « Réservé au personnel ». Celle-ci n'était pas verrouillée. Elle monta à l'étage, où elle parcourut un couloir de portes fermées. Au bout, elle découvrit la passerelle qui offrait une vue d'ensemble de la salle, mais plus spécifiquement une vue en plongée sur la scène. Selon le pressentiment d'Héléna, c'était l'endroit d'où John avait prévu de viser sa cible. À moins, bien sûr, que les photos et la lettre l'aient incité à changer d'idée.

— Rachel ? cria JMB.

Heureusement, elle pouvait l'entendre grâce au calme des lieux. Elle se dépêcha de descendre et d'aller dans le bureau. Le patron enfilait son veston.

— Je ne sais pas comment je vais tenir debout ce soir, confia-t-il, visiblement épuisé.

— L'adrénaline et une canette de Red Bull feront des merveilles…

JMB rit. Rachel le trouvait sympathique quand il était ainsi. Ça faisait quelques fois qu'il dégageait de la vulnérabilité en sa présence, contrairement à son habituelle attitude d'homme d'affaires si solide.

— J'aurais pu être un sniffeur de coke temporaire, mais avec tout ce que je sais sur la merde qu'on mélange à la poudre, jamais je me mettrai une ligne de cette cochonnerie dans le nez.

Un bon point pour lui, pensa Rachel, et sans doute une des raisons pour lesquelles il avait pu garder la tête froide et démarrer tant de bars à succès dans la métropole. Elle trouva dommage que la possibilité d'un événement tragique puisse ruiner l'inauguration de son projet le plus ambitieux. Elle le regarda ramasser quelques enveloppes et les glisser dans une poche de son veston. Elle se sentit malhonnête de savoir ce qui pouvait se passer dans quelques heures alors que JMB l'ignorait. Mais elle ne voulait pas le placer en situation d'inquiétude et de stress. Il était trop tard. Le plan d'Héléna allait fonctionner ou pas. C'était extrême. Noir ou blanc. Un meurtre ou pas de meurtre. Avec une chance sur deux, les probabilités que tout se passe bien n'étaient quand même pas mauvaises.

Trente secondes après s'être assis sur la banquette arrière de la Lincoln, JMB ronflait. Rachel aussi était crevée et elle avait hâte que ce contrat exigeant se termine. Après des semaines de trajets de courtes distances en ville, elle ressentait le besoin de rouler sur l'autoroute de longues heures, voire des journées entières. Elle voulait aller loin, droit devant, sans se soucier le moindrement de sa destination. Elle voulait entendre le vent dans la Lincoln, le sentir dans ses cheveux et sur sa peau. Rouler. Rouler sans feux de circulation, sans stop, sans s'inquiéter des piétons, sans faire attention aux bicyclettes...

Mais, pour l'instant, après avoir déposé JMB chez lui, Rachel voulait dormir quelques heures dans son lit. Celui avec un matelas et des draps. Elle ressentait aussi ce besoin, même si elle n'était pas certaine de pouvoir fermer l'œil.

ADAM

Assis sur le rebord d'une fenêtre du loft, Adam était appuyé dos contre Héléna qui l'entourait de ses longs bras. Il se sentait fragile et tendu. C'était plus fort que lui, il n'arrivait pas à évacuer le sentiment de culpabilité qu'avait fait naître la mise en scène avec Diva Saphira.

— Essaie de verbaliser ta peur, Adam.

Dans moins de vingt heures, ils seraient dans leur loge du Temple d'Éros, en train d'enfiler leurs costumes. À cause de son état mental et émotif, Adam avait peur de ne plus être à la hauteur du spectacle. Et il était clair qu'Héléna le ressentait.

— Je me sens minable d'avoir agi contre ma nature. J'ai peur d'éprouver ce sentiment pendant le spectacle et de ne plus être crédible.

— Habituellement, tu te sens comment quand tu fais le spectacle?

— Très bien. Totalement à l'aise.

— Alors rien d'autre ne doit avoir d'importance aujourd'hui.

— C'est facile à dire...

Héléna resserra ses bras autour de lui et elle lui chuchota à l'oreille.

— Suis-moi, dit-elle.

. C'était un des pouvoirs de son amante. Dès qu'elle lui chuchotait à l'oreille, Adam sentait son corps vibrer et son sexe se dresser. D'autres femmes lui avaient pourtant chuchoté à l'oreille sans jamais provoquer cette réaction.

Adam suivit Héléna dans la chambre. Ils étaient debout, face à face.

— Je vais devoir être dure.

— Dure? demanda-t-il un sourire en coin.

— Non, pas dure comme toi, dit-elle en appuyant fermement la main sur son membre en érection. Déshabille-toi et va dans la cage.

Héléna était imprévisible et c'était un autre de ses pouvoirs qui le fascinait. Il avait cru qu'ils allaient dans la chambre pour faire l'amour tendrement, de manière réconfortante, mais son amante semblait avoir un autre plan en tête.

Il obéit. Non pas parce qu'il aimait obéir mais parce que ça lui tentait vraiment d'aller dans la cage. Ça l'excitait. Il y entra donc en toute liberté.

Il regarda Héléna mettre le cadenas et il la trouva profondément belle sans savoir pourquoi il pensait à cela en cet instant précis.

Elle s'installa debout, à environ un mètre de la cage, de sorte que même en allongeant le bras à travers les barreaux, Adam ne pouvait la toucher. Elle se rendait inatteignable.

— Parle-moi de Saphira.

Pourquoi diable voulait-elle qu'il lui parle de Saphira en ce moment? Il pencha la tête, laissant sa mèche lui cacher le visage.

— Je ne sais pas quoi dire.

Un long silence suivit.

— Je la trouve laide, dit-il enfin.

— Est-ce que tu la trouvais laide la première fois que tu as couché avec elle?

Adam agrippa les barreaux à deux mains. Ça frappait comme question.

— Non. Elle était sexy et j'ai eu le goût de la baiser.

— Qu'est-ce qui s'est passé entre la première et la seconde fois pour que tu ne la désires plus?

Il releva la tête.

— Ben voyons, Héléna, pourquoi tu me demandes ça?

— Réponds à la question.

Il soupira. À quoi voulait-elle en venir?

— Je t'ai rencontrée.

Cette fois, ce fut Héléna qui soupira.

— Et en quoi le fait de me rencontrer annule le fait que tu la trouves sexy?

Adam sentit de la colère monter en lui.

— Tu te moques de moi? Je t'aime, voyons!

— Réfléchis et réponds intelligemment à la question, Adam.

Bien, elle voulait le mettre au défi. Il s'efforça de penser avec toute la sincérité dont il était capable. Il lui fallut un bon moment pour réaliser où Héléna voulait le mener.

— Je la trouvais encore sexy l'autre soir, laissa-t-il tomber. Mais ça me répugnait bel et bien de la baiser.

— Pourquoi?

— Parce qu'elle est sotte et dérangée dans sa tête.

— As-tu éprouvé du plaisir à la baiser?

Adam sentit un motton dans sa gorge. Il ne pouvait plus reculer.

— Oui, murmura-t-il, même si c'était l'opposé de faire l'amour. C'était un acte bête et méprisant.

Héléna s'approcha de la cage.

— Comprends-tu maintenant pourquoi tu te sens si mal? demanda-t-elle tout bas.

Il acquiesça d'un signe de tête.

Elle glissa une main entre deux barreaux et repoussa doucement la mèche derrière son oreille.

— Tu te sens coupable d'avoir aimé ça et tu as peur de me blesser ou de me perdre en me l'avouant.

Comme elle avait raison.

— As-tu organisé tout ça par exprès? voulut-il savoir.

— Non. Je n'ai pensé à rien d'autre qu'à nous sauver la vie, si réel danger il y a. C'est ta propre réaction qui m'a fait comprendre ce qui se passait en toi.

— Tu ne m'en veux pas?

— Je t'en veux seulement d'avoir souffert pour rien.

Elle mit une main sur sa nuque et s'approcha pour l'embrasser.

— Saphira n'a plus d'effet sur toi, dit-elle ensuite en souriant parce qu'Adam avait débandé depuis un bon moment.

Il rit. Et elle rit avec lui. Puis une idée lui traversa l'esprit.

— Mais dis-moi, Héléna, toi, est-ce que ça t'a excitée de me voir avec une autre femme?

— Oui, mais de manière mentale. Ça m'excitait de savoir qu'on était complices de ce qui se passait. Et je savais que tu ne ressentais rien de valorisant pour Saphira. Que le plaisir que tu prenais n'était qu'instinctif.

— Ç'aurait été différent si j'avais été avec une femme pour qui j'éprouvais des émotions?

— Ça aurait fait toute la différence. Je voudrais pouvoir te dire que l'acte sexuel m'aurait aussi laissée indifférente, mais ce serait te mentir.

Il comprenait.

— C'est réciproque, dit-il. Mais je ne suis même pas certain que je serais capable de tolérer de te regarder avec n'importe quel homme, que tu l'aimes ou pas.

— Normal, tu es plus exhibitionniste que voyeur.

Il n'allait certainement pas nier.

— Est-ce que je peux sortir de la cage?

Elle fit glisser une main le long de son dos, jusqu'à la naissance de ses fesses. Il tressaillit et son membre se réveilla. Héléna fouilla dans la poche de son jean, prit la clé et déverrouilla le cadenas. Il l'observa se déshabiller, excité de ne pas connaître la suite des événements. Lorsqu'elle pénétra dans la cage avec lui, il la plaqua contre les barreaux et l'embrassa avec fougue, à plusieurs reprises, avant de murmurer dans son oreille:

— C'est à mon tour d'être dur avec toi.

Il la souleva et elle s'agrippa aux barreaux tandis qu'il la pénétrait sans autre préalable, car il la savait prête.

Avec Héléna, le sexe trop gentil n'était décidément pas aussi excitant que tout ce qu'elle savait inventer d'autre.

John

Vêtu de son costume d'agent de sécurité, John changeait de point d'observation à toutes les vingt-deux minutes. Contrairement à Andy ou aux autres employés de Lamarre Sécurité, il se postait aux endroits les moins visibles. L'oreillette accrochée à son oreille gauche n'était pas un lien qui le mettait en communication avec ses collègues de travail. Elle diffusait du Merzbow.

John restait indifférent aux spectacles et images de débauche qui déferlaient dans le Temple d'Éros. Par contre, la peau nue et la sueur des gens qui bougeaient sans pudeur sur l'immense plancher de danse le dégoûtaient. Pires encore étaient ces hommes et ces femmes, tapis dans les coins sombres, qui s'adonnaient à des actes sexuels sans aucune gêne. Et il y avait cette musique, forte à crever les tympans, avec ses rythmes lascifs et ses paroles stupides qui stimulaient la promiscuité des corps. John se concentrait sur le *noise* qui jouait dans son oreillette. Les femmes présentes dans ce lieu étaient toutes pareilles. Pareilles à sa mère. Intoxiquées par l'alcool ou par d'autres substances. Exhibant leur vulgarité et leurs vices. Elles étaient laides. Et les hommes qui les prenaient étaient aussi laids qu'elles. Aussi saouls qu'elles, et plus bêtes que des animaux. John avait hâte que la soirée soit terminée.

RACHEL

Le Temple d'Éros remplissait sa promesse. La peau y était à l'honneur, l'ambiance y était chaude et vibrante d'érotisme. Entre les spectacles, la foule haute en couleur étrennait le plancher de danse, électrifiée par la musique *dance* et techno. C'était jusque-là une soirée fort réussie et JMB devait être fier.

Debout dans un coin sombre, Rachel sirotait un Coke en observant ce qui se passait autour d'elle. Elle aurait aimé danser et s'amuser, mais son esprit était beaucoup trop préoccupé. Elle portait une robe en soie noire, longue et moulante, peu décolletée. Sa crinière blonde était camouflée sous une courte perruque noire et la moitié de son visage sous un loup orné de dentelle. Elle avait décidé de participer à cet événement de manière discrète et avec retenue, surtout pour ne pas attirer l'attention des employés de Lamarre Sécurité qui circulaient partout dans le Temple. Si Andy l'avait identifiée, il ne lui avait prêté aucune attention et c'était parfait. Quant à John, elle l'avait entrevu à deux reprises, sérieux et droit dans son rôle de gardien de sécurité. Lui non plus n'avait pas eu l'air de la reconnaître. Et puis il y avait Diva Saphira, que Rachel surveillait du coin de l'œil. La star de la *night life* avait couvert son corps bronzé de voiles et de bijoux en or, laissant beaucoup de peau dénudée, ce qui lui donnait l'allure d'une reine égyptienne. Mais une reine à l'air suffisant et arrogant qui n'inspirait aucune sympathie et encore moins un sentiment d'admiration. Lorsque Rachel la vit s'asseoir sur un divan en compagnie d'un monsieur muscles en slip blanc et bottes de cowboy – obligeant sans gêne un jeune homme chauve à dégager le terrain –, elle en profita pour s'avancer près d'eux et tendre l'oreille.

— J'ai entendu dire que tu avais ajouté un nouvel amant à ta collection, criait l'homme pour enterrer la musique.

— Plus qu'un amant, Kiki chéri, un amoureux.

Parlait-elle d'Adam ? se demanda Rachel.

— Non !!! Toi, un amoureux, Saphira trésor ?

— Va me chercher un verre et je te raconte tout.

Kiki obéit sans se faire prier. Mais à peine ses fesses furent-elles décollées du divan qu'un autre homme prenait sa place. Moins gai, celui-là, pensa Rachel.

— Saphira, tu es splendide…

Il déballa une suite de compliments qui tombaient dans la flatterie pure et simple, mais la Diva, que Rachel observait du coin de l'œil, était ravie.

— Quoi de neuf, oh majestueuse reine de beauté? demanda-t-il.

— Je suis en amour.

— Non!!!

Décidément, il fallait répandre la bonne nouvelle.

— Oui.

— Mais avec qui? Il est ici? Je veux le voir!

— Il va être sur scène plus tard. Mais tu as sûrement déjà entendu parler de Converse Boy, le *gogo boy* le plus hot en ville...

La conversation se poursuivit.

Rachel avait les oreilles qui bourdonnaient, non pas à cause de la musique, mais parce que ce qui sortait de la bouche de Saphira était irréel. Cette dernière racontait à l'homme qu'Adam était fou d'elle et qu'il le prouvait en lui faisant l'amour trois fois par jour en l'appelant sa déesse suprême.

Cette femme était complètement cinglée. Et Rachel s'en réjouit; Saphira avait réagi au plan diabolique exactement comme Héléna l'avait prévu. Restait à savoir quelle influence toute cette mise en scène avait eue sur John. S'il y avait bel et bien un lien quelconque entre Saphira et John, s'il était bien un tueur ou pas...

Suis-je encore quand même attirée par cet homme? se demanda soudain Rachel. Malgré ses bizarreries et les dangers qu'il représentait, si John l'avait laissée complètement indifférente, elle ne se serait même pas posé la question. Mais pouvait-elle éprouver des sentiments pour un tueur? Peut-être.

En fait, sans doute, s'avoua-t-elle. La vraie question était : pouvait-elle avoir la conscience tranquille de ressentir des émotions pour quelqu'un qui enlevait la vie des autres ?

Saphira et son admirateur se levèrent et disparurent parmi la foule. Rachel se demanda où était John à ce moment-là. Elle longea le plancher de danse.

Et elle le vit, debout à côté de la porte « Réservé au personnel ». Ça lui traversa l'esprit d'aller lui parler, mais elle fut incapable de transmettre l'idée à son corps de se rendre jusqu'à lui. Elle resta figée, entourée de filles et de gars qui riaient, un verre à la main.

Une boule d'angoisse se forma au creux de son ventre.

JOHN

La musique se tut soudain tandis que l'éclairage devenait plus vif. Il y eut un moment de répit sur le plancher de danse. Dans la clarté des projecteurs, tous ces gens, mi-costumés, mi-nus, certains avec un masque, apparurent encore plus laids aux yeux de John.

Celui qu'il connaissait sous le nom de JMB sortit de l'arrière-scène et prit le micro qu'une jeune femme lui tendait. Il se lança dans un discours vantant le succès de l'événement, expliquant en quoi le Temple d'Éros serait différent des autres bars de la métropole, remerciant tous les gens qui avaient participé à sa création et invitant sur scène les deux principaux commanditaires. John n'avait jamais vu l'homme, mais il reconnut la femme ; c'était celle des photos. Celle avec laquelle Adam avait commis l'acte sexuel. Mais cela ne le concernait pas.

JMB invita ensuite tout le monde à sortir du Temple, le temps d'apporter quelques changements au décor.

Pendant que la salle se vidait, des employés ramassaient les verres et bouteilles vides qui traînaient un peu partout. Serveurs et serveuses nettoyaient les tables et comptoirs de bar. Un rouquin passait le balai sur le plancher de danse. L'équipe de sécurité était réunie près de la porte d'entrée et Andy discutait avec ses gars. L'éclairage fut ajusté de manière dramatique et sombre tandis que le principal changement de décor annoncé avait lieu sur la scène, où des hommes apportaient les morceaux d'une carcasse de voiture qu'ils assemblaient.

Une vingtaine de minutes plus tard, les invités purent commencer à rentrer dans le Temple. John les observa un à un. Il vit enfin Rachel traverser les portes. Était-elle là depuis le début de la soirée ? Comment avait-il pu ne pas la remarquer ?

Les invités privilégiés se massèrent devant la scène en attendant le dernier spectacle de la nuit. Quelques minutes plus tard, les premières notes d'une nouvelle musique résonnèrent dans l'immense salle, tandis qu'un épais nuage de brouillard bleuté inondait la scène. Lorsqu'il se dissipa, John reconnut Héléna et Adam. Mais eux non plus ne l'intéressaient pas. Il reporta son attention sur Rachel. Elle se tenait en retrait, derrière la foule. Elle jetait de brefs coups d'œil au spectacle, mais son regard errait nerveusement de gauche à droite, derrière, au plafond, en haut de la scène.

John coupa le son de Merzbow. Il était prêt.

RACHEL

Parce qu'elle suffoquait de chaleur, sans doute en raison du stress, Rachel avait ôté sa perruque et son masque. Tant pis si Andy ou John ou qui que ce soit d'autre la voyait. De toute façon, il était trop tard. Si quelque chose de terrible devait se produire, cela aurait lieu bientôt.

Debout sur la pointe des pieds derrière la masse compacte des spectateurs, elle était témoin du merveilleux travail qu'Héléna et Adam avaient réalisé ensemble. Certes, elle avait assisté à une avant-première, mais le vrai spectacle était encore plus intense et dégageait quelque chose de profondément mystérieux à travers sa thématique érotique.

Rachel regardait souvent en haut de la scène. Mais comme c'était dans la noirceur, il était impossible de voir si quelqu'un s'y cachait. Elle espérait que son intuition, qui lui disait que leur plan avait été un succès, ne la trompe pas. Mais John était un être si étrange, qui sait ce qui pouvait lui passer par la tête ? C'était ce doute qui la stressait.

La tension montait dans le Temple d'Éros. La fin de la chanson approchait. Les longs corps des acteurs luisaient dans leur combinaison en latex. Agenouillé devant Héléna, Adam suçait le gode en silicone qu'elle lui enfonçait dans la bouche.

Rachel se sentit excitée malgré la tension et la peur qui ne l'abandonnaient pas. Les gens devant elle ne bougeaient pas. Ils étaient fascinés et non en train de crier de manière enthousiaste comme on s'y serait attendu.

Au moment où Héléna installait Adam dans une position qui laissait croire qu'elle allait le sodomiser, un courant électrique passa dans la foule. Lui qui n'avait jamais exhibé son sexe devant ses admirateurs, pensa Rachel, allait faire quelque chose de bien plus intime.

Sous l'éclairage bleu métallique froid et au son de la musique de plus en plus dure et saccadée, Adam, ensanglanté et vulnérable, était penché sur le cadre de la voiture. La toute-puissante Héléna, elle aussi blessée et tachée de sang, baissa la fermeture éclair de la combinaison de son amant jusque sous les fesses. Elle agrippa le faux pénis d'une main et appuya l'autre sur la chute de reins qui s'offrait à elle.

Join... The Car Crash Set, chanta-t-elle dans le micro fixé à son oreille.

Et tout cessa brusquement. Comme si la mort venait de frapper. La salle fut plongée dans le noir. Totalement silencieuse pendant trois secondes. Jusqu'à ce que les applaudissements éclatent. Rachel applaudit aussi. De soulagement. Il ne s'était rien passé. Leur plan avait donc fonctionné, ou avaient-ils tous les trois fabulé ? Ils ne le sauraient probablement jamais, mais peu importait. Le spectacle avait eu lieu, c'était un succès et...

— Bonsoir, Rachel.

Elle sursauta. Se retourna. John était là, devant elle.

Son cœur se mit à battre follement.

HÉLÉNA

Isolés dans leur loge, Héléna et Adam se libérèrent rapidement de ce qui restait de leur costume de scène. Le corps couvert de sueur, de maquillage et de faux sang, ils s'embrassèrent avec ardeur tandis qu'Adam s'assoyait sur une chaise, entraînant avec lui Héléna qui le laissa s'insérer en elle sans autres préliminaires. Ceux qu'elle avait eus sur scène avaient été très efficaces. Elle savait qu'Adam faisait un effort ultime pour étirer le plaisir. Comme elle le lui avait suggéré, il s'était dominé pour ne pas jouir pendant la performance. Elle non plus n'avait pas joui. Et c'était beaucoup mieux maintenant, dans l'intimité, car ils étaient grisés de se sentir aussi étroitement liés après avoir vécu un événement où art et danger s'étaient côtoyés. Ils vivaient un moment précieux de leur relation.

Ils mirent peu de temps à jouir, si intensément qu'ils eurent l'impression de ne plus être où ils se trouvaient mais dans un ailleurs où il n'y avait rien d'autre qu'une sensation de bien-être total et continu. Nus et imbriqués l'un dans l'autre, ils planaient. Héléna reposait sur le torse humide d'Adam et, graduellement, elle pensa aux faits récents qui, pourtant si stressants, aboutissaient à cet état de plénitude.

Elle pouvait désormais tourner la page sur Crushing Steel, honoré une dernière fois par cette prestation musicale et érotique. Et si la mort de Wouter avait été une épreuve difficile et triste, frôler la mort aux côtés d'Adam s'était révélé une expérience sublime et précieuse. En fait, avaient-ils vraiment frôlé la mort ? John avait-il bien eu pour mission, à l'origine, d'assassiner l'un d'eux, pour le compte de Saphira ? Devaient-ils chercher la réponse ? la trouver ? Est-ce que cela était nécessaire ?

— Crois-tu que nous sommes en sécurité maintenant ? murmura Adam près de son oreille.

Héléna se redressa et poussa la longue mèche blonde et rouge derrière l'oreille de son amoureux.

— Logiquement, je dirais non. La soirée n'est pas terminée, donc tout est encore possible. Mon intuition, elle, me dit que si l'un de nous deux devait être abattu, ça se serait passé pendant le spectacle, alors que tout le monde avait le regard concentré sur la scène et non ailleurs, ce qui aurait donné toute la latitude nécessaire à John pour fuir du Temple discrètement. Ou il aurait pu simplement réintégrer son rôle de gardien de sécurité sans que personne ne pense qu'il puisse être le tueur.

— Je pense la même chose pour l'aspect logique, mais pour la seconde partie, je dis simplement : le plan a marché. Et je propose qu'on aille boire un verre de vodka de l'autre côté.

— Hum…, dit Héléna en se levant. On devrait aller terminer la nuit ailleurs, loin de Lamarre Sécurité. Et célébrer avec Rachel le triomphe de l'imagination, de la créativité et de l'amour sur la mort. C'est en partie grâce à elle que nous avons cherché une solution pour que John change d'idée.

— OK, ça a du sens.

Ils passèrent les minutes suivantes à se nettoyer sommairement le visage, les cheveux et les bras et à enfiler leurs habituels tandems jean et t-shirt.

Héléna ouvrit la porte de la loge. Les coulisses étaient désertes. Les artistes ayant participé à la soirée s'amusaient déjà dans la salle. Adam sortit derrière elle et la laissa verrouiller la porte. Elle put à peine avancer de quelques pas qu'il la prit par le bras, la plaqua contre le mur et pressa son corps contre le sien.

— C'est vraiment une soirée intense, dit-il tout bas.

— En effet.

Il glissa une main sous son chandail, puis sous son soutien-gorge, tandis qu'elle caressait sa nuque et l'embrassait. Ils avaient déjà le goût de recommencer, mais ils étaient aussi sur la même longueur d'onde. Alors ils allaient faire durer le plaisir. Les vibrations de la musique techno leur parvenaient à travers la porte des coulisses et ils ajustèrent l'ondulation de leurs bas-ventres au rythme de ce qu'ils entendaient. Les mains sur les hanches d'Héléna, Adam la guidait en l'embrassant. Ils restèrent dans cette mouvance, attentifs à leur corps et à leur désir. Jusqu'à ce qu'ils entendent les hurlements.

ÉPILOGUE

HÉLÉNA

Adam ne savait pas qu'Héléna était assise au bar
et le regardait danser, un léger sourire aux lèvres,
séduite par ce pouvoir qu'il avait de transformer
un acte érotique sans subtilité en une prestation
fascinante. C'était la première fois qu'elle venait
au Hard & On et, contrairement à ce qu'elle avait
cru, cela ne lui déplaisait pas. Elle trouva même
amusant le moment où la clientèle commença à
lancer du popcorn en l'air, comme Adam le lui avait
raconté.

Héléna prit une gorgée de sa vodka ; un mois déjà
s'était écoulé depuis la fin tragique de la soirée
d'inauguration du Temple d'Éros. Elle se rappelait
pourtant très bien les hurlements, puis la musique
qui s'arrêtait brusquement, remplacée par une cacophonie de bruits, de gens qui parlaient tous en même
temps alors que d'autres se mettaient à hurler à
leur tour. Adam et elle étaient restés sans bouger de
longues minutes, appuyés contre le mur des coulisses.

Puis, sans se concerter, ils s'étaient dirigés lentement vers la porte qui menait à la grande salle du Temple d'Éros.

Au milieu du plancher de danse, gisait un corps caché sous une couverture tachée de sang. Beaucoup de sang. Ceux qui avaient vu étaient encore sous le choc. Des femmes et des hommes pleuraient, consolés par d'autres. Les gars de Lamarre Sécurité faisaient ce qu'ils pouvaient pour rassurer les gens et, surtout, ils s'assuraient que personne ne quittait les lieux.

Pour Héléna, le temps semblait s'être modifié, car elle avait eu l'impression que seulement quelques secondes s'étaient écoulées avant que des policiers soient partout, vérifiant les pièces d'identité, posant des questions, écoutant les témoignages, prenant des notes…

Encore quelques secondes plus tard – mais c'était impossible, Héléna le savait bien –, Adam et elle avaient trouvé JMB debout dans son bureau, le visage rouge de colère et l'oreille collée contre son cellulaire. Il parlait d'une voix crispée. Enragée. Mélanie était assise sur une des chaises, l'air dévasté.

— Qu'est-ce qui est arrivé? avait demandé Héléna.

— Quelqu'un a tué Saphira en la poignardant de plusieurs coups de couteau, avait répondu la jeune femme.

La reine de la *night life* tuée à l'inauguration de son propre bar. On n'aurait pas pu s'attendre à plus mauvais départ.

— On sait qui?

— Un jeune homme. La sécurité l'a arrêté tout de suite après son geste. Il n'a même pas tenté de résister ou de s'enfuir.

Quelques heures plus tard, les médias révélaient que le meurtrier de la Diva était un admirateur secret, instable psychologiquement. « Je rêvais de devenir l'amoureux de Diva Saphira, mais je savais que c'était impossible. Alors il a fallu que je détruise le rêve », avait-il expliqué. Adam avait reconnu le jeune homme chauve qui fréquentait le Hard & On et devenait, chaque fois que c'était possible, l'ombre de la Diva. Jamais Adam n'avait été témoin du moindre intérêt de Saphira envers lui. Il était trop banal. Pas à la hauteur. Et il n'avait pu supporter son indifférence plus longtemps.

Ainsi donc, un meurtre avait bien été commis, mais un meurtre qui n'avait rien à voir avec leurs suppositions. Ils s'étaient mépris non seulement sur la cible potentielle du tueur, mais sur le tueur lui-même.

On les avait laissés sortir du Temple aux petites heures du matin, en même temps qu'une centaine de personnes à l'air hagard et au maquillage défraîchi.

Héléna s'aperçut qu'Adam s'approchait d'elle, le visage radieux de son sourire irrésistible.

— Tu parles d'une surprise ! Je n'aurais jamais cru que tu viendrais me voir danser ici.

— Si je te l'avais dit, ça n'aurait pas été une surprise.

Adam se balança sur un pied puis sur l'autre pendant cinq secondes pour enfin se rapprocher d'Héléna et l'embrasser sur la bouche. Elle n'avait pas l'habitude des démonstrations d'affection en public, mais elle ne put s'empêcher de constater que, du moins cette fois-ci, ça passait.

— Est-ce que tu restes jusqu'à la fin ? demanda-t-il.

— Tu veux savoir si je peux supporter de regarder tous les autres jeunes hommes danser ?

Il lui enserra la taille.

— Non, je sais que tu te fous des autres, dit-il, sûr de lui.

Il avait raison.

— Je vais partir avec toi quand tu auras fini, dit-elle.

— Je vais danser la prochaine pour toi.

— Juste la prochaine ?

— Oui. Il faut que je danse aussi pour mon public.

Elle sourit et le regarda s'éloigner vers une table où trois jeunes femmes désiraient ses services. Elle le vit se déhancher à quelques centimètres de leur visage et elle s'en amusa. Ce qu'elle avait vécu avec Adam – et ils n'étaient qu'au début de leur relation – était si profond et sérieux qu'Héléna était immunisée contre la jalousie. Lorsque Adam lui avait demandé si elle désirait qu'il change d'emploi, elle lui avait répondu qu'il n'en était pas question. Il dansait à moitié dévêtu, ça lui plaisait, il gagnait bien sa vie et ne dépensait pas ses revenus en dépendances stupides. Il n'avait aucune raison de cesser de faire ce qu'il aimait. Sauf coucher avec n'importe qui, mais Adam avait accepté cette entente et il avait promis à Héléna que si des tentations se pointaient, il allait lui en parler plutôt que de nier leur existence. L'entente était évidemment réciproque.

Héléna commanda une deuxième vodka. Elle laissa son œil créatif se balader dans le bar, en quête d'inspiration. Quelques jours après l'inauguration du Temple d'Éros, elle s'était sentie régénérée. Crushing Steel n'existait plus. La mémoire de Wouter avait été honorée et le deuil avait pris fin de manière concrète par le biais d'un rituel spectaculaire. Depuis, elle s'était mise à l'ouvrage. Elle avait passé des heures à ses instruments, ses machines et son ordinateur en quête de sa nouvelle voie. Et, chaque jour, elle y travaillait. Elle s'en rapprochait. Tandis qu'Adam dansait au Hard & On, elle passait ses nuits à créer. Aux petites heures, il venait la rejoindre dans son loft, où ils jasaient, s'aimaient et dormaient ensemble.

Adam s'était inscrit à une école de danse sociale. À la réaction étonnée d'Héléna lorsqu'il lui avait fait part de son intention, il avait répliqué que c'était elle qui l'avait stimulé en lui montrant des vidéos de Fred Astaire et Gene Kelly. Il s'était donné comme défi de devenir aussi bons qu'eux. Ainsi donc, deux fois par semaine, il allait à ses cours de danse. Héléna en profitait pour consacrer du temps à renouer avec les amis qu'elle avait négligés durant ses deux années de solitude. Grâce à Adam, elle était redevenue bien vivante. Sans lui, elle aurait réussi à se remettre de la mort de Wouter, mais elle n'aurait certainement pas abordé sa nouvelle vie avec autant d'enthousiasme.

Les heures passaient, les danseurs défilaient sur scène et parmi eux Adam, qui connaissait le secret profond de la vraie séduction. Il était simplement lui dans toute sa splendeur, et c'est pourquoi il était tant adoré.

Héléna pensait parfois à John. Il n'avait tué personne le 3 juillet. Ce qui n'excluait toujours pas qu'il soit un tueur. Elle avait attendu avec une certaine crainte le moment de sa venue – ne lui avait-elle pas dit qu'ils pourraient parler après l'inauguration

du Temple ? –, mais il ne s'était jamais manifesté.
Elle croyait de moins en moins probable que leurs
chemins se croisent de nouveau.

Rachel était partie se balader aux États-Unis pour
une période de temps indéterminée. Parce que la
chauffeure et sa voiture étaient facilement repé-
rables, Adam et elle allaient peut-être la revoir un de
ces jours. Et, qui sait, peut-être avoir besoin de ses
services pour se rendre quelque part ?

Lorsqu'ils quittèrent le Hard & On, la nuit était
fraîche. Ils marchèrent, main dans la main, sans rien
dire. Héléna était heureuse d'avoir retrouvé la simple
joie d'être bien, en silence, avec l'être aimé. Les mots
n'étaient pas toujours nécessaires pour exprimer ce
qu'on ressentait.

— Tu me suis ? demanda soudain Adam.

— OK.

Héléna ne fut pas étonnée du choix de la destination d'Adam, et encore moins lorsqu'il la mena
dans l'entrée de garage où elle l'avait elle-même
amené, le premier soir où ils s'étaient rencontrés au
Temple d'Éros. Le stationnement était désert. Le
Temple était demeuré fermé depuis la fameuse nuit.

Son jeune amant la pressa contre la porte du
garage et elle sentit son érection appuyer sur son
pubis. Elle se rappela la fois où il avait dansé pour
elle, au même endroit. Il y avait eu tant de décou-
vertes depuis.

JOHN

John et Andy étaient assis sur le balcon arrière de la maison. L'air était lourd et humide. John avait la nuque tendue. Andy transpirait. Ni l'un ni l'autre ne faisaient cependant quoi que ce soit pour être plus à l'aise.

— As-tu quelque chose à voir avec le meurtre de Saphira ? demanda John.

— Non.

— Pourquoi ça t'a dérangé de voir les photos d'Adam et elle chez moi ?

— Parce que j'avais une relation avec elle et que je l'avais déjà surprise avec Adam, à qui j'avais flanqué mon poing au visage. C'est aussi parce que Saphira était actionnaire du Temple que Lamarre Sécurité a eu le contrat.

— Ça te fait quelque chose qu'elle soit morte ?

— Non. C'était une salope.

John prit le temps de bien réfléchir avant de poursuivre la conversation.

— Saphira était une salope. Rachel est une salope. Tu as le droit d'avoir une histoire avec une salope, mais tu m'empêches de faire la même chose. Pourquoi?

Long silence.

— Parce que c'est plus risqué pour toi, John, d'avoir des histoires avec des femmes. Avec n'importe quelle femme, en général. Tu comprends?

Ce n'était pas la première fois que son frère et lui avaient ce genre de discussion. Ce n'était pas la première fois que John montrait de l'intérêt pour une femme. Mais il ne s'était jamais rien passé de concret. Ce qu'il avait enfin compris, c'était qu'Andy intervenait toujours avant même que l'histoire débute. Il utilisait toutes sortes de ruses pour confirmer que chacune des femmes qui intéressaient John n'était pas bonne pour lui. Et le processus avait toujours fonctionné. Sauf cette fois-ci.

— Si tu touches à Rachel une autre fois, je te tue.

Andy se tourna vers son frère.

— Qu'est-ce que ça veut dire?

— Je n'ai pas accompli le Travail comme tu me l'as demandé. J'ai décidé de ne pas éliminer Rachel.

Abasourdi par ce qu'il entendait, Andy se leva.

— C'est absurde. Tu dois renoncer à elle.

— Pourquoi?

— Mais enfin, John… Parce que tu ne peux pas la satisfaire sexuellement. Tu es dérangé. Dysfonctionnel.

— Je crois qu'elle m'aime comme je suis.

Andy se prit la tête à deux mains. Il se rassit et se tourna vers John.

— Et pour le reste, que vas-tu lui dire?

— Le reste? Quel reste?

Long silence. Ils se regardaient dans les yeux.

— Que lui as-tu dit que tu faisais comme boulot?

— Je ne lui ai rien dit, mais elle a compris que j'éliminais des gens. Héléna aussi l'avait compris.

— Éliminer comment?

— En les tuant avec une arme.

— Non, John. Ce n'est pas exactement ça.

— Je ne comprends pas.

Andy essuya son front trempé de sueur.

— Tu es un excellent tireur, mais tu n'as jamais tué personne. Tu n'as jamais tiré sur qui que ce soit. Tu n'as jamais poignardé personne. Tu n'as jamais blessé physiquement un seul animal ou un seul humain.

John encaissa l'information. Mais il ne comprenait toujours pas.

— Tu as passé ta vie adulte à croire que tu es un tueur. Et tu agis comme un tueur. Mais tout cela est dans ta tête, John, c'est une conséquence de ton autisme.

— Je ne suis pas autiste.

— C'est pourtant la vérité, John. Tous tes Travaux n'étaient que symboliques. Il n'y avait personne à tuer. Chaque fois que tu devais faire un Travail, c'était dans le sens d'éliminer de ta vie la nouvelle femme pour laquelle tu éprouvais de l'engouement. Et chaque fois, tu as cru que tu l'avais réellement tuée avec une arme. Tu créais un scénario précis auquel tu croyais même s'il n'avait jamais lieu. Le processus a toujours fonctionné. Sauf avec Rachel. La seule femme qui a failli elle-même te tuer accidentellement.

John réfléchissait.

— Tu ne peux pas vivre avec une femme, continua Andy. Si le moindrement elle te rappelle notre mère, tu risques tôt ou tard de la tuer.

— Comment peux-tu en être certain puisque je n'ai jamais tué personne ?

Andy baissa la tête. John l'entendit murmurer un juron avant de répondre.

— Tu as raison, je ne suis certain de rien.

— Tu m'as menti toute ma vie.

— Vois-tu, John, tu n'es pas tout à fait normal, et te donner l'impression d'être quelqu'un avec une vraie existence, c'est ce que j'ai pensé être le mieux pour toi. Comme tu avais une fascination pour les armes et des aptitudes de tireur, je n'ai pas cherché plus loin. Tu peux appeler ça mentir, libre à toi.

Il y eut soudain une illumination dans l'esprit de John. Quelque chose qui venait de se déclencher sans qu'il ne fasse aucun effort.

— Andy ?

Son frère le regarda de nouveau.

— Je n'ai jamais tué personne. C'est bien ce que tu me dis.

— Absolument.

John sourit.

RACHEL

La Lincoln Continental roulait à vive allure. Au volant, Rachel chantait *Riding Alone In My Automobile* avec Chuck Berry. Au cours des dernières semaines, son répertoire musical avait couvert les chansons à thématique de route, de liberté et de voitures. Les cheveux au vent, elle avait chanté *Route 66*, *Cars*, *Drive My Car*, *Hit The Road Jack*, *Born To Run*, *I've Been Everywhere*, *The Passenger*, *Shining Road*...

Deux jours après la fin de son contrat avec JMB, son compte de banque bien rempli, Rachel avait tenu promesse ; sa voiture vintage roulait vers les États-Unis. Le sentiment de béatitude qu'elle avait alors éprouvé avait dépassé ses attentes. En quelques heures, elle s'était délivrée du sentiment d'oppression qui avait précédé le drame de l'inauguration du Temple d'Éros. Il y avait bel et bien eu un meurtre mais, Dieu merci, ce n'était ni Adam ni Héléna qui avaient été visés. Elle trouvait cependant toute cette histoire dommage pour JMB.

Le lendemain du meurtre, Rachel avait téléphoné à Adam. Ayant appris la nouvelle dans le journal en allant acheter un café, elle avait voulu connaître sa version de l'événement et il la lui avait racontée.

— Héléna et moi étions étonnés que tu ne sois plus dans le Temple.

— Je suis partie avec John tout de suite après votre spectacle.

Elle se souvenait encore de lui, debout devant elle, disant simplement :

— Bonsoir, Rachel.

Elle se rappellerait toujours l'affolement de son cœur et les mots qui étaient sortis spontanément de sa bouche :

— Tu viens faire une balade, John ?

Et ils étaient sortis du Temple, bruyant et festif, pour se retrouver dans l'habitacle silencieux et paisible de la Lincoln, chacun à leur place, John sur la banquette arrière, elle derrière le volant.

Rachel avait roulé des heures sur la grand-route. John était resté silencieux. Le vent qui pénétrait par les fenêtres ouvertes les avait tenus éveillés. Il ne s'était passé rien d'autre. Puis, à l'aube, John lui avait demandé de le reconduire à la maison dans le bois.

— Merci, Rachel, avait-il dit en descendant de la voiture.

Avant qu'il ne s'éloigne, elle lui avait demandé :

— Est-ce que je peux venir te chercher ici dans quelques semaines pour une autre balade ?

— Oui.

Après avoir parcouru les routes des États-Unis pendant des semaines, elle rentrait au Québec. Rachel avait pris du bon temps chaque fois qu'il s'était présenté dans toute sa simplicité. Elle avait eu plusieurs amants et aucun ne s'était révélé aussi déplaisant qu'Andy. Rachel avait pu célébrer à nouveau sa vraie nature, celle d'une femme libre qui savait jouir de la vie sans trop l'analyser. Mais maintenant qu'elle se rapprochait de Montréal, des émotions remontaient à la surface et elle réalisait que, malgré l'éloignement et le temps, elle n'avait pas oublié John. Elle voulait savoir ce qu'il était devenu mais, plus encore, elle avait besoin de lui parler. De quoi, elle l'ignorait. Elle trouverait bien, une fois en sa présence. Et, de toute façon, il avait dit qu'il acceptait de la revoir. Qu'Andy soit d'accord ou pas, elle s'en foutait. Elle prenait le risque de ce qui pouvait arriver. Alors, plutôt que d'emprunter le chemin qui la mènerait à son minuscule appartement, elle choisit de se rendre à la maison au milieu de nulle part.

Elle y arriva un peu avant le coucher du soleil. Elle gara sa voiture devant la clôture en grillage, bien en vue sous l'œil de la caméra, et elle sortit de la Lincoln exactement comme elle l'avait fait la dernière fois qu'elle était venue voir John ici, des semaines plus tôt. Elle s'appuya contre le capot et croisa les bras. Elle attendait.

Vingt minutes passèrent, pendant lesquelles Rachel tirait parfois sur sa jupe rouge moulante, secouait le col de son chemisier blanc ou faisait tourner une de ses boucles blondes sur un doigt. Lorsque la porte d'en avant de la maison s'ouvrit enfin, elle haussa un sourcil, déconcertée de reconnaître celui qui marchait vers elle ; Andy était bien le dernier type avec lequel elle avait envie d'engager la conversation, mais elle n'allait pas reculer.

Il poussa sur la porte de la grille. Lorsqu'il fut à un mètre de distance d'elle, Rachel sentit son estomac se nouer et la peur l'envahir. Malgré cela, elle trouva le courage de parler :

— Je veux voir John.

— Ça tombe bien. Il t'attend depuis des jours.

De surprise, Rachel en tomba presque en bas de ses escarpins. Avait-elle bien entendu la phrase qui venait de passer entre les lèvres d'Andy ?

— Je... est-ce que je risque encore que tu me casses les bras ou les jambes ?

— Non. Tout ce que je peux faire, maintenant, c'est te souhaiter « bonne chance ».

— Bonne chance ?

— Ce ne sera pas toujours facile avec John.

Andy se détourna rapidement et retourna dans la maison.

Rachel resta debout près de sa voiture, cherchant à deviner quelle serait la suite de cette étrange soirée lorsqu'elle vit John sortir de la maison, chargé de valises. Il marcha vers elle d'un pas déterminé, sans la regarder.

Rachel sentit son cœur battre plus vite et une légère excitation sexuelle parcourir son corps.

— Peux-tu ouvrir le coffre ? demanda-t-il une fois près d'elle.

Elle le lui ouvrit et, comme si c'était la chose la plus naturelle du monde, il y déposa ses deux valises. Évidemment pas trois.

Elle voulait lui poser tant de questions... mais elle choisit de ne rien dire, de peur de briser la beauté du moment qu'elle vivait, une beauté si délicate et qui laissait croire que son deuxième rêve se concrétisait : quelqu'un avait envie de partir sur la route avec elle, sans rien demander. Certes, ce ne serait pas toujours facile. Et alors ? Pourquoi cela devrait-il être facile ?

John ferma le coffre et se tourna vers elle.

— Je me sens bien avec toi.

— Moi aussi.

— Je suis un peu fou, mais je n'ai jamais tué personne.

— Je ne suis pas une salope et je suis contente que tu viennes avec moi.

Ils se sourirent. Timidement. Avec pudeur.

Puis Rachel s'installa derrière le volant de sa Lincoln. John s'assit sur le siège arrière.

— Où est-ce qu'on va ? demanda-t-elle.

— Là où on n'est jamais encore allés.

— Ce sera une balade plus longue que d'habitude.

— C'est parfait.

Rachel sourit. Dans le rétroviseur, John aussi souriait.

ADAM

— Héléna, je veux que tu danses pour moi.

— Quoi?

— Tu as très bien compris ce que je viens de te demander.

— Je bouge mais je ne danse pas, voyons.

— Tu ne dansais pas avant de me connaître, mais maintenant tu es avec moi et je veux que tu danses pour moi. Si tu me demandais d'essayer de jouer de la musique, j'essayerais.

— Je vais être très maladroite.

— Tu es pourtant très sexy quand on fait l'amour. Danser, c'est la même chose.

Cette fois, elle rit.

— Je n'ai pas de musique.

Adam sortit le iPod de la poche de son blouson. Il tendit les écouteurs à Héléna. Elle les inséra dans ses oreilles tandis qu'il sélectionnait une chanson. Il appuya sur *play* et glissa l'appareil dans la poche arrière du jean de son amante.

Et, derrière le Temple d'Éros, tandis que Trent Reznor chantait les premières paroles de *You Are The Perfect Drug*, Héléna ne pensa à rien d'autre qu'à laisser son corps s'exprimer tandis qu'Adam la regardait.

Remerciements

Section Héléna – musiciens
Christian Dubé, Eric Quach, Geneviève Beaulieu, Guillaume Nadon, James Hamilton, Martin Beaulieu. Tous entendus et vus jouer au moins une fois.

Section Adam – danseurs
Danielle Hubbard et Louis Guillemette, aux corps capables d'exprimer toutes les émotions. Et avec qui je partage de beaux souvenirs de danse, des plus amusants aux plus intenses aussi bien au salon que sur un plancher de danse.

Section Rachel – voiture
Étienne Leboeuf-Daigneault, pour les balades en Lincoln Continental 1987.

Section John – armes
Simon, Dino et Denise.

Section musique et danse – général
Gilles Beaulieu, mélomane, qui m'a initiée à une grande variété de genres musicaux.

Marie-Pier Beaulieu, qui m'a chanté de douces berceuses.

Anick Guénette, pour ses vastes connaissances et sa passion de la musique rock dans toutes ses directions.

Aux nombreux individus qui, au cours des années, m'ont fait découvrir de nouveaux horizons musicaux, avec lesquels j'ai jasé musique avec enthousiasme, vu un band live, écouté leur propre musique, voix ou talent de DJ, ou, encore, avec qui je garde un souvenir de danse mémorable.

Entre autres :
Alain Ayotte, Alain Provost, Alexander James King, Alexandra Gamache, Anna Maria Sertolli, Béatrice Filstein, Bertrand Lalonde, Chloé Mayday, Christine Attalah, Christine Boudreau, Coffin Joe, Daniel Jobin, Danièle Ducharme, Daniel Sernine, David Murphy, Dominic Vincent, Douglas Nolan, Fannie Langlois, Florent Beaulieu, Francis Vincent, François Dugal, Frédéric Choquette, Frederick Maheux, Geneviève Drolet, Geneviève Rollet, Geneviève Tellier, Gilbert Renaud, Hugues Leblanc, Hugo Morin, Jason Deeh P, Jason Lutes, Jean-François Perreault, Jayk Gaudet, Jeff Urban, Jérôme Abramovitch, Jim Lévesque, Joeffrey Dumas, Jon Atkinson, Jungle, Kiêt Ha, Kommandandt Jack, Larry Law, Louis-Pierre Lacoursière, Marc-André Ferguson, Marcus Wells, Marie Carrière, Marie-Ève Noël, Marie S Comtois, Master Luk, Mathieu Daigneault, Michelle Seto, Mitch D. Kroll, Nadia Benny, Nancy Kilpatrick, Orryelle Defenestrate-Bascule, Patrick Lapierre, Peter Black, Pierre-Luc Vaillancourt, Philippe Guérin, Raphaël Brière, Richard Gagnon, Rod Bellamy, Romuald Cardinal, Sandra Claros, Serge Rodrigue, Shaad Emrys, Sherwin Tjia, Sofi Gamache, Sophie Morin, Sophie-Anne Perkins, Syksy Räsänen, Sylvie Dessureault, Vincent Courteau, Xyshano, Yvan Meunier, Zïlon.

Section édition

Jean Pettigrew, qui voit tout.

Louise Alain, qui voit loin.

Et à tous les membres des éditions Alire, qui rendent la vie des auteurs agréable grâce à leur compétence, à leur bonne humeur et à leur présence complice dans les salons du Livre.

Section divers

Julie Martel et Serena Gentilhomme, pour leur aide et compétence concernant certains sujets.

SECTION TECHNIQUE
MacBee qui a buzzé en masse…

SECTION MUSES
Pour l'essence de leur être qui a su insuffler la vie aux personnages de *Regarde-moi*.

SECTION ULTIME
Mon père et ma mère, toujours là pour m'encourager.

Mes ami(e)s proches et moins proches, qui respectent mon travail d'écrivaine, pas toujours facile à suivre.

Les lecteurs et lectrices avec qui j'aime discuter aux salons du Livre ou ailleurs. Et parce qu'ils aiment lire mes histoires.

NATASHA BEAULIEU...

… a grandi dans un environnement propice à stimuler l'imagination. Elle a écrit ses premiers textes toute jeune et, au fil des ans, elle a exploré différentes formes d'art (danse, théâtre, musique, cinéma, dessin de mode et haute couture). Après avoir obtenu un diplôme de l'Université Concordia en Fine Arts (cinéma et littérature), elle a été, entre autres, journaliste, rédactrice pigiste et libraire.

Si la trilogie fantastique des « Cités intérieures » (*L'Ange écarlate*, *L'Eau noire*, *L'Ombre pourpre*) a révélé le « noir talent » de Natasha Beaulieu au grand public, c'est avec *Le Deuxième gant* qu'est née sa réputation de grande prêtresse des amours déjantés… et nul doute que cette réputation prendra encore plus d'ampleur après la lecture de *Regarde-moi*.

EXTRAIT DU CATALOGUE

Collection « Essais »

Collection « GF »

Collection « Romans » / « Nouvelles »

VOUS VOULEZ LIRE DES EXTRAITS
DE TOUS LES LIVRES PUBLIÉS AUX ÉDITIONS ALIRE ?
VENEZ VISITER NOTRE DEMEURE VIRTUELLE !
www.alire.com

REGARDE-MOI
est le vingt et unième volume de la collection «GF»
et le cent quatre-vingt-sixième titre publié
par Les Éditions Alire inc.

Il a été achevé d'imprimer
en octobre 2012 sur les presses de

Marquis Imprimeur Inc.

Imprimé au Canada

100%   BIO GAZ   ∞
                ÉNERGIE   PERMANENT

Imprimé sur Rolland Enviro100, contenant
100% de fibres recyclées postconsommation,
certifié Éco-Logo, Procédé sans chlore, FSC
Recyclé et fabriqué à partir d'énergie biogaz.